ANDREA CAMILLERI

Italien d'origine sicilienne, né en 1925, Andrea Camilleri a mené une longue carrière à succès de metteur en scène pour le théâtre, la radio et la télévision, pour laquelle il a adapté *Maigret*.

D'abord auteur de poèmes et de nouvelles, Camilleri s'est mis sur le tard à écrire dans la langue de cette Sicile qu'il a quittée très tôt pour y revenir sans cesse. Il a ensuite écrit de nombreux romans, dont une série de romans policiers qui l'ont rendu célèbre.

Depuis de nombreuses années, le bouche à oreille d'abord, et l'intérêt des médias ensuite, ont donné naissance au « phénomène » Camilleri en Italie où ses livres sont régulièrement en tête des ventes.

Son héros, Salvo Montalbano, un concentré détonnant de fougue méditerranéenne et d'humeur bougonne, évolue avec humour et gourmandise au fil de ses enquêtes : entre autres, *La Forme de l'eau* (prix Mystère de la Critique 1999), *Le Tour de la bouée* (2005), *Un été ardent* (2009), *Les Ailes du sphinx* (2010), *La Piste de sable* (2011), *Le Champ du potier* (2012, lauréat du CWA International Dagger Award), *L'Âge du doute* (2013), *La Danse de la mouette* (2014), *La Chasse au trésor* (2015) et *Le Sourire d'Angelica* (2015).

Tous ont paru chez Fleuve Éditions.

Retrouvez toute l'actualité de l'auteur sur :
www.andreacamilleri.net

LA PREMIÈRE ENQUÊTE
DE MONTALBANO

DU MÊME AUTEUR
CHEZ POCKET

LES ENQUÊTES DU COMMISSAIRE MONTALBANO :

UN MOIS AVEC MONTALBANO
LA VOIX DU VIOLON
LA DÉMISSION DE MONTALBANO
L'EXCURSION À TINDARI
LA PEUR DE MONTALBANO
LE TOUR DE LA BOUÉE
LA PREMIÈRE ENQUÊTE DE MONTALBANO
LA LUNE DE PAPIER
UN ÉTÉ ARDENT
LES AILES DU SPHINX
LA PATIENCE DE L'ARAIGNÉE
UN MOIS AVEC MONTALBANO
LA PISTE DE SABLE
LE CHAMP DU POTIER
L'ÂGE DU DOUTE
LA DANSE DE LA MOUETTE

MEURTRE AUX POISSONS ROUGES
En collaboration avec CARLO LUCARELLI

ANDREA CAMILLERI

LA PREMIÈRE ENQUÊTE DE MONTALBANO

Traduit de l'italien (Sicile)
par Serge Quadruppani
avec l'aide de Maruzzza Loria

Texte proposé par Serge Quadruppani

FLEUVE NOIR

Titre original :

LA PRIMERA INDAGINE DI MONTALBANO

Publié pour la première fois
par Arnoldo Mondadori Editore SpA, Milano

© 2004, Arnoldo Mondadori Editore SpA, Milano
© 2006, Éditions Fleuve Noir, département d'Univers Poche,
pour la traduction française.
ISBN : 978-2-266-16665-2

Avertissement du traducteur

L'œuvre littéraire d'Andrea Camilleri connaît dans son pays un succès tel, qu'on lui trouverait difficilement un équivalent dans le demi-siècle qui vient de s'écouler en Italie. Une bonne part de cette réussite tient à la langue si particulière qu'il emploie. En rendre la saveur est une entreprise délicate. Il faut d'abord faire percevoir les trois niveaux sur lesquels elle joue, chacun d'eux posant des problèmes spécifiques.

Le premier niveau est celui de l'italien « officiel », qui ne présente pas de difficulté particulière pour le traducteur : on le transpose dans un français le plus souvent situé, comme l'italien de l'auteur, dans un registre familier. Le troisième niveau est celui du dialecte pur : dans ces passages, toujours dialogués, soit le dialecte est suffisamment près de l'italien pour se passer de traduction, soit Camilleri en fournit une à la suite. À ce niveau-là, j'ai simplement traduit le dialecte en français en prenant la liberté de signaler dans le texte que le dialogue a lieu en sicilien (et en reproduisant parfois, pour la saveur, les phrases en dialecte, à côté du français).

La difficulté principale se présente au niveau intermédiaire, celui de l'italien sicilianisé, qui est à la fois celui du narrateur et de bon nombre de personnages. Il est truffé de termes qui ne sont pas du pur dialecte, mais plutôt des régionalismes (pour citer deux exemples très fréquents, *taliare* pour *guardare*, regarder, *spiare* pour *chiedere*, demander). Ces mots, Camilleri n'en fournit pas la traduction, car il les a placés de telle manière qu'on en saisisse le sens grâce au contexte (et aussi, souvent, grâce à la sonorité proche d'un mot connu). Voilà pourquoi les Italiens de bonne volonté (l'immense majorité, mais on en trouve encore qui prétendent ne rien comprendre à la langue « camillerienne ») n'ont pas besoin de glossaire, goûtent l'étrangeté de la langue et la comprennent pourtant.

Remplacer cette langue par un des parlers régionaux de la France ne m'a pas paru la bonne solution : soit ces parlers, tombés en désuétude, sont incompréhensibles à la plupart des lecteurs (et il semblerait bizarre de remplacer une langue bien vivante et ancrée dans les mots de la Sicile d'aujourd'hui, par une langue morte), soit ce sont des modes de dire beaucoup trop éloignés des langues latines (un Camilleri en ch'timi aurait-il encore quelque chose de sicilien ?). Il a donc fallu renoncer à chercher terme à terme des équivalents à la totalité des régionalismes. Le « camillerien » n'est pas la transcription pure et simple d'un idiome par un linguiste, mais la création personnelle d'un écrivain, à partir du parler de la région d'Agrigente. Et cependant, si toute vraie traduction comporte une part de création littéraire, le traducteur doit aussi éviter de disputer son rôle à l'auteur : il était hors de question d'inventer une langue artificielle.

Pour rendre le niveau de l'italien sicilianisé, j'ai donc placé en certains endroits, comme des bornes rappelant à quels niveaux on se trouve, des termes du français du Midi. D'abord, parce que le français occitanisé s'est assez répandu, par diverses voies culturelles, pour que jusqu'à Calais, on comprenne ce qu'est un « minot ». Ensuite, ces régionalismes apportent en français un parfum de Sud.

J'ai par ailleurs choisi le parti de la littéralité, quand il s'est agi de rendre perceptibles certaines particularités de la construction des phrases (inversion sujet/verbe : « Montalbano sono » : « Montalbano, je suis ») ou ce curieux emploi du passé simple (*chè fu ?* « qu'est-ce qu'il fut ? », pour « qu'est-ce qui se passe ? ») par où passe l'emphase sicilienne, ou bien encore l'usage intempérant de la préposition « à » avec des verbes directs, et le recours très fréquent à des formes pronominales (« se faisait un rêve » pour « faisait un rêve »), etc.

J'ai tenté aussi de transposer certaines des déformations qu'impose le maître de Porto Empedocle à l'italien classique, pour faire entendre la prononciation de sa terre : « pinsare » au lieu de « pensare » (« penser », en italien classique) a été traduit par « pinser », « aricordarsi » au lieu de « ricordarsi » (se rappeler) a été traduit par s'« arappeler », etc. Choix sûrement discutable, mais qui me paraît encore la moins mauvaise des solutions, car elle permet de suivre l'évolution du style de notre auteur. En effet, l'abondance des transpositions de déformations orales n'est pas la même dans les premiers Montalbano que dans les derniers (il semble que, son public désormais conquis et habitué, Camilleri hésite moins à faire entendre les singularités de sa musique), et leur présence plus ou moins importante dans tel ou tel passage du même livre n'est pas dépourvue de significations, volontaires ou non.

L'ensemble de ces partis pris de traduction aboutit à une langue assez éloignée de ce qu'il est convenu d'appeler le « bon français » : ma traduction peut paraître peu fluide et s'éloigne souvent délibérément de la correction grammaticale. Mais depuis quelques dizaines d'années, le travail des traducteurs a été orienté par la tentative de mieux rendre la langue de leurs auteurs en échappant à la dictature de la « fluidité » et du « grammaticalement correct », qui avait imposé à des générations de lecteurs français une idée trop vague du style réel de tant d'auteurs. Un tel mouvement rejoint aussi le travail des auteurs francophones qui s'emploient à libérer leur expression du carcan d'une langue sur laquelle on a beaucoup trop légiféré. À l'intérieur de ce cadre, à mon artisanal niveau, l'essentiel était, me semble-t-il, de tenter de restituer auprès du lecteur français la plus grande partie de ce que ressent le lecteur italien non-sicilien à la lecture de Camilleri. Ce sentiment d'étrange familiarité que procure sa langue, écho de ce qu'on éprouve en rencontrant, en même temps qu'une île, une très ancienne et très moderne civilisation.

Serge Quadruppani

SEPT LUNDIS

Un

Les deux hommes qui se tenaient alabrités sous le toit de l'arrêt de bus, à attendre avec une sainte patience l'arrivée du circulaire nocturne, sans même se connaître, échangèrent un petit sourire parce que de dedans une grosse boîte de carton renversée dans un coin arrivait un de ces ronflements forts et persistants que c'était pire qu'une scie électrique. Un pauvre diable, un mendigot certainement, qui avait trouvé un abri provisoire contre le froid et l'eau du ciel et qui, réconforté par ce peu de chaleur de son propre corps que le carton retenait, avait décidé que le mieux était de fermer les yeux, *futtirsini di lu munnu sanu sanu*, se foutre du monde entier, et bonne nuit. Enfin, le circulaire survint, les deux hommes grimpèrent, il repartit. En courant, un type arriva :

— Arrêtez ! Arrêtez !

Le conducteur le vit sûrement mais tira tout droit. L'homme jura, regarda sa montre. Le prochain passage aurait lieu dans une heure, à quatre heures du matin. L'homme resta à pensotter un peu et puis, après une giclée de jurons, il décida de se taper la route à pied. Il s'alluma une cigarette et partit. Tout à coup, le ronflement s'arrêta, la boîte fut gangassée et lentement commença à pointer la tête d'un clodo à demi cachée par un galurin plein de trous qui lui tombait jusque sur les yeux. Recroquevillé à terre comme il l'était, le mendiant lança un coup d'œil attentif tout autour de lui. Quand il fut certain que, dans les parages, il n'y avait pas âme qui vive et que les fenêtres des maisons d'en face étaient toutes éteintes, l'homme, en rampant, sortit du carton. On aurait dit un serpent en train de muer. À le voir debout, il ne donnait pas l'impression d'être si miséreux que ça : de petite taille, il était bien rasé et portait un costume usé mais de bonne facture. L'homme glissa deux doigts dans la pochette de la veste, en tira des lunettes, les posa sur son nez, sortit de sous le toit, tourna à main droite et, à moins d'une dizaine de pas, il s'arrêta devant un portail fermé par une chaîne munie d'un gros cadenas. Au-dessus du portail une grande enseigne au néon annonçait : « Restaurant La Petite Sirène. Toutes Spécialités de Poisson ». Il commença de pleuvoir. L'eau ne tombait pas dru, mais elle suffisait à tremper. L'homme trafiqua le gros cadenas qui était plus apparence que substance, en fait il n'opposa pas une résistance bien convaincue au passe-partout. L'allée qui conduisait à la porte d'entrée du restaurant était courte et bien tenue. Mais l'homme ne la remonta pas jusqu'au bout, à mi-chemin il tourna à main droite et se dirigea vers le jardin qui se trouvait derrière l'établissement et où, dès la saison venue, on installait au strict minimum une trentaine de tables. Malgré l'obscurité épaisse, l'homme bougeait avec assurance, sans allumer la lampe qu'il tenait en main. L'eau du ciel le détrempait, mais il n'y faisait pas attention. En fait, il lui venait l'envie d'enlever sa veste, sa chemise, son pantalon et de rester nu sous l'eau rafraîchissante. Tu veux voir qu'il s'était pris quelques degrés de fièvre ?

Le bassin aux poissons, orgueil de l'établissement, était au fond du jardin, à main gauche. Le client qui le souhaitait pouvait venir choisir personnellement le poisson qu'il désirait manger : équipé d'une épuisette, il devait se le pêcher lui-même. Ça n'allait pas toujours sans mal, on s'amusait beaucoup, souvent démarrait un jeu d'allusions et de doubles sens, surtout si quelques nanas étaient présentes dans l'assemblée. Amusement qui, en partie, se calmait à la présentation de l'addition, parce qu'il était connu que, dans ce restaurant, sur le chapitre des prix, on n'avait pas la main légère.

Arrêté au bord du bassin, l'homme commença à ruminer une espèce de chuchotis par moments enragé et par moments plaintif. La nuit était si épaisse qu'on ne voyait rien, même pas si le bassin était plein ou avait été vidé. Il descendit lentement une main dans le bassin, pris absurdement de frayeur à l'idée que quelque poisson, s'il y en avait encore, pût l'attaquer et lui manger un doigt. Alors, il se décida à allumer la lampe un instant : ce fut un éclair, mais suffisant pour faire étinceler l'argent des poissons à fleur de l'eau. Ils étaient si nombreux, les poissons, à l'évidence le bassin avait été réapprovisionné le soir précédent. Ça, pensa-t-il, ça allait lui faciliter la tâche parce que lui, il devait se choper un poisson avec l'épuisette pratiquement à l'aveuglette, étant donné que la lampe, moins il l'utilisait et mieux ça valait. Au-delà du jardin et de la route, s'élevait un grand immeuble d'une dizaine d'étages, il était très probable donc qu'un quelconque connard souffrant d'insomnie, s'étant mis par hasard à la fenêtre et ayant noté la lampe, aurait la brillante idée de donner l'alarme. Il se sentait, et il était, tout transpirant. Il ôta la veste qui, en plus de tout, le gênerait dans ses mouvements, la posa sur une chaise de plastique et, avec la lampe, émit un autre éclair.

Des épuisettes, posées sur le rebord du bassin, il en aperçut au moins trois ; ces cons de clients certaines fois se mettaient à faire le concours entre eux, genre celui qui perd paye pour tout le monde. Il en prit une, s'agenouilla tout près du bord, abaissa l'épuisette en la tenant à deux mains, lui fit décrire un ample demi-cercle, la tira au-dehors. Au

15

poids, il se rendit compte qu'il n'avait rien chopé. Mais il voulut s'en assurer et la tâta. Dedans, il y avait juste quelques gouttes d'eau résiduelle. Il essaya encore plusieurs fois et obtint toujours le même résultat.

Il s'assit sur les talons, très fatigué, soufflant si fort qu'il se prit la frousse à l'idée qu'on pourrait l'entendre même du maudit immeuble voisin. Il ne pouvait pas perdre tout ce temps, il devait être hors du restaurant au moins une dizaine de minutes avant qu'arrive le circulaire de quatre heures, en général bourré de gens encore à moitié endormis, certes, mais capables de reconnaître quelqu'un. Une pensée lui vint qui lui parut fort bonne. Tenant l'épuisette de la main gauche, il l'abaissa, lui fit exécuter un tour rapide mais, avant de finir, il alluma la lampe qu'il tenait dans la main droite. Il avait deviné : une masse de poissons, en fuyant, s'était concentrée dans cette partie du bassin non couverte par le tour du filet. Alors il se leva, prit une autre épuisette, se mit en équilibre sur le bord du bassin, attendit cinq minutes que les poissons se calment et recommencent à nager chacun pour son propre compte. Il retint même sa respiration. Puis il agit. Tandis qu'il faisait exécuter le tour habituel à la première épuisette, il enfonça d'un coup la seconde pour couper la route à la fuite des poissons.

Il réussit son coup, il sentit que, dans le filet, trois au moins étaient entrés tout seuls. Il jeta l'épuisette vide, descendit du rebord, posa à terre celle avec les trois poissons, alluma la lampe. Il distingua tout de suite un gros mulet. Il sourit, s'assit sur le bord du bassin, attendit que les poissons finissent de se débattre *ammàtula*, inutilement, contre la mort. Quand il fut certain qu'ils ne bougeraient plus, une fois rejetés à l'eau les deux autres poissons qui ne lui servaient pas parce que trop pitchouns, il étendit le mulet sur le rebord, tira de la poche arrière de son pantalon un pistolet, y mit le silencieux, se glissa la lampe allumée entre les dents et, tenant fermement le corps du poisson d'une main, de l'autre lui tira une balle en pointant l'arme à la verticale de manière que le projectile ne le décapite pas mais lui mette la tête en bouillie. Il éteignit la lampe et resta immobile parce que le coup de feu, malgré le silencieux, il lui avait semblé qu'il avait réveillé tout Vigàta. Mais rien ne se passa, pas une fenêtre ne s'ouvrit, aucune voix ne demanda qu'est-ce qui s'était passé.

Alors l'homme fouilla une des poches de son pantalon, en tira le billet qu'il avait emporté déjà rédigé et le plaça sous le poisson fusillé.

Le circulaire de quatre heures du matin se fit attendre longtemps, il arriva avec dix minutes de retard.

Quand il repartit, parmi les passagers ensommeillés, il y avait aussi l'homme qui venait d'assassiner un mulet.

— *Dottore*, vous le connaissez le restaurant La Petite Sirène, celui qui se trouve du côté du monument à Luigi Pirandello ? demanda Fazio le matin du lundi 22 septembre, en entrant dans le bureau du commissaire Montalbano.

Ce dernier était de bonne humeur. La veille il avait fait froid, il avait plu, mais ensuite, le matin revenu, il était sorti un soleil encore aoûtien, compensé par un petit vent malicieux. À le regarder bien en face, même Fazio semblait privé de mauvaises pensées.

— Bien sûr que je le connais. Mais il n'y a pas de quoi s'en glorifier, de le connaître. J'y suis allé une fois avec Livia, juste pour essayer et ça m'a amplement suffi. *Scrùscio di carta e cubàita, nenti* : bel emballage, mais dedans, rien du tout. Serveurs élégants, service discret, impeccable, vaisselle luxueuse, addition à choper un infarctus mais quant au fond, à la substance, ils servent des plats qui semblent préparés par un cuisinier en coma dépassé.

— Moi, j'y mangeai jamais.

— Et tu fis bien. Pourquoi tu m'en parles ?

— Parce que ce matin tôt, M. Ennicello, le propriétaire qui se trouve être un lointain parent de *me' mogliere*, de ma femme, il m'appela ici au téléphone et me raconta une histoire tellement étrange que j'ai été pris de curiosité. C'est comme ça que j'y allai. Vous le savez que dans ce restaurant, il y a un bassin rempli de poissons vivants qui…

— Je sais, je sais. Continue. Qu'est-ce qui s'est passé ?

— Il s'est passé que cette nuit quelqu'un est rentré dans le restaurant en ouvrant le cadenas, il a sorti un poisson et lui a flanqué une balle dans la tête.

Montalbano le fixa, abasourdi.

— Il a tiré sur le poisson ?

— Oh que oui, monsieur. Et après, sous le *catàfero*, le cadavre… non, la dépouille… bah, sous ce truc, quoi, il a mis un billet, un quart de feuille quadrillée, que dessus il y avait querque chose d'écrit.

— Qu'est-ce qui était écrit ?

— C'est là le tracassin. Entre la pluie, l'eau et le sang du poisson, l'encre s'est diluée. Et le billet s'est détrempé, tellement que quand je l'ai pris en main, il s'est comme réduit en purée.

— Mais tu peux me l'expliquer pourquoi un type se divertit à faire tout cet estranbord, en courant même le risque d'être arrêté, juste pour aller tuer un poisson ?

— Oh que non, mais hiérarchiquement, c'est vous qui devez me l'expliquer à moi.

— Vous êtes sûr qu'ils lui ont tiré dessus ?

— Très sûr, à terre, il y a aussi la douille. Je l'ai amenée.

Il fouilla la poche de sa veste, la sortit, la tendit au commissaire qui la prit et l'examina.

— Ça, c'est pas la peine de l'envoyer à la Scientifique, commenta Montalbano, ils nous prendraient pour des dingues. Il a utilisé un 7.65.

18

Il jeta la douille dans un tiroir du bureau.

— Bien sûr, dit Fazio. D'après moi, *dottore*, ça a été un avertissement. Ça veut dire que l'ami Ennicello a oublié quelques versements au racket.

Montalbano lui lança un coup d'œil agacé.

— Avec toute l'expérience que t'as, tu dis encore des conneries de ce genre ? S'il avait pas payé l'impôt du racket, ils lui tuaient tous ses poissons, et pour faire bon poids, ils lui brûlaient aussi le restaurant.

— Et alors, qu'est-ce que ça peut être ?

— Tout et rien. Peut-être un pari crétin entre deux clients, une déconnade…

— Et nous, qu'est-ce qu'on fait ? demanda Fazio après une pause.

— Qu'est-ce que c'était comme poisson ?

— Un mulet grand comme la moitié de mon bras.

— Un mulet ? Essayons de nous comprendre, Fazio, le mulet, jusqu'à preuve du contraire, c'est bien le muge ?

— Oh que oui, *dottore*.

— Et le mulet, c'est pas un poisson de mer ?

— Il y a aussi le mulet d'eau douce. Que, dans l'assiette, quand même, c'est moins bon que le mulet de mer.

— Je ne savais pas.

— Bien sûr, *dottore*. Vous, les poissons d'eau douce, ça vous dit rien. Qu'est-ce que je dois faire avec Ennicello ?

— Je te le dis, moi, ce que tu dois faire. Tu retournes au restaurant et tu te fais remettre le mulet en disant que t'en as besoin pour approfondir l'enquête.

— Et après ?

— Tu l'emmènes à la maison et tu le fais cuire. Je te le conseille à la grille, mais pas trop fort, attention. Tu remplis le ventre de romarin et d'un peu d'ail. Assaisonne-le avec le *salmoriglio*, la sauce à l'huile et à l'origan. Ça devrait être mangeable.

Durant les journées qui suivirent, il y eut le train-train habituel au commissariat, 'xcession faite de trois faits un peu plus envahissants que les autres.

Le premier, ce fut quand le comptable Pancrazio Schepis, rentré chez lui à une heure inhabituelle, avait découvert *so' mogliere*, sa femme, Mme Maria Matidilna, recroquevillée complètement nue sur le lit tandis que le célèbre « Mage de Bagdad », pour l'état civil Minnulicchia Salvatore, de Trapani, lui aussi nu, « utilisait subséquemment son sexe comme aspersoir », comme l'écrivit Galluzzo dans son zélé rapport. Après le premier moment d'ébahissement, le comptable avait brandi le revolver et fait exploser cinq coups à l'adresse du mage en ne le chopant heureusement qu'à la cuisse gauche.

Le deuxième fait, ce fut quand la maison d'une nonagénaire, Mme Balduino Lucia, fut complètement dévalisée par les voleurs. Une enquête-éclair de Fazio fit irrévocablement apparaître que les voleurs étaient au nombre d'un seul : le petit-fils de Mme Balduino, Filippuzzo Dimora, seize ans, auquel la grand-mère avait refusé de l'argent pour s'acheter une mob.

Le troisième fait, ce fut quand trois magasins appartenant au premier adjoint au maire furent brûlés durant la même nuit et l'affaire fut cataloguée par tout le monde comme un avertissement clair contre certaines initiatives dudit adjoint qui passait pour un ennemi acharné de la mafia.

Douze heures suffirent pour prouver que l'essence qui avait mis le feu aux magasins avait été achetée par l'adjoint soi-même.

Bref, entre une chose et une autre, une semaine passa.

La nuit était sombre, on voyait pas une étoile, elles étaient toutes cachées par des nuages chargés d'eau. La draille était vraiment difficultueuse, des pointes de roche saillaient soudain des murets de pierre, des trous s'ouvraient, qui semblaient des abîmes. La voiture était vieille et mal foutue, elle avançait par secousses, s'essoufflait. En plus, l'homme au volant n'allumait les phares que de temps en temps, pour quelques secondes, et ensuite éteignait : à cette heure de la nuit et sur cette draille, il passait pas facilement de voitures et donc le mieux c'était de pas réveiller de curiosité. À vue de nez, il était pas loin de l'endroit où il voulait arriver. Il alluma de nouveau les phares et, à une vingtaine de mètres de distance, à main droite, il vit le panneau écrit à la main et cloué à un poteau. L'homme arrêta la voiture, coupa le moteur, ouvrit la portière, sortit. L'air humide et frais rendait plus forte l'haleine de la campagne. L'homme poussa un soupir profond puis, la main dans la poche, commença à marcher. À mi-chemin, il lui vint une pensée. Il s'arrêta. Combien de temps avait-il mis pour arriver ? Et s'il était trop tôt ? Il savait qu'il était parti du pays alors qu'il était à peine plus de onze heures et demie, mais il n'avait pas rencontré de circulation et il ne réussissait pas à se rendre compte du temps qu'il avait mis en voiture. Il se décida. Tirant de sa poche la lampe torche, il l'alluma l'instant d'un éclair. Assez pour voir l'heure à sa montre. Minuit et demi. La journée nouvelle avait commencé depuis dix minutes. Tout allait bien. Il recommença à marcher.

Pour tirer, l'homme cette fois n'eut pas besoin de silencieux. Le coup ne fut entendu que par quelque chien lointain qui lança un aboiement sans conviction, juste pour montrer qu'il gagnait sa pâtée.

Lundi 29 septembre, Fazio se présenta au commissariat vers midi en tenant à la main un sachet de plastique, dans le genre de ceux des supermarchés.

— T'es allé faire tes courses ?

— Oh que non, monsieur. Un poulet, je vous apportai. Moi, j'aime pas. Mangez-vous-le vous, moi, la semaine passée, je me suis bouffé le mulet.

— Explique-moi mieux.

— *Dottore*, le poulet que j'ai là-dedans a reçu une balle. Dans la tête. Comme le poisson de lundi dernier.

— Où est-ce que ça s'est passé ?

— Dans l'élevage de Masino Contrera, à la campagne, vers Montereale, à une demi-heure de voiture d'ici. Mais c'est un endroit perdu. Voilà la douille.

Montalbano ouvrit le tiroir, récupéra l'autre, les confronta. Elles étaient identiques.

— Et cette fois aussi, il a laissé un billet, reprit Fazio en le tirant de sa poche pour le tendre au commissaire.

C'était écrit au stylo sur un bout de papier, en caractères d'imprimerie.

JE CONTINUE À ME CONTRACTER

— Qu'est-ce que ça veut dire ? se demanda Montalbano.

— Je peux me permettre une suggestion ?

— Bien sûr.

— Moi, j'ai pensé que peut-être ce monsieur s'est trompé en écrivant.

— Ah oui ?

— Oh que oui, *dottore*. Peut-être qu'il voulait écrire : « Je continue à me contrarier. » Peut-être que cette personne est contrariée pour une raison quelconque, qu'est-ce que j'en sais, les impôts, sa femme qui lui met les cornes, un fils drogué, des trucs de ce genre. Et alors, il se passe les nerfs.

— En tirant sur des poissons et des poulets ? Non, Fazio, ici, ce qui est écrit, c'est « me contracter ». À partir de ce billet, on peut seulement deviner le contenu du premier, celui que tu n'as pas pu lire parce qu'il était trempé. Là, il dit : « Je continue. »

— Et alors ?

— Ça veut dire que, dans le premier billet, il y avait

écrit : je commence, un verbe de ce genre. « Je commence à me contracter » ou quelque chose comme ça.

— Et ça veut dire quoi ?

— Bof.

— Qu'est-ce qu'on fait, *dottore* ? demanda, un peu inquiet, Fazio.

— Cette histoire te rend nerveux ?

— Oh que oui.

— Et pourquoi ?

— Parce que c'est une histoire sans queue ni tête. Et *a mia*, à moi, les choses qui ont pas de raisons, elles me font impression.

— On peut rien y faire, Fazio. Attendons que ce monsieur finisse de se contracter et puis après, on verra. Mais vraiment, vraiment, t'aimes pas ça, le poulet ?

Deux

Il avait bien dormi, durant toute la nuit, un petit vent friscounet léger et dansant qui venait de la fenêtre ouverte lui avait nettoyé les poumons et les rêves. Il se leva, gagna la cuisine pour se préparer un café. En attendant qu'il passe, il sortit sur la véranda. Le ciel était net, la mer plate et comme repeinte à neuf. Quelqu'un le salua d'un bateau, il répondit en levant un bras. Il rentra, versa le café dans un bol, se l'avala, alluma la première cigarette de la journée sans penser à rien, la termina, se glissa sous la douche, se savonna consciencieusement. Et dès que ce fut fait, deux choses arrivèrent en même temps : l'eau du réservoir finit et le téléphone sonna. En jurant, risquant de glisser à chaque pas avec le savon qui lui coulait dessus, il courut à l'appareil.

— *Dotori*, c'est personnellement vous en personne ?

— Non.

— Je demande pardon, mais c'est pas avec le logement du *dotori* et commissaire Montalbano que je suis en train de parler ?

— Oui.

— Et alors, qui c'est qui a pris sa place à lui ?

— Arturo, je suis, son frère jumeau.

— C'est vrai ?

— Attendez, que j'appelle Salvo.

Mieux valait galéjer comme ça avec Catarella plutôt que de se bouffer le foie à cause du brusque manque d'eau. Entre autres, le savon, en séchant, commençait à lui démanger.

— Allô, Montalbano je suis.

— Vous savez quoi, *dotori* ? Juste exactement la même voix que votre frère jumeau Arturo, vous avez !

— Ça arrive entre jumeaux, Catarè. Mais pourquoi tu parles comme ça ?

— Comme ça comment, *dotori* ?

— Par exemple, tu dis *dotori* au lieu de *dottori*.

— Hier soir, c'est un Milanais de Turin qui me le dit qu'on avait la mauvaise habitude de parler en mettant deux choses, comment ça s'appelle, ah oui, deux consonations.

— Vrai, c'est. Mais qu'est-ce que tu t'en fous, Catarè ? Les Milanais de Turin, ils font des fautes à eux aussi.

— Très sainte Marie, *dottori*, un poids de dessus le cœur, vous me levâtes ! Très difficile, ça me devenait, de parler en m'atenant comme ça !

— Qu'est-ce que tu voulais me dire, Catarè ?

— Fazio téléphona qui me dit de vous téléphoner qu'on a tiré sur M. Gien. Il est en train d'arriver là sur les lieux.

— On l'a tué ?

— Oh que oui, *dottori*.

— Où ça s'est passé ?

— Je sais pas, *dottori*.

Dans la salle de bains, il gardait une réserve d'eau dans un bidon. Il en versa la moitié dans le lavabo, il valait mieux ne pas la consommer toute, Dieu sait quand on daignerait leur en redonner, de l'eau. À grand-peine, il réussit à se gratter le savon vitrifié. Il laissa la salle de bains sale, une vraie dégueulasserie, à coup sûr la bonne

25

Adelina lui enverrait des malédictions mortelles et des souhaits de mauvaise année.

Il arriva au commissariat en même temps que Fazio.

— Où s'est passé l'homicide?

Fazio lui lança un regard abasourdi.

— Quel homicide?

— Celui d'un certain Gien.

— C'est comme ça qu'il vous dit, Catarella?

— Oui.

Fazio commença de rire d'abord doucement puis toujours plus fort. Montalbano sentit les nerfs lui venir, aussi parce qu'il sentait une démangeaison insistante en cette partie du corps sur laquelle il s'était assis pour conduire. Et ça lui paraissait pas décent de lui donner, à cette partie, un grattouillis furieux. Visiblement, il n'avait pas réussi à se débarrasser de tout le savon collé.

— Si tu veux bien avoir la courtoisie de me mettre au courant…

— Excusez-moi, *dottore*, mais elle est trop bonne, celle-là! Un Gien de ma Gienne! J'ai dit à Catarella de vous prévenir qu'on avait tué un chien!

— Toujours le même type?

— Oh que oui, monsieur.

— Un coup de pistolet, et voilà?

— Oh que oui, monsieur.

— Aujourd'hui, on est le 6 octobre, non? Cette personne besogne suivant une cadence hebdomadaire et toujours dans la nuit comprise entre le dimanche et le lundi, commenta le commissaire en entrant dans son bureau.

Fazio s'assit sur un des deux sièges devant sa table.

— Le chien avait un maître?

— Oh que oui, un retraité, Carlo Contino, un ex-employé de la municipalité. Il a une petite maison à la campagne avec un potager et un animal. Une dizaine de poules, quelques lapins. Lui, il dormait, il a été réveillé par le coup de pistolet. Alors, il s'est armé et…

— De quoi ?

— Un fusil de chasse. Il a le permis. Il a vu tout de suite le chien mort et, un instant plus tard, il a entendu le bruit d'une voiture qui partait.

— Il a compris quelle heure il était ?

— Oh que oui, il a regardé sa montre. Il était minuit trente-cinq. Il m'a raconté qu'il a passé le reste de la nuit à chialer. Il s'était pris d'affection pour le chien. Et puis, quand il s'est fait jour, il est venu ici. Et moi je suis allé voir avec lui.

— Il a une idée ?

— Aucune. Il dit qu'il arrive pas à comprendre pourquoi on lui a tué son chien. Il soutient qu'il n'a pas d'ennemis et qu'il n'a jamais fait de tort à personne.

— La maison de ce Contino est dans les parages de l'élevage de l'autre fois ?

— Oh que non, elle est exactement de l'autre côté.

— Et par rapport au restaurant ?

— Elle est loin du restaurant aussi.

— Tu as retrouvé la douille ?

— Oh que oui, monsieur, la voilà.

Elle était identique aux deux autres.

— Pour trouver le billet, cette fois, j'ai mis pas mal de temps. Le petit vent de cette nuit l'avait emporté loin.

Il le tendit au commissaire. L'habituel quart de feuillet de papier quadrillé, le stylo habituel.

JE CONTINUE À ME CONTRACTER

— Bouh, quel très grand tracassin, soupira Montalbano. Combien de temps, putain, c'te con va mettre, à finir de se contracter ?

À ce moment entra Mimì Augello, frais, rasé, élégant. Il s'était fait un mois de vacances en Allemagne, invité par une petite de Hambourg qu'il avait connue à la plage l'été d'avant.

— Il y a du neuf ? demanda-t-il en s'asseyant.

— Oui, répondit sèchement Montalbano. Trois homicides.

Quand il le voyait comme ça, reposé et souriant, au commissaire, il lui venait les nerfs et Mimì lui était antipathique.

— Merde ! s'exclama Augello en bondissant littéralement de son siège.

Puis, en dévisageant les deux autres, il se convainquit que quelque chose ne tournait pas rond.

— Vous vous foutez de moi ?

Fazio se mit à fixer le plafond.

— En partie oui et en partie non, dit le commissaire.

Et il lui raconta toute l'affaire.

— Cette histoire, c'est pas une plaisanterie, dit Mimì en conclusion, pensif et renfermé.

— La seule chose qui m'ennuie, c'est que cette fois, il a tué un animal que ni Fazio ni moi ne pouvons manger, dit Montalbano.

Augello le fixa.

— Ah, toi, tu le prends comme ça ?

— Et comment je devrais le prendre ?

— Salvo, ce type-là, il fait monter les enchères.

— Je ne comprends pas, Mimì.

— Je parle des dimensions des…

Il s'arrêta, interloqué. Il lui semblait inapproprié de parler de « victimes ».

— … des animaux. Un poisson, un poulet, un chien. La prochaine fois, vous verrez, il va tuer un mouton.

Vendredi 10 octobre, le commissaire était assis sur la véranda, qu'il venait de se manger une *caponata* de premier prix hors concours, quand le téléphone sonna. Il était dix heures du soir et Livia, comme d'habitude, respectait l'horaire à la seconde près.

28

— Salut, mon chéri, je suis ponctuelle, tu vois. À quelle heure tu arrives demain ?

Il l'avait promis à Livia, le mois précédent, qu'en octobre il pourrait passer un samedi et un dimanche avec elle à Bocadasse. Plus encore, pendant le coup de fil de la veille au soir, il lui avait dit que, Mimì étant rentré de vacances, il pourrait rester aussi lundi. Alors pourquoi lui vint-il de répondre comme il répondit ?

— Livia, tu dois m'excuser mais je crains vraiment de ne pas réussir à me libérer. Il m'est arrivé que…

— Tais-toi !

Et un silence tomba, qui parut taillé d'un coup de hache.

— Ce n'est pas une question de travail, crois-moi, reprit-il au bout d'un instant, courageusement.

La voix de Livia sembla provenir de la pointe septentrionale du Groenland.

— Qu'est-ce qui t'est arrivé ?

— Tu te souviens de cette dent qui me faisait mal ? Eh ben, il m'est revenu soudain une douleur que…

— C'est moi la dent qui te fait mal, dit Livia.

Et elle raccrocha.

Montalbano fut pris de fureur. Bon d'accord, il lui avait raconté des carabistouilles, mais mettez que le mal de dents, il l'ait eu pour du bon, c'était une façon de répondre, pour une bonne femme amoureuse ? À quelqu'un qui se tord de douleur ? Mais au moins, un mot de compassion, Seigneur Dieu ! Il retourna s'asseoir dans la véranda en se demandant pourquoi il avait dit à Livia qu'il ne viendrait pas la voir, finalement. Une seconde avant, encore, il était décidé à partir, puis ces mots lui étaient sortis de la bouche comme ça, sans contrôle, sans qu'il s'en rende compte. Un accès incontrôlable de *lagnusìa*, c'est-à-dire une irrésistible envie de faire rien de rien, à rester à rousiner en caleçon dans la maison ?

Non, il avait vraiment envie d'avoir Livia à côté de lui,

de la sentir vivre, de l'entendre respirer, endormie dans son lit, de l'entendre s'agiter, rire, d'entendre sa voix qui l'appelait de la plage ou d'une autre pièce.

Et alors, pourquoi ? Un accès de sadisme, comme souvent il arrive, entre amoureux ? Non, ça ne tenait pas à sa propre nature. Était-il possible qu'il ait fait une chose dépourvue de sens, irrationnelle ?

Dans le lointain, à la limite de l'audible, un chien aboya.

Et tout à coup, fiat lux ! La voilà, l'explication ! Absurde, certes, mais sans aucun doute, c'était ça. Un instant avant d'aller répondre à Livia au téléphone, il avait entendu le même aboiement. Et en dedans de lui, à un niveau presque inconscient, il avait compris que le moment était venu de s'occuper sérieusement de l'histoire des poissons, du poulet et du chien assassinés. Les phrases inscrites sur ces bouts de papier quadrillé contenaient certainement une menace obscure, indéchiffrable, mais réelle. Qu'allait-il arriver quand ce fou finirait, comme il disait, de se « contracter » ? Et puis, ce verbe, se contracter, comment fallait-il le comprendre ?

Il alla relever sur l'annuaire le numéro de La Petite Sirène, le composa.

— Le commissaire Montalbano, je suis. M. Ennicello est là ?

— Je vous l'appelle tout de suite.

Le restaurant devait être plein. On entendait des voix animées, des rires d'hommes et de femmes, des bruits de couverts et de verres, les notes d'un piano, une voix féminine qui chantait.

« Au moment de l'addition, je voudrais vous entendre ! », pensa Montalbano.

— Commissaire, à vos ordres, comme toujours !

Il avait une voix allègre, Ennicello, les affaires devaient bien aller.

— Excusez-moi si je vous dérange. Je vous appelle à propos du poisson de l'autre jour…

— Vous l'avez mangé chez nous ? Il était pas frais ? Manger à La Petite Sirène ! Même pas sous la torture !

— Non, je voulais parler de ce mulet à qui on a tiré dans la…

— Vous vous en rappelez encore, de cette histoire, commissaire ?

— Je ne devrais pas ?

— Mais ça, ce fut sûrement une blague ! Vous voyez, sur le moment, je me suis inquiété, mais après, en y réfléchissant à tête reposée, je me suis persuadé que tout ça, c'était une galéjade…

— Une galéjade dangereuse, vous ne croyez pas ? Il aurait pu, je sais pas, passer les vigiles de nuit, qui, en apercevant un étranger armé dans le restaurant…

— Vous avez raison, commissaire. Mais, vous voyez, pour faire une blague bien réussie, il faut bien risquer quelque chose…

— Eh oui.

— Écoutez, commissaire, j'ai le restaurant plein et…

— Juste une question et je vous laisse retourner à vos clients. Monsieur Ennicello, d'après vous, le poisson à tuer a été choisi au hasard ou volontairement ?

Ennicello dut écarquiller les yeux.

— Je n'ai pas compris, commissaire.

— Je vous repose la question d'une autre manière. Vous m'expliquez comment l'homme a fait pour sortir le mulet du bassin ?

— Il n'a pas tiré seulement le mulet, *dottor* Montalbano. Avec le filet, il a pris trois poissons. Il a choisi celui-là peut-être parce que c'était le plus gros de tous.

— Et vous, comment vous faites pour savoir qu'il a pris trois poissons ?

— Parce que le matin, j'ai trouvé dans le bassin une tanche et une truite mortes.

— Tuées d'un coup de revolver ?

— Non, par asphyxie, par manque d'eau : d'après moi, le type a balancé le filet sur l'herbe et il a attendu que les poissons meurent. Il aurait eu du mal à les garder en main pendant qu'ils vivaient. Puis, il a pris le mulet et il a rejeté les deux autres dans le bassin.

— En d'autres termes, il a fait un choix. D'après vous, il a pris le mulet parce que c'était le plus gros, mais il pourrait y avoir d'autres raisons, vous ne pensez pas ?

— Commissaire, comment je peux savoir ce qui est passé par la tête d'un…

— Une toute dernière chose. À quelle heure avez-vous fermé le restaurant le soir d'avant ?

— Je ferme toujours, pour les clients, à minuit et demi.

— Et le personnel, il reste encore combien de temps ?

— Une heure encore, plus ou moins.

Il remercia, raccrocha. Ensuite, muni d'une feuille et d'un stylo, il retourna s'asseoir sur la véranda. Écrivit :

Lundi 22 septembre : poisson

Lundi 29 septembre : poulet

Il eut envie de rire, on aurait dit un menu.

Lundi 6 octobre : chien

Pourquoi toujours aux premières heures du lundi ? Pour le moment, il valait mieux laisser courir. Il écrivit les initiales de chaque animal tué.

PPC

Ça n'avait pas de sens. Et pas même s'il substituait au p de poisson le m de mulet.

MPC

Une pensée d'écolier déconneur lui vint, quant à la seule signification qu'il pouvait donner à ces trois consonnes :

MOI PAS CON

Il roula la feuille en boule, la jeta à terre, alla se coucher, plutôt paumé.

Tandis que Montalbano virait et tournait dans le lit sans réussir à trouver le sommeil après une bouffe presque industrielle de sardines en becfigue, l'homme, dans sa grande chambre toute tapissée d'étagères débordantes de livres et dont l'unique lumière pâlotte était fournie par une lampe de bureau, leva les yeux du livre ancien à la précieuse reliure qu'il était en train de lire, le ferma, retira ses lunettes, s'appuya au dossier du fauteuil de bois. Pendant quelques minutes, il resta comme ça, en se passant de temps en temps deux doigts sur les yeux qui lui brûlaient. Puis, avec un soupir profond, il ouvrit le tiroir de droite. Dedans, au milieu de papiers, gommes, clés, vieux tampons, photographies, il y avait le pistolet. Il le prit, sortit le chargeur vide. À tâtons, il chercha plus au fond dans le même tiroir, trouva la boîte de cartouches, l'ouvrit. Il en restait huit. Il sourit, ça suffisait largement pour ce qu'il avait en tête de faire. Il inséra une seule cartouche dans le chargeur, une seule, comme il faisait toujours, remit en place la boîte, repoussa le tiroir. Le pistolet, il se le glissa dans la poche droite de sa veste déformée. Il tâta la poche de gauche : la torche était à sa place. Il jeta un coup d'œil à sa montre, il était déjà minuit. Pour arriver à l'endroit voulu, il faudrait sûrement une heure, ce qui signifiait qu'il pourrait agir à l'heure juste. Il remit ses lunettes, déchira un petit rectangle de papier sur un carnet quadrillé, écrivit dessus avec un stylo, glissa le billet dans la pochette de la veste. Ensuite, il se leva, alla prendre l'annuaire, le feuilleta jusqu'à la page qui l'intéressait. Il devait être plus que sûr que l'adresse était la bonne. Ensuite, il ouvrit la carte topographique qu'il gardait à portée de main sur le bureau, contrôla l'itinéraire à suivre en partant de sa maison. Non, peut-être mettrait-il un peu plus d'une heure. Tant mieux. Il approcha de la fenêtre, l'ouvrit. Un vent froid le prit en plein visage, le fit reculer. Pas question de sortir vêtu seulement de son costume. Quand il monta en voiture, il avait un lourd imperméable et un chapeau noir.

Il mit le contact, mais après quelques râles, le moteur s'éteignit. Il essaya de nouveau. Même résultat. Il essaya encore et le moteur s'étouffa. Il se sentit suer. Si la voiture était définitivement cassée, tout ce qu'il avait en tête de faire ne pourrait être fait. Et alors ? Sauter l'avertissement de ce lundi-là ? Non, ce serait un geste de déloyauté et lui, il ne pouvait pas, de par sa nature même, commettre une déloyauté. Il ne lui restait plus qu'à renvoyer, à recommencer du début. Mais si les délais étaient passés ? Il était perdu. Il essaya encore, désespéré, et cette fois le moteur, après quelques toussotements, se décida à partir.

Trois

Mimì Augello mit dans le mille et se trompa. Il mit dans le mille quant aux dimensions de la, appelons-la comme ça, nouvelle victime ; il se trompa en revanche car il ne s'agissait pas d'un mouton.

Le matin du lundi 13 octobre, Fazio se pointa au commissariat avec la nouvelle qui, par ailleurs, n'était pas une nouvelle, qu'on avait tué une chèvre. Le coup de pistolet habituel dans la tête, la douille habituelle, le billet habituel.

JE CONTINUE À ME CONTRACTER

Aucun des présents ne pipa, personne ne se hasarda à faire une remarque spirituelle.

Dans le bureau du commissaire régnait un silence dense et perplexe.

— Il réussit et comment ! s'exclama Montalbano, en se décidant à parler le premier.

Aussi, ça lui revenait de droit : il était le chef.

— À quoi ? demanda Augello.

— À se faire prendre au sérieux.

— Moi, je l'ai pris tout de suite au sérieux, dit Mimì.

— Bravo, commissaire-adjoint Augello. Je vous proposerai pour un éloge solennel du Questeur. Content ?

Mimì ne répliqua pas. Quand le commissaire était d'humeur aigre comme ça, le mieux était de garder bouche close.

— Il essaie de nous faire comprendre autre chose, en plus de nous tenir au courant de sa contraction, reprit Montalbano après un moment.

Il parlait à mi-voix parce qu'il était surtout en train de raisonner à part soi.

— À quoi tu le comprends ?

— Raisonne un peu, Mimì, si ça n'est pas trop te demander. S'il voulait nous faire savoir qu'il est en train de se contracter, quoi que ça veuille dire pour lui, il n'avait pas besoin de courir d'un bout à l'autre de Vigàta et ses environs pour tuer chaque fois un animal différent. Pourquoi est-ce qu'il change d'animal ?

— Peut-être que la première lettre du… hasarda Augello.

— J'y ai déjà pensé : PPCC ou MPCC, ça te dit quelque chose ?

— Ça pourrait être le sigle d'un groupe ou d'un mouvement subversif, hasarda timidement Fazio.

— Ah oui ? Donne-moi un exemple.

— Qu'est-ce que j'en sais, *dottore*. Je dis la première chose qui me passe par la tête. Par exemple, ça pourrait être Parti Populaire Christiano-Communiste.

— Et tu crois qu'il y a encore des communistes révolutionnaires ? Laisse-moi rigoler ! le rabroua désagréablement Montalbano.

Un autre silence tomba. Augello s'alluma une cigarette, Fazio fixa la pointe de ses chaussures.

— Éteins ta cigarette, lui ordonna le commissaire.

— Pourquoi ? demanda Mimì, abasourdi.

— Pendant que tu te la coulais douce à Mayence…

— À Hambourg, j'étais.

— Bon, là où t'étais. En somme, pendant que tu étais hors de notre beau pays, un ministre s'est réveillé un matin en s'inquiétant de notre santé. Si tu veux continuer à fumer, tu vas faire un tour dans la rue.

En jurant entre ses dents, Mimì se leva et sortit de la pièce.

— Je peux m'en aller ? demanda Fazio.

— Personne te retient.

Resté seul, il poussa un long soupir de satisfaction. Il s'était passé les nerfs que ce crétin lui avait fait venir en tuant des animaux à droite et à gauche.

Une petite heure venait de passer quand dans tout le commissariat résonna la voix de Montalbano.

— Augello ! Fazio !

Ils se précipitèrent. Rien qu'à regarder en face le commissaire, Augello et Fazio furent convaincus qu'un engrenage quelconque s'était enclenché dedans sa coucourde. En fait, il avait aux lèvres une espèce de petit sourire.

— Fazio, tu le connais le nom du propriétaire de la chèvre tuée ? Attends, si tu le sais, fais-moi juste signe que oui avec la tête, ne parle pas.

Fazio, étonné, acquiesça vivement du menton.

— Tu paries que je devine comment commence le nom du propriétaire ? Il commence avec la lettre « o ». Pas vrai ?

— Vrai, s'exclama Fazio, admiratif.

Mimì Augello eut un bref et ironique mouvement de la main et demanda :

— Tu as fini le jeu des devinettes ?

Montalbano ne répondit pas, préférant s'adresser à Fazio :

— Et maintenant, répète-moi les noms des propriétaires des animaux.

— Ennicello, Contrera, Contino, Ottone : le proprié-

37

taire de la chèvre, celui dont on parlait à l'instant, s'appelle Stefano Ottone.

— *Ecco* : voici ! cria Mimì.

— Voici quoi ? demanda Fazio, ahuri.

— C'est ce qu'il a écrit, lui expliqua Augello. *Ecco*, voici.

— Tu ne t'es pas trompé, Mimì, dit Montalbano. Avec les initiales des noms de famille, il est en train de nous écrire un message. Et nous on se trompait, en pensant que le message, il le composait avec les animaux tués.

— Maintenant, je m'explique pourquoi ! s'exclama Fazio.

— Explique-le à nous aussi, ce pourquoi.

— Dans la baraque du retraité dont il a tué le chien, il y avait aussi deux chèvres. Et moi, ce matin, je me demandai pourquoi il n'était pas retourné chez M. Contino au lieu d'aller se récamper à vingt kilomètres de distance pour chercher une autre chèvre. Maintenant, j'ai compris. Il avait besoin d'un nom qui commence par « o » !

— Qu'est-ce qu'on peut faire ? intervint Augello.

Son ton était entre la nervosité et l'angoisse. Fazio aussi regarda le commissaire avec les yeux d'un chien qui attend son os.

Montalbano écarta les bras.

— On peut pas attendre qu'il tire sur un homme pour intervenir. Parce que la prochaine fois, j'en suis plus que convaincu, il va tuer quelqu'un, insista Mimì.

Montalbano écarta de nouveau les bras.

— Moi, je comprends pas comment tu fais à rester aussi calme, lança Augello, provocateur.

— Parce que je suis aussi couillon que *tia*, que toi, dit froidement le commissaire.

— Tu veux t'expliquer ?

— D'abord, qui te dit que je suis calme ? Ensuite : tu me le racontes ce qu'on peut faire, merde ? On construit une arche de Noé, on y met dedans tous les animaux et on

attend que l'homme vienne en tuer un ? Troisièmement :
il n'est pas dit, il n'est écrit nulle part que la prochaine
fois, il tirera sur un homme. Il va tuer un chrétien seulement à la fin du message. Jusqu'à présent, il n'a écrit
que le premier mot : « Ecco ». La phrase, évidemment,
n'est pas finie. Nous ne savons pas quelle longueur elle
va avoir, combien de mots il faudra. Il vous conseille de
vous armer d'une sainte patience.

Le matin du lundi 20 octobre, Montalbano, Augello
et Fazio se trouvaient au commissariat à sept heures de
l'aube sans s'être donné le mot. À se les voir surgir à cette
heure matinale, Catarella faillit en avoir une attaque.

— Qu'est-ce qui fut, eh ? Qu'est-ce qui se passa, eh ?
Qu'est-ce qu'y a ?

Il eut trois réponses diverses, trois menteries. Montalbano dit qu'il n'avait pas fermé l'œil par la faute d'une
forte acidité d'estomac, Mimì Augello expliqua qu'il
avait dû accompagner au train un ami à lui qui était
venu le trouver, Fazio qu'il avait été obligé de sortir tôt
pour acheter de l'aspirine à sa femme qui avait un peu de
fièvre. Mais d'un commun accord, ils l'envoyèrent prendre un café au bar d'à côté qui était déjà ouvert.

Après avoir bu le café en silence, Montalbano s'alluma
une cigarette. Augello attendit qu'il tire la première bouf-
fée et puis lança sa vengeance privée.

— Ah ! Ah ! fit-il en agitant un index admonestateur.
Et qu'est-ce que tu vas lui raconter à M. le Ministre s'il se
pointe ici et qu'il te voit ?

En jurant, Montalbano sortit de la pièce et se mit à
fumer sur le seuil du commissariat. À la troisième bouf-
fée, le téléphone sonna. Il rentra à la vitesse d'un boulet
de canon.

Et ils se retrouvèrent tous les trois ensemble, Montalbano, Fazio et Augello, à vouloir entrer dans ce véritable
pertuis qu'était l'entrée du standard qui, pour sa part,

était un réduit à peine plus grand qu'un placard à balais. Commença une espèce de lutte à coups d'épaules. Atterré par l'intrusion, Catarella se convainquit à tort que ces trois-là en avaient après lui. Il laissa tomber le combiné qu'il était en train de soulever, se leva d'un bond les yeux écarquillés, s'appuya dos au mur et, les mains levées, cria :

— Je me rends !

Montalbano s'empara d'autorité du téléphone.

— Allô, ici le…

Il fut interrompu par une voix de femme très aiguë, hystérique :

— Allô, allô, *Cu è ça palla*, qui c'est qui parle ?

— Ici le co…

— Maintenant, tout de suite, accourez ! *Rompitivi l'osso del coddro*, cassez-vous le cou et accourez !

— S'il vous plaît, madame, on vous a tué quelque animal ?

La question abasourdit la femme.

— Eh ? De quel animal vous parlez ? Vous êtes quoi, *'mbriacu*, bourré, de bon matin ?

— Excusez-moi, déclinez votre identité.

— *Ma comu palla, chistu ?* Mais comment y parle, celui-là ?

— Nom, prénom, adresse.

En conclusion de la pénible conversation téléphonique, il apparut que Mme De Dominici Agata, habitant à la campagne Cannatello, « *propiu allatu allatu alla funtaneddra* », « juste juste à côté de la fontaine », était morte de trouille du fait que son mari Ciccio était sorti de la maison armé d'un fusil pour aller tirer sur un certain Armando Losurdo.

— Croyez-moi, s'il le dit, il le fait.

— Mais pourquoi il veut lui tirer dessus ?

— *E chinni sacciu ?* Et qu'est-ce que j'en sais ? Y va

pas venir me le raconter à moi, *me' maritu*, mon mari, le pourquoi.

— Va donner un coup d'œil, ordonna Montalbano à Fazio.

Fazio sortit en marmonnant et, à son tour, ordonna à Galluzzo, qui venait juste d'arriver, de venir avec lui.

Mme Agata De Dominici, quinquagénaire tellement maigre qu'elle paraissait l'incarnation de la sècheresse, en voyant les deux policiers décida de s'effondrer en larmes sur la vaste poitrine de Galluzo. Aux deux représentants de la loi épuisés (la campagne Cannatello se trouvait à dache, ils avaient dû se faire trois quarts d'heure de route à pied parce que, avec la voiture, on n'y arrivait pas), elle raconta que son mari, sorti de la maison à cinq heures et demie du matin pour s'occuper des bêtes, était rentré dix minutes plus tard qu'il avait l'air devenu fou furieux, un sosie du Roland furieux, celui des marionnettes de l'*òpira dei pupi*, il avait les cheveux hérissés, il jurait pire qu'un Turc enragé, il donnait des coups de tronche dans le mur. Elle lui courait après en lui ademandant qu'est-ce qui s'était passé. À un certain moment, il se mit à gueuler que lui, cette fois, à Armando, il la lui laisserait pas l'emporter au paradis, il allait le descendre, il le jurait sur '*u Signuruzzu*, le Petit Seigneur. Et de fait, il avait chopé le fusil qu'il gardait à la tête du lit et il était nouvellement sorti.

— Cette fois, ils lui donnent la perpète ! Y sort plus de la prison ! Pour toujours, il y pourrit !

— Madame, avant de parler de perpétuité, intervint Fazio qui avait en tête de revenir au plus vite au commissariat, dites-nous qui est cet Armando et où il habite.

Il en résulta qu'Armando Losurdo était un type qui avait quelques ares de terrain en partie contigus avec celui de De Dominici et qu'il se passait pas un jour sans que les deux voisins s'engueulent, tantôt l'un coupait les branches d'un arbre de l'autre sous prétexte qu'il lui envahissait son champ, tantôt l'autre s'emparait d'une poule qui avait par hasard franchi la frontière et en faisait du bouillon.

— Mais vous, madame, vous le savez ce qui s'est passé, cette fois ?

— Je sais pas ! Il me l'a pas dit !

Fazio se fit expliquer où habitait Armando Losurdo et il partit, toujours à pied, avec Galluzzo que Mme Agata avait continué d'étreindre en lui détrempant la veste de larmes et de la morve qui lui coulait du nez.

Quand ils arrivèrent sur les lieux, ils se retrouvèrent plongés dans une scène de film méricain de cowboys. De l'unique fenêtre d'une maisonnette rustique, quelqu'un tirait des coups de revolver contre un péquenaud quinquagénaire, évidemment Ciccio De Dominici qui, posté derrière un muret, répliquait par des coups de fusil aux coups de revolver tirés de la fenêtre.

Trop pris par son duel, De Dominici ne s'aperçut pas de l'arrivée dans son dos de Fazio qui lui sauta dessus, réussissant aussi, quand le type se retourna, à lui balancer un grand coup de latte dans le ventre. Tandis qu'il tentait de reprendre son souffle, Fazio lui passa les menottes.

Pendant ce temps, Galluzzo gueulait :

— Police ! Armando Losurdo, ne tirez pas !

— J'ai pas confiance ! *Jativìnni o sparu macari a vui !* Allez-vous-en ou je vous tire dessus à vous aussi !

— On est de la police, tête de con !

— Jurez-le sur la tête de votre mère !

— Jure, lui ordonna Fazio, autrement on y passe la nuit, ici.

— Mais ça va pas ?

— Jure et fais pas chier !

— Je jure sur la tête de ma mère que je suis un policier !

Tandis que de la maisonnette Losurdo sortait mains en l'air, Fazio demanda à Galluzzo :

— Mais ta mère, elle est pas morte depuis trois ans ?

— Et alors, pourquoi t'as fait durer comme ça ?

— Ça me semblait pas juste.

À l'instant où De Dominici vit apparaître Losurdo, d'un bond, il se libéra de Fazio et, tout menotté qu'il était, il se lança tête baissée, une espèce de bélier, contre son ennemi. Un croc-en-jambe de Galluzzo le fit tomber.

Pendant ce temps, Losurdo criait :

— Je sais pas ce qui lui a pris à ce fou ! Il s'est mis là et il a commencé à tirer. Moi, je lui fis rien ! Je le jure sur la tête de ma mère !

— Mais ce type, il est azimuté sur les têtes des mères ! commenta Galluzzo.

Pendant ce temps, De Dominici s'était agenouillé mais la fureur qu'il ressentait était telle qu'il n'arrivait pas à parler, les mots se bousculaient dans sa bouche, ils la lui bouchaient et se transformaient en bave. Son visage était devenu violet.

— *U sceccu ! U sceccu !* réussit-il finalement à dire d'une voix gémissante, à deux doigts des larmes.

— Mais quel *sceccu* ? cria Losurdo.

— *U me',* le mien, très grand cornard !

Et puis, tourné vers Fazio et Galluzzo, il expliqua :

— Ce matin, je le trouvai, *u me' sceccu,* mon âne ! Abattu ! Une balle dans la tête ! Et *fu iddru, stu garrusu e figliu di buttana,* ce fut lui, ce pédé et ce fils de pute, qui me l'a tué !

Aux mots « une balle dans la tête », Fazio se paralysa, tendant l'oreille.

— Attends, que je comprenne, demanda-t-il lentement à De Dominici, tu es en train de me dire que ce matin, tu as trouvé ton âne tué d'une balle dans la tête ?

— Oh que oui.

Il disparut, littéralement, du champ de vision de Galluzzo, De Dominici et Losurdo qui se pétrifièrent, comme si était passé cet ange qui dit « ammè », amen, et tout le monde reste comme il était.

— Pourquoi il est parti en courant ? demandèrent ensemble De Dominici et Losurdo.

Fazio arriva à la maison de De Dominici transpirant et hors d'haleine. L'âne était encore attaché par une corde à un arbre proche, mais il était recroquevillé à terre, tué. Un filet de sang lui sortait d'une oreille. Tout de suite, il trouva la balle, pratiquement entre les pattes de la bête, et, à vue de nez, elle lui parut semblable aux précédentes. Mais du billet, pas trace. Tandis qu'il le cherchait dans les parages, si ça se trouvait la brise de ce matin l'avait emporté, à une fenêtre de la maisonnette apparut Mme De Dominici.

— Il le tua ? demanda-t-elle d'une voix puissante.

— Oui, répondit Fazio.

Et alors se déchaîna la colère céleste, la révolution, le chourmo.

— Aaaaaaaahhhhh ! hulula Mme De Dominici en disparaissant de la fenêtre.

Même de loin, Fazio perçut le grand bruit du corps qui tombait par terre. Il se mit à courir, entra dans la maison, grimpa une échelle de bois, pénétra dans la pièce unique surélevée qui était la chambre. Mme De Dominici était sous la fenêtre, évanouie. Que faire ? Fazio s'agenouilla à côté d'elle, lui donna deux gifles légères :

— Madame ! Madame !

Rien, aucune réaction. Alors, il descendit l'escalier, s'approcha de l'âtre, prit un verre, le remplit à un *bummolo*[1],

---

1. Broc traditionnel en terre cuite, qui fait partie de toute une série de flacons de différentes dimensions qui conservent l'eau fraîche à la campagne. Voir note 1 p. 172 dans *L'Opéra de Vigàta*, Éd. Métailié. *(N.d.T.)*

remonta, mouilla le mouchoir, le passa et le repassa sur le visage de la femme en continuant à l'appeler :

— Madame ! Madame !

Enfin, Dieu voulut qu'elle ouvre l'œil et le fixe :

— Vous l'arrêtâtes ?

— Qui ?

— Mon mari.

— Et pourquoi ?

— Mais comment ? Il a pas tué Armando ?

— Non, madame.

— Alors, pourquoi vous m'avez dit que oui ?

— Mais moi je pensais que vous me demandiez pour le *sceccu*.

— Quel *sceccu* ?

Tandis qu'il s'aventurait dans une explication complexe pour dissiper l'équivoque, Fazio, de la fenêtre, vit arriver Galluzzo avec De Dominici et Losurdo. Pour éviter qu'ils se castagnent, Galluzzo les avait menottés et les faisait marcher à cinq pas de distance l'un de l'autre. Il abandonna la dame, qui du reste semblait s'être très bien reprise, et il rejoignit le trio.

Avec l'aide des deux péquenauds et de Galluzzo, il réussit à déplacer la carcasse de l'âne. Au-dessous, il y avait un bout de papier quadrillé.

JE ME CONTRACTE ENCORE

Quatre

Fazio se précipita au commissariat pour rapporter la nouvelle action du tueur d'animaux, mais ils n'eurent pas le temps de bien considérer l'affaire et d'y réfléchir encore.

— Ah, *dottori*, *dottori*! s'exclama Catarella en faisant irruption dans le bureau. Qu'est-ce que vous fîtes? Vous vous l'êtes oublié?

— Quoi?

— La réunion avec monsieur le Questeur! Juste à l'instant, ils ont téléphoné de Montelusa qu'ils vous attendent!

— Merde! s'exclama Montalbano en se ruant au-dehors.

Juste après, il repassa la tête à l'intérieur:

— En attendant, discutez-en entre vous.

— Merci de la gentille concession, dit Mimì.

Fazio s'assit.

— Si on veut en parler...

Il le dit à contrecœur, tout le monde savait qu'il n'avait pas une grande sympathie pour Augello.

— Bien, attaqua Mimì, notre anonyme ennemi des animaux...

Il ne réussit pas à finir la phrase que, de nouveau, apparut Catarella.

— Il y a un type au téléphone qui veut parler au *dottori*. Étant donné que le *dottori* est absent, je vous le passe à vous en personne ?

— Personnellement, dit Mimì.

— Je parle avec le commissaire Montalbano ? demanda une voix inconnue et clairement ennuyée.

— Non, je suis Augello, son adjoint. Je vous écoute.

— Je suis un voisin du comptable Portera.

— Eh bè ?

— Le comptable Portera, en cet instant précis, est en train de tirer encore une fois sur sa femme. Alors, je pose la question et je vous la pose : quand est-ce que vous allez arrêter ce très grand tracassin ?

— J'arrive tout de suite.

Mme Romilda Fasulo épouse Portera était sexagénaire, naine, avait les jambes tordues en tire-bouchon, un œil qui disait merde à l'autre, et pourtant son mari était convaincu que c'était une grande *billizza*, une grande beauté, et qu'elle avait une quantité de soupirants auxquels, de temps en temps, elle accordait ses faveurs.

Et donc, en moyenne une fois tous les quinze jours, au terme d'une rituelle engueulade qu'on entendait jusque dans les rues adjacentes, le comptable exhibait le revolver qu'il gardait toujours en poche, tirait trois ou quatre coups vers sa conjointe en la manquant régulièrement. Mme Romilda ne s'effrayait même pas, continuait à faire ses petites affaires tandis que les coups de feu résonnaient, en se limitant tranquillement à dire :

— Un de ces jours, tu me tueras *supra u seriui*, pour de bon, Giugiù.

Une fois, Montalbano avait tenté de le raisonner, mais il n'y avait pas eu moyen.

— Commissaire, ma femme est la réincarnation

précisément identique de cette très grande radasse de Messaline !

— Mais, monsieur Portera, réfléchissez. Si même votre dame est la réincarnation de Messaline, vous pouvez m'expliquer quand elle trouve l'occasion, le temps, de vous mettre les cornes ? Il me semble qu'elle ne sort jamais de la maison, que vous ne la lâchez pas d'un pas, que vous l'accompagnez toujours, à la messe, aux commissions… Et en outre, vous-même vous ne sortez que cinq minutes pour acheter le journal. Alors, vous me le dites quand et comment elle rencontre ses amants ?

— Eh, commissaire, quand une bonne femme se met en tête de faire une chose, croyez-moi, elle la fait.

Mais cette fois, Augello, qui était nerveux à cause du *sceccu* tué, ne prit pas de gants. Il désarma le comptable (auquel, du reste, il ne passait même pas par l'antichambre de la coucourde de résister), saisit l'arme et prit la décision de menotter le tireur à la tête du lit.

— Je reviens ce soir vous libérer.

— Et si j'ai envie ? Je pris le diurétique !

— Demandez à votre femme de vous aider. Et si votre dame ne vous aide pas, comme, moi, je lui conseillerais de faire, ça voudra dire que vous vous pisserez dessus.

Bonetti-Alderighi, le Questeur, était de mauvaise humeur et il ne faisait rien pour le cacher.

— Pour commencer, je vous dirais, Montalbano, que hier, j'ai tenu une réunion sur le même sujet avec vos collègues des autres commissariats. J'ai préféré vous convoquer seul et vous consacrer la matinée.

— Pourquoi moi seul ?

— Parce que vous, ne vous vexez pas, mais certaines fois, vous semblez avoir de sérieuses difficultés à comprendre le nœud des problèmes que je vous expose. Mais je ne crois pas que vous le fassiez par mauvaise foi.

Depuis longtemps, il avait fait l'expérience qu'avec

le Questeur, en feignant l'incapacité mentale totale, il obtenait que celui-ci le laisse tranquille et le convoque seulement quand il ne pouvait faire autrement. Cette fois, il s'agissait des mesures à prendre en vue de nouveaux débarquements clandestins d'immigrés. L'entretien dura plus de trois heures parce que Montalbano, de temps en temps, se sentait dans l'obligation d'interrompre son chef.

— Je n'ai pas bien compris. Si vous voulez bien avoir la courtoisie de répéter...

Et l'autre avait la courtoisie de reprendre depuis le début.

Quand le Questeur, désespéré, le congédia, le commissaire rencontra dans le couloir le *dottor* Lactes, le chef de cabinet, surnommé « lacté et miellé » à cause de ses manières dangereusement onctueuses. Lactes agrippa Montalbano par un bras et l'attira dans un coin. Ensuite, il se hissa sur la pointe des pieds pour lui murmurer à l'oreille :

— Vous connaissez la nouvelle ?

— Non, dit Montalbano en utilisant lui aussi un ton de conspirateur.

— J'ai appris en haut lieu que notre Questeur, qui a accumulé tant de mérites, sera bientôt transféré. Vous participerez bien à un beau cadeau d'adieu, une pensée affectueuse qui, je crois, pourrait consister en...

— ... tout ce que vous voudrez, coupa le commissaire qui, le laissant en plan, reprit sa marche vers la sortie.

Il quitta la Questure en chantant *La donna è mobile*, tant il était content d'apprendre la nouvelle du prochain transfert de Bonetti-Alderighi.

Il fêta ça à la trattoria San Calogero avec une gigantesque grillade de poissons.

À cinq heures de l'après-midi, ils purent enfin se réunir de nouveau.

— Jusqu'à présent, ce type a écrit « *Ecco D...* ».

D'après moi, la phrase entière sera : « *Ecco Dio* », dit tout de suite Montalbano.

— Oh petite Madone sainte ! s'exclama Fazio.

— Pourquoi tu t'agites ?

— *Dottore*, moi, quand on commence à sortir les motivations religieuses, il me vient la frousse.

— Qu'est-ce qui te fait penser que la phrase, c'est ça ? demanda Augello.

— Avant de vous appeler, j'ai fait une enquête téléphonique et j'ai eu quelques informations de la commune. Il y a cinq personnes et précisément D'Antonio, Filippo, Di Rosa, Somma et Stasio qui sont propriétaires d'ânes. Deux d'entre elles les gardent à la périphérie du bourg. Et en fait, notre homme est allé le chercher à dache, le *sceccu* à tuer. Et pourquoi ? Parce que son propriétaire, De Dominici, a un nom de famille qui commence par deux « d ». Ce qui équivaut, si on veut, à un D majuscule.

— Le raisonnement se tient, admit Augello.

— Et si mon raisonnement se tient, poursuivit le commissaire, l'affaire se présente sous un sale jour, et très dangereuse. Avec les fanatiques religieux, il vaut mieux pas avoir à faire, comme dit Fazio, ils sont capables de tout.

— Si c'est comme tu dis, reprit Mimì, je comprends encore moins ce que ça peut signifier quand il écrit qu'il est en train de se contracter. J'ai toujours entendu dire que Dieu se manifeste dans sa grandeur, dans sa puissance, dans sa magnificence, jamais dans sa petitesse. Se contracter, jusqu'à preuve du contraire, signifie rapetisser.

— Pour nous, ça a ce sens, dit le commissaire. Mais va savoir ce que ça signifie pour lui.

— Et puis, il pourrait y avoir une autre interprétation, reprit Mimì après une pause méditative.

— Dis-la.

— Peut-être qu'il veut écrire « *Ecco Dio !* », « voici

Dieu ! » et après le point d'exclamation, il chope le pisto-let, se tire une balle et bonsoir chez vous.

— Mais comment il fait pour faire le point d'exclama-tion ? objecta timidement Fazio.

— C'est ses oignons, trancha Augello.

— Mimì, au milieu de toutes les conneries que tu as dites, l'autre jour, t'en as dit une qui était pas con. À savoir qu'il tue en augmentant les enchères. C'est ce qui m'inquiète. Un poisson, un poulet, un chien, une chèvre, un âne. Et maintenant, de quel animal ça va être le tour ?

— Bah, fit Mimì, à un certain point, il va devoir s'ar-rêter, forcément. Par chez nous, il n'y a pas d'éléphants.

Il n'y eut que lui à rire de sa réplique.

— Peut-être vaudrait-il mieux avertir le Questeur, dit Fazio.

— Peut-être vaudrait-il mieux avertir la SPA, dit Mimì qui, quand il lui venait le *sbromo*, l'envie de galéjer, n'ar-rivait plus à s'arrêter.

Le matin du lundi 27 octobre se présenta vraiment dégueu, vent, éclairs et tonnerre.

Montalbano, qui avait mal dormi à cause d'un excès de calamars et de petits poulpes, une partie frits et l'autre à l'huile et au citron, décida de rester au lit un peu plus longtemps que d'habitude. Il lui était venu un tel accès d'humeur mauvaise que s'il avait rencontré quelqu'un qui lui adressait la parole, il aurait été capable de le prendre au collet. De toute façon, s'il y avait du neuf, tu penses bien qu'au commissariat, ils s'empresseraient de venir lui casser les amandons.

Il s'assoupit sans s'en rendre compte et se réveilla vers neuf heures. Était-ce possible ? Tu veux voir qu'il avait le téléphone décroché ? Il alla le regarder, tout était normal. Tu veux voir que, du commissariat, on l'avait appelé et qu'il n'avait pas entendu la sonnerie ?

— Allô, Catarella, Montalbano je suis.

— Tout de suite à la voix, je vous reconnus, *dottori*.

— Il y a eu des appels ?

— Pour vous personnellement en personne, oh que non, monsieur.

— Et pour les autres ?

— Ça serait qui les autres, *dottori* ? Excusez la demande.

— Augello, Fazio, Galluzzo, Gallo…

— Oh que non, *dottori*, pour eux, non.

— Et pour qui, alors ?

— Pour moi, y en a eu un, mais d'abord j'avais besoin de savoir si moi aussi je suis les autres ou bien non.

Dès qu'il arriva au bureau, Augello et Fazio entrèrent : ils étaient perplexes : il n'y avait eu aucune déclaration de meurtre, ni d'hommes ni d'animaux.

— Comment a-t-il pu sauter un lundi ? s'interrogea Fazio.

— Peut-être s'est-il trouvé dans l'impossibilité de sortir de la maison, le temps était trop dégueulasse, peut-être qu'il n'allait pas bien, qu'il s'est chopé une grippe, il peut y avoir tellement de raisons, avança Mimì.

— À moins qu'il ait fait ce qu'il devait faire mais que personne ne s'en soit encore aperçu et donc personne ne nous a avertis, dit Montalbano.

Le matin de ce lundi-là, Montalbano, Augello et Fazio le passèrent pratiquement à courir au standard dès qu'ils entendaient la première sonnerie du téléphone, provoquant chaque fois des sueurs froides à Catarella qui n'arrivait pas à saisir les raisons de tout cet intérêt pour les appels. D'heure en heure, la nervosité des trois hommes augmentait tellement que, pour éviter quelque féroce prise de bec, le commissaire décida de rentrer chez lui déjeuner. Chez lui et non pas à la trattoria, car le samedi précédent, il avait trouvé un billet d'Adelina, la bonne :

« *Totori*, à lundi je vous prepareré les pâtes 'ncasciata. »

Les pâtes *'ncasciata*[1] ! Un plat qui faisait gémir de jouissance à chaque coup de fourchette, mais qu'Adelina lui faisait trouver rarement, vu qu'il fallait du temps pour le préparer.

Vu que le vent était tombé, il mangea sur la véranda au milieu des éclairs et du tonnerre. Mais, devant cette bénédiction divine, qu'il dégustait non seulement du palais, mais aussi de tout le corps, il se contrefichait éperdument du mauvais temps. Comme M. le Ministre, par une bonté spéciale, permettait au citoyen présumé libre de fumer à l'intérieur de sa maison, il ouvrit le téléviseur en le réglant sur Retelibera qui, à cette heure, diffusait le journal, se cala dans le fauteuil et s'alluma une cigarette.

Ses paupières se fermaient, il pensa que peut-être une demi-heure de sommeil lui ferait du bien. Il se pencha en avant pour éteindre l'appareil, tendit le bras et resta paralysé, le cul en l'air.

Sur l'écran, il y avait un éléphant mort. La caméra opéra un lent panoramique le long de la tête de la bête, zooma sur un œil énorme explosé par un projectile. Il augmenta le volume.

— … absolument inexplicable, disait la voix off de Nicolò Zito, son ami journaliste. Le *Cirque des Merveilles* est arrivé à Fiacca samedi matin et le soir même, il a donné son premier spectacle. Dans la journée de dimanche, outre la matinée pour les enfants, il a proposé une représentation l'après-midi et le soir. Tout s'est déroulé normalement. Vers trois heures ce matin, M. Ademaro Ramirez, directeur du cirque, a été réveillé par un barrissement inhabituel provenant de la cage aux éléphants, à côté de sa roulotte. Il s'est levé et approché de la cage, et

---

1. Un plat de pâtes au four dont chaque famille sicilienne possède une recette particulière, aux grosses pâtes de base s'ajoutant de la viande, du fromage, de la tomate, de la mozzarella, etc. *(N.d.T.)*

s'est aperçu aussitôt qu'un des trois éléphants était étendu sur le flanc et dans une position anormale, alors que les deux autres semblaient très agités. À ce moment arriva la dompteuse, elle aussi réveillée par les barrissements, qui eut beaucoup de mal à calmer les deux animaux dangereusement énervés. Quand elle réussit à entrer dans la cage, la dompteuse se rendit compte que l'éléphant resté à terre, dénommé Alacek, avait été tué d'un seul coup de pistolet tiré dans l'œil gauche avec une précision et une froideur extrêmes.

Apparut l'image de la dompteuse, une belle femme blonde qui pleurait, désespérée. Toujours off, la voix du journaliste reprit, tandis que d'autres animaux du cirque étaient filmés :

— Détail inquiétant : l'adjudant de carabiniers Adragna, qui conduit les enquêtes, a retrouvé, à l'intérieur de la cage, un bout de papier quadrillé sur lequel avait été écrite une phrase énigmatique : « Je vais bientôt finir de me contracter. » Les enquêtes sur ce mystérieux épisode…

Il éteignit le téléviseur. Son premier mouvement fut de téléphoner à Mimì Augello.

— Tu le sais que, par chez nous aussi, il y a des éléphants ?

— Mais qu'est-ce que…

— Je t'expliquerai. D'ici une heure maximum, au commissariat.

Puis il appela Fazio.

— On a assassiné un éléphant.

— Vous rigolez ?

— J'ai pas envie de rigoler. À Fiacca, il appartenait à un cirque. Le billet a été retrouvé. Il me semble que tu es ami de l'adjudant Adragna.

— Un compère, c'est.

— Bien, fais un saut à Fiacca et si ton compère a trouvé la balle, fais-toi-la prêter pour une journée. Ah, et tant que t'y es, essaie de te faire donner aussi le billet.

Tandis qu'il roulait vers le commissariat, il pensa qu'il y avait quelque chose qui collait pas. Si sa théorie était juste, et il sentait qu'elle l'était, le tueur d'animaux avait besoin d'un nom commençant par la voyelle « i ». Alors, quel rapport avec le *Cirque des Merveilles* ? Et le nom de l'éléphant commençait aussi par la lettre « a ». Alors ?

La réponse lui fut fournie presque aussitôt. Sur un mur latéral d'une des premières maisons de Vigàta était apposée une grande affiche colorée. Du coin de l'œil, il lui sembla apercevoir une grande affiche colorée. C'était la publicité du *Cirque des Merveilles* et elle devait se trouver là depuis quelques jours car elle avait été quelque peu abîmée par les intempéries. Elle annonçait la venue du cirque à Vigàta le 20 octobre. Trop tard pour le tueur.

Mais il y avait le calendrier de la tournée en province, grâce auquel celui qui se prenait pour Dieu ou qui pensait avoir un rapport direct avec lui avait appris la date de la représentation de Fiacca. L'affiche mettait évidemment en valeur la liste des attractions : en numéro deux, il y avait, en lettres dorées, le nom d'Irina Ignatievic, star du *Cirque de Moscou*, dompteuse d'éléphants.

La lettre « i », à mettre après le « d ». À ce point, il ne faisait aucun doute que le terme complet serait « *Dio* ».

L'homme qui se prenait pour Dieu, ou qui pensait avoir un rapport direct avec lui, avait lu l'affiche et avait réagi dans l'urgence. Quelle meilleure occasion ?

Mais saisir l'occasion ne devait pas être une entreprise facile, les risques qu'elle comportait étaient énormes et susceptibles de compromettre le projet qu'il avait en tête. Il suffisait d'un veilleur de nuit ou d'un accès de nervosité des animaux à l'approche d'un étranger. Et pourtant il était quand même allé dans le cirque de nuit, ou du moins aux toutes premières heures de la matinée, et il avait réussi à tuer un éléphant. C'était un fou qui agissait n'importe comment, à vue de nez, à la *sanfasò*, ou bien était-il tout aussi fou mais de la catégorie des pointilleux, des méthodiques ? Tout laissait supposer que l'homme ne laissait jamais de place au hasard.

Et en outre, il fallait bien considérer l'augmentation progressive de la taille des « victimes ». Cela devait sûrement signifier quelque chose, il y avait un message caché à déchiffrer. Après l'assassinat de la chèvre, il avait pensé avec une certaine inquiétude que maintenant, c'était le tour d'un homme. Mais à la place, il avait tué un âne. Et puis, il était passé à l'éléphant. Maintenant, entre la chèvre et l'éléphant, il y avait assez de place pour un corps d'homme. Il ne l'avait pas fait. Pourquoi ? Par manque de considérations pour les hommes ? Non, aux hommes, il leur laissait chaque fois un billet qui communiquait l'état de la contraction, quoi que ça puisse signifier, et cela voulait dire que les hommes, il les prenait en considération, et comment. Il les avertissait d'un événement imminent. Peut-être que le lundi à venir, le fou tirerait sur un homme et cela parce qu'il mettait l'homme en haut de la pyramide animale. C'était sûrement comme ça : la prochaine fois, ce serait le tour d'un être humain. De fait, à la différence des animaux, l'homme est doté de raison. Et cela le rend supérieur. Ou du moins c'est ce qu'on continue de croire, malgré toutes les preuves contraires que les hommes eux-mêmes n'ont jamais manqué de donner au cours de leur histoire séculaire.

Cinq

La réunion commença plus tard que prévu parce que
Fazio, sur la route de retour de Fiacca, avait rencontré
une circulation très dense. À peine entré dans le bureau,
il tendit deux douilles au commissaire.

— Celles-là, vous les remettez dans le tiroir avec les
autres.

Montalbano parut éberlué.

— Deux douilles ? Il a tiré deux coups ?

— Oh que non, *dottore*, un seul.

— Et alors, pourquoi Adragna t'en a donné deux ?

— Dottore, ces deux douilles sont de celles qu'on
avait, nous. Vous voyez, j'ai pensé que si je demandais à
mon compère de me prêter la douille et le billet, il aurait
tendu l'oreille et aurait commencé justement à demander
pourquoi nous, nous nous intéressions tant au meurtre
d'un éléphant. En fait, je lui ai raconté que j'étais de passage à Fiacca pour voir un ami et que j'en avais profité
pour passer lui dire bonjour. Je l'ai fait parler comme par
hasard de l'affaire du cirque et il m'a fait voir la douille
et le billet. Comme il a dû sortir un instant de son bureau,
je l'ai confrontée avec celles que j'avais emportées.
Identiques. Le billet, cette fois, disait : « Je vais bientôt
finir de me contracter. »

— Oui, je le savais, je l'ai entendu à la télévision.

— Moi, je me demande qu'est-ce qui va bien se passer, putain, quand il aura fini de se contracter, dit Mimì, pensif.

Et il poursuivit :

— À ce point, il lui manque seulement le *o* de *Dio*.

Montalbano le fixa d'un air préoccupé.

— Vous voulez que je vous dise ? Je crois que nous avons jusqu'à dimanche soir pour empêcher un homicide.

Depuis trois heures, l'homme lisait sans jamais détacher les yeux du livre, il en tournait les pages avec délicatesse, en tremblant un peu.

À sa Puissance, Il est conjoint comme la flamme est conjointe à ses couleurs ; ses forces procèdent de son Unité comme de la pupille sombre émane la lumière du regard.

Émanées l'une de l'autre, elles sont, comme le parfum du parfum et la lumière de la lumière.

Dans l'émané réside toute la Puissance de l'Émanateur, mais de cela, l'Émanateur ne subit nulle diminution.

À ce point, l'homme ne parvint plus à lire. Il avait les yeux pleins de larmes. De contentement. Et même, de joie. Une joie surhumaine. Il jeta un coup d'œil à sa montre, il était trois heures du matin. Il se laissa aller à des sanglots convulsifs, submergé par l'émotion. Il tremblait comme sous l'effet de la fièvre. Il se leva en se tenant à grand-peine sur ses jambes, gagna la fenêtre, l'ouvrit. Un vent glacé soufflait. L'homme s'emplit les poumons d'air et puis cria. Un cri si long qu'il semblait un hululement. Juste après, il se sentit les jambes coupées net. Il n'arrivait plus à tenir debout, il s'agenouilla, le devant de sa chemise trempé de larmes.

Il ne manquait plus que sept jours avant l'Apparition.

Montalbano regarda sa montre, il était trois heures du matin. À quoi bon rester couché sans réussir en aucune manière à s'endormir ? Il se leva, gagna la cuisine, se prépara le café.

Trois questions continuaient à lui perforer la coucourde :

Pourquoi ce type agissait-il toujours le lundi, aux premières heures de la matinée, au début du jour nouveau ?

Pourquoi tenait-il tant à faire savoir à la Terre entière qu'il était lancé dans un mouvement de contraction ? Qu'est-ce qui se contractait, merde ?

Qu'est-ce que ça signifiait pour ce fou, le verbe « se contracter » ? Est-ce que ça avait le sens de recroqueviller, rapetisser, comme disait Mimì Augello ou bien cela avait-il un sens particulier qui ne se comprenait que dans ce qui passait dans l'esprit malade de l'inconnu ?

Montalbano sentait que la juste interprétation de ce verbe serait indispensable pour réussir à comprendre quelle était l'intention ultime du fou, où il voulait en venir.

Il y avait une réponse possible ? Il n'y en avait pas.

Le lendemain matin tôt, on était mardi, il se présenta au bureau les yeux rougis par le manque de sommeil et son humeur, qui était déjà dégueulasse, avait été portée au carré par la journée froide et venteuse.

— Écoutez-moi bien, dit-il à Augello et à Fazio. J'ai réfléchi longtemps sur cette histoire. Pratiquement toute la nuit. Le fanatique, parce que maintenant, c'est sûr, il est inutile de se le cacher, est certainement un type né à Vigàta.

— Pourquoi ? demanda Augello.

— Mimì, réfléchis. D'abord, il connaît très bien qui sont les propriétaires d'animaux et leurs noms de famille. Ces informations, ou bien on les trouve dans les registres municipaux, ou on les sait par connaissance directe.

— Réfléchis toi aussi, rétorqua Mimì Augello, piqué.

C'est compliqué de savoir que dans le restaurant il y a le bassin des poissons ? Ou que dans un élevage de poulets, il y a des poulets ?

— Ah oui ? Et toi, tu le savais que M. Ottone avait une chèvre et De Dominici un âne ?

Augello ne répondit pas.

— Je peux continuer ? dit Montalbano. Je répète : c'est quelqu'un de Vigàta et il est pas de première jeunesse…

— Pourquoi ? demanda Mimì.

— Parce qu'il connaît des retraités, des vieux…

— Bah, fit encore Mimì.

Montalbano ne voulut pas chercher noise, il poursuivit :

— Et c'est une personne instruite. Il a une graphie de quelqu'un qui a l'habitude d'écrire.

— Un moment, intervint Fazio. Vieux, il peut pas l'être tant que ça. Quelqu'un qui est plus tout jeune, je le vois mal forcer des cadenas, traîner au fond des campagnes la nuit, et grimper sur les cages…

— D'abord, c'est un fanatique, là-dessus, nous n'avons pas de doutes.

— Oui, Salvo, mais la question de Fazio était… intervint Augello.

— Je l'ai très bien comprise, sa question. Et je suis justement en train d'y répondre. Le fanatisme pousse à faire des choses impensables, ça te donne une force que tu ne soupçonnais pas d'avoir, un courage que tu ne rêvais même pas de posséder. Et puis, il n'est pas dit que ce soit lui qui agisse personnellement. Il peut envoyer quelqu'un d'autre muni d'un pistolet et d'un billet. Un adepte.

— Oh ?! fit Fazio.

— Adepte veut dire un disciple, c'est pas une parole cochonne. Maintenant, faisons comme ça. Toi, Mimì, tu vas à l'état civil et tu te fais donner la liste de tous ceux dont le nom de famille commence par la voyelle « o ». Ils doivent pas être cent mille.

— Cent mille, non. Mais beaucoup, oui. Moi, par exemple, je connais un Mario Oneto et un Stefano Orlando, rétorqua Mimì.

— Moi, j'en connais trois, dit Fazio. Onesti, Onofri, Orrico.

— Sans compter, relança Fazio, que Stefano Orlando a dix fils, cinq garçons et cinq filles. Et que trois des cinq garçons sont mariés et ont à leur tour des enfants.

— Je m'en fous complètement des grands-pères, des enfants et des petits-enfants, vous avez compris ? explosa le commissaire. Je veux la liste complète pour demain matin, nouveau-nés compris.

— Et après, qu'est-ce que t'en fais ?

— Si d'ici dimanche nous n'avons pas résolu la question, on les rassemble tous quelque part et on monte la garde.

— On les rassemble dans un stade comme faisait le général Pinochet, proposa Augello, ironique.

— Mimì, je suis vraiment admiratif. Que tu sois un con, je n'avais pas de doutes là-dessus. Mais je n'avais jamais imaginé que tu puisses atteindre de tels niveaux. Mes compliments les plus vifs. Gloire à toi. Et maintenant, vire ton cul d'ici.

Augello se leva et sortit.

— Et moi, qu'est-ce que je fais ? demanda Fazio.

— Tu te mets à traînasser à travers le bourg. Vois si ça s'est su, l'affaire du meurtre de ces animaux et, si oui, ce qu'en pensent les gens. Ah, autre chose : mets un des nôtres à surveiller Ottone, le type de la chèvre. Il a le malheur d'avoir un nom qui commence par « o ». Je voudrais pas que le fanatique revienne chez lui pour le tuer, avant lundi même, comme ça, il économise du temps et de la fatigue à chercher.

Il revint à Marinella qu'il était presque dix heures du soir. Il n'avait aucune envie de manger, il se sentait l'estomac bloqué. Il était inquiet, mais surtout mécontent de lui. Certes, il avait réussi à découvrir le lien entre les faits, il avait été capable de prévoir (peut-être) le prochain mouvement du fanatique, mais tout cela ne servait à rien s'il n'arrivait pas à découvrir l'idée démente, la façon de voir qui avait fait son nid dans la coucourde véreuse de l'inconnu et qui le poussait à agir.

Non qu'il fût convaincu qu'à la base de chaque crime il dût y avoir un mobile précis et rationnel. Une fois, à ce propos, il avait lu un petit livre de Max Aub, *Crimes exemplaires*, qui, au-delà de l'amusement ressenti, lui avait été plus utile qu'un traité de psychologie. Mais il était également vrai que plus on en sait sur la personne qu'on cherche et plus on a de chances de la trouver.

Le téléphone sonna.

— Alors, t'y arrives à venir samedi ?

Avec des excuses variées et complexes, qui auraient mérité la création d'un prix Nobel de la calembredaine, il avait réussi à renvoyer le voyage à Bocadasse promis de semaine en semaine, mais en sentant que Livia était de plus en plus dubitative. Peut-être le mieux était-il de lui raconter toute la vérité. Il poussa un soupir profond et plongea en apnée entre les mots à prononcer.

— En toute sincérité, Livia : je ne crois vraiment pas y arriver.

— Mais je peux au moins savoir ce qui t'arrive ?

— Livia, tu le sais pas quel métier je fais ? Tu as oublié ? Je ne peux pas avoir les horaires et les emplois du temps d'un employé. J'ai sur le dos une enquête très très complexe. Il y a une série de meurtres…

— Un serial killer ? demanda, stupéfaite, Livia.

Montalbano hésita.

— Ben, on pourrait, en un certain sens, le définir comme ça.

— Et il a tué qui ?

— Ben, il a commencé par un poisson, pour être précis, un mulet.

— Quoi ?!

— Oui, une muggine, mais d'eau douce. Puis il a flingué un poulet et ensuite…

— Connard !

— Livia, écoute… Allô ? Allô ?

Elle avait raccroché. Comment était-il possible qu'elle ne le croie jamais, ni quand il disait la vérité, ni quand il ne la disait pas ? Peut-être aurait-il dû mettre les mots dans un ordre différent, utiliser d'autres…

Les mots. Seigneur, les mots !

Il avait choisi les mots justes en parlant du meurtrier des animaux, il l'avait défini comme un fou religieux, un fanatique, quelqu'un qui se prenait pour Dieu, ou qui au moins était en rapports directs avec lui et il n'avait jamais su tirer les conséquences de ses mots mêmes ! Quel imbécile il avait été ! Ça, c'était la route à suivre sans perdre davantage de temps. Nerveusement, il composa un numéro de téléphone. Sous l'effet de l'excitation, il se trompa, réussit à la troisième tentative.

— Nicolò ? Montalbano, je suis.

— Qu'est-ce que tu veux ? Je vais passer à l'antenne.

— Quelques secondes.

— Je ne les ai pas. Si tu me prépares un plat de pâtes, je viens te voir à Marinella à minuit passé, après le dernier journal.

Le journaliste Nicolò Zito se retrouva devant un plat de spaghettis assaisonnés à l'« huile du charretier » et au pecorino, ensuite dix *passuluna*, c'est-à-dire de grosses olives noires, une tranche de caciocavallo et j'ai bien l'honneur de vous saluer.

— Tu t'es défoncé ! commenta-t-il.

— Nicolò, j'ai pas d'appétit.

— Et comme t'as pas d'appétit, tu penses que moi non plus je n'en ai pas ? Qu'est-ce qui t'arrive ? Tu m'inquiètes

63

si toi, particulièrement, tu viens me dire que tu n'as pas envie de manger. Allez, parle.

Et Montalbano lui raconta tout. Au fur et à mesure qu'il parlait, l'attention de Zito devenait toujours plus soutenue.

— Cette histoire, dit-il quand le commissaire eut terminé, ne peut finir que de deux manières : ou bien en farce, ou bien en tragédie. Mais je pense que, pour l'heure, la deuxième hypothèse est la plus probable.

— Moi aussi, je le pense, dit, la mine sombre, le commissaire.

— Pourquoi tu m'as appelé ?

— Tu peux m'aider.

— Moi ?!

— Oui. J'ai absolument besoin que tu me mettes tout de suite en contact avec Alcide Maraventano.

Celui que le commissaire voulait rencontrer était une personne d'une érudition incroyable qui, voilà quelques années, lui avait donné un coup de main dans l'affaire dite du *Chien de faïence*. Il habitait à Gallotta, un petit village proche de Montelusa, peut-être avait-il été curé, peut-être pas, ce qui était certain, c'était que sa tête fonctionnait au courant alternatif. Il portait toujours une espèce de soutane qui, noire à l'origine, était, avec le temps, devenue verdâtre de moisissure : épouvantablement maigre, il semblait un squelette tout juste sorti de la tombe, mais mystérieusement vivant. Sa maison était une énorme baraque qui tombait en ruine, privée de téléphone et d'électricité, en compensation tellement bourrée de livres qu'il n'y avait pas de place pour s'asseoir. Tandis qu'il parlait, il avait l'habitude de téter un biberon de lait.

En entendant ce nom, Zito fit une grimace.

— Qu'est-ce qu'il y a ?

— Bah, hier justement, un de mes amis m'a contacté

après être allé le voir, mais Alcide n'a pas voulu ouvrir, il lui a parlé à travers la porte.

— Et pourquoi ?

— Il lui a dit qu'il approche de la fin et qu'il n'a donc pas de temps à perdre. Le peu de souffle qui lui reste, il dit qu'il en a besoin pour respirer pour les jours qui lui restent.

— Il est malade ?

À Montalbano, les moribonds flanquaient la frousse.

— Va savoir. Sûr qu'il est plus tout jeune. Il doit être plus que nonagénaire.

— Essaie quand même, rends-moi ce service.

Le lendemain vers midi, comme il n'avait plus de nouvelles de Zito, il décida de lui téléphoner.

— Nicolò, Montalbano je suis. Tu te l'oublias, cette prière que je t'ai faite à hier soir ?

Nicolò Zito parut piqué par une guêpe.

— Je me l'oubliai ?! Une matinée entière, je suis en train de perdre ! Tu le sais pas qu'Alcide n'a pas le téléphone et qu'il faut envoyer quelqu'un pour lui parler ?

— Eh beh ?

— Comment ça, eh beh ? C'est seulement il y a un quart d'heure que j'ai trouvé un volontaire à Gallotta. J'attends une réponse.

La réponse arriva après minuit. Alcide Maraventano était disposé à recevoir Montalbano. Mais la visite devait être brève. Et en outre, le commissaire devait y aller seul. Au cas contraire, la porte ne s'ouvrirait pas.

L'habitation d'Alcide Maraventano était comme il se la rappelait, les volets dégondés, le crépi tombant en morceaux, les fenêtres aux vitres cassées remplacées par des cartons et des planches de bois, le portail de fer à moitié arraché.

Sauf que ce qui autrefois était l'amas informe du jardin

du curé (ou du non-curé) était devenu maintenant une espèce de jardin équatorial. Montalbano regretta de ne pas avoir apporté une machette. Il se fraya un chemin entre les branches et les ronces, se fit un accroc à la veste et, en jurant, il arriva devant la porte fermée. Il frappa du poing. Aucune réponse. Alors Montalbano refrappa de deux grands coups de pied.

— Qui est-ce ? demanda une voix qui semblait venir d'outre-tombe.

— Montalbano, je suis.

Un étrange bruit de fer contre le fer se fit entendre.

— Poussez, entrez et refermez.

Le verrou était actionné par un fil métallique qui, tiré de quelque part à l'intérieur de la maison, le relevait.

Il entra dans la même vaste salle que l'autre fois, remplie de livres disposés de toutes parts, en piles jusqu'au plafond, par terre, sur les meubles, sur les chaises. Le curé (ou le non-curé) était assis à sa place habituelle derrière une table bancale, avec dans la bouche un gigantesque thermomètre.

— Je me prends la fièvre, dit Alcide Maraventano.

— Et qu'est-ce que c'est ce thermomètre ? ne put s'empêcher de demander le commissaire, ahuri.

— C'est un thermomètre à moût. Après, je fais une règle de trois, dit le curé (ou le non-curé) en se l'ôtant un instant de la bouche pour l'y remettre aussitôt.

Six

— Vous ne vous sentez pas bien ? demanda encore le commissaire.

— Vous dites ça à cause du thermomètre ? Non, ça, c'est un petit contrôle que je fais de temps en temps.

Il parlait maintenant sans ôter le thermomètre de sa bouche, ce qui lui donnait une élocution d'ivrogne.

— J'en suis content. Comme j'ai appris que...

— Que j'approchais de la fin ? J'ai dit ça à un crétin qui a mal compris. Mais j'ai quatre-vingt-quatorze ans passés, mon ami. Et donc, il n'est pas vraiment faux de dire que j'approche de la fin. Sauf que désormais, quand on parle de la fin, on comprend tous une sorte d'agonie. Un état à appeler le prêtre pour la dernière confession.

Qu'y avait-il à répliquer ? Rien, raisonnement parfait. Maraventano retira le thermomètre, le fixa, le posa sur la table, secoua la tête, prit un des trois biberons pleins qui se trouvaient devant lui et commença à téter.

— Je ne crois pas que vous soyez venu me trouver pour vous informer sur mon état de santé. Je puis vous être utile à quelque chose ?

Et Montalbano lui raconta tout de bout en bout, depuis le poisson jusqu'à l'éléphant. Il lui parla aussi de son inquiétude quant au prochain mouvement de l'homme qui se prenait pour Dieu ou qui pensait être en contact direct avec lui.

Alcide Maraventano l'écouta sans l'interrompre. Ce n'est qu'à la fin qu'il demanda :

— Vous avez avec vous les billets ?

Naturellement, le commissaire les avait apportés et il les lui tendit. Maraventano se fit un peu de place sur la table, les disposa les uns à côté des autres, les lut, les relut et ensuite leva les yeux sur Montalbano et se mit à ricaner.

— Qu'est-ce que vous y voyez d'amusant ? demanda le commissaire.

Et, étant donné que l'autre ne se décidait pas à répondre, il le provoqua.

— Difficile d'y comprendre quelque chose, hein ?

— Difficile ? répéta Maraventano en ôtant de sa bouche le biberon maintenant vide. Mais c'est élémentaire, mon ami, comme dirait Sherlock Holmes au Dr Watson ! Il vous est jamais arrivé de lire un des *Sifre ha-'iyyun* ?

— Je n'en ai pas eu l'occasion, rétorqua Montalbano, imperturbable. Qu'est-ce que c'est ?

— Ce sont les *Livres de la contemplation*, écrits sans doute aux alentours du XIIIe siècle.

Le commissaire écarta les bras, l'air désolé. Non seulement il ne les avait pas lus, mais il n'en avait jamais entendu parler.

— Mais vous aurez certainement lu quelque chose de Mosè Cordovero dit, conciliant, Maraventano.

Et qu'est-ce que c'était ? Va savoir pourquoi, ce prénom et ce nom lui semblèrent vénitiens.

— Un doge ? hasarda-t-il.

— Ne dites pas de bêtises, répliqua, sévère, Maraventano.

Montalbano commença à se sentir embarrassé et transpirant. D'un coup, il était redevenu l'élève médiocre qu'il avait toujours été, depuis l'école élémentaire jusqu'à l'université.

Il n'ouvrit plus la bouche, baissa la tête et, de l'index, se mit à dessiner des cercles dans la poussière sur la table.

« Cette fois, je suis foutu. Il va me mettre zéro », pensa-t-il fugitivement.

— Allons, allons, dit Alcide Maraventano, indulgent. Vous n'allez pas me dire que le nom d'Isaac Luria vous est totalement inconnu !

« Totalement, professeur, totalement. » Et, sur la pointe de la langue, lui vint la réponse classique :

« C'était pas dans mon livre. »

— Oui, réussit-il à dire d'une voix de coquelet à son premier cocorico, mais en fait, à l'instant, je ne…

Alcide Maraventano le dévisagea, soupira, hocha la tête, commença à se lever de sa chaise. Il se leva pendant un temps qui parut interminable au commissaire, tellement l'homme était long. À la fin, après s'être déroulé comme un serpent, cette espèce de poteau qui était un corps et qui se terminait par une tête de mort branlante se mit en route.

— Je vais prendre un livre en haut et je reviens, dit-il.

Le commissaire suivit sa progression dans l'escalier, car à chaque marche, il émettait un « ah » douloureux. Il eut presque honte d'avoir dû infliger une telle fatigue à ce pauvre vieux, mais Alcide Maraventano était le seul à pouvoir lui expliquer quelque chose dans un problème qui lui semblait sans solution. Il lui vint l'envie d'allumer une cigarette mais il avait la frousse de le faire : avec tout ce papier autour de lui, sec, jauni, centenaire, un rien suffirait pour provoquer un incendie. Une vingtaine de minutes passèrent. Il avait beau tendre l'oreille, aucun bruit ne lui parvenait de l'étage. Peut-être le vieux était-il allé chercher le livre dans une pièce qui n'était pas située au-dessus de celle où il se trouvait.

Tout à coup, il y eut une détonation épouvantable, une explosion terrifiante, la maison entière trembla, quelques bouts de crépi tombèrent du plafond. Une secousse de tremblement de terre ? Une bonbonne de gaz qui avait explosé ? Montalbano, bondissant de son siège au point de manquer de défoncer le plafond d'un coup de tête, vit s'abattre sur la porte qui donnait dans l'escalier une espèce de rideau blanc. Ce devait être de la poussière, la poudre des gravats tombés à l'étage. Peut-être l'escalier menaçait-il de s'écrouler. Mais le commissaire se sentit en devoir de le monter, avec prudence, pour se porter au secours du curé (ou du non-curé). La poussière épaisse entra dans ses poumons, commença à le faire tousser. Ses yeux se remplirent de larmes. Ce fut alors qu'il remarqua un vague mouvement sur le palier en haut des marches.

— Il y a quelqu'un ? demanda-t-il, à demi étouffé.

— Et qui est-ce qu'il doit y avoir ? rétorqua la voix sereine et tranquille d'Alcide Maraventano.

Ensuite, dans la brume, le curé (ou le non-curé) apparut, un énorme livre sous le bras. Du vert moisi, sa soutane était passée au blanc plâtreux. Alcide Maraventano semblait le squelette d'un pape descendant un escalier.

— Mais qu'est-ce qui fut ?

— Rien. Une étagère est tombée, et elle a fait tomber à son tour trois ou quatre piles de livres.

— Et toute cette poussière ?

— Vous ne le savez pas que les livres, ça attire la poussière ?

Il retourna s'asseoir sur sa chaise, but quelques gorgées au biberon parce que sa gorge s'était asséchée, fit entendre une toux rauque, ouvrit le grand livre, entreprit de le feuilleter.

— Ceci, dit-il, est l'illustration que Hayyim Vital fait de la pensée de son maître Luria.

— Merci pour la précision, dit Montalbano. Mais je voudrais savoir de quoi nous parlons.

Maraventano le fixa d'un air étonné.

— Vous n'avez pas encore compris ? Nous sommes en train de parler de la Kabbale et de ses interprétations.

La Kabbale ! Il en avait entendu parler, bien sûr, mais toujours comme de quelque chose de mystérieux, de secret, d'ésotérique.

— Ah, voilà, dit Maraventano, en s'arrêtant sur une page du grand livre. Écoutez ça. « Quand l'*En sof* conçut de créer le monde et de produire l'émanation, pour faire sortir à la lumière la perfection de ses actions, il se concentra sur le point du milieu, placé au centre exact de sa lumière. La lumière se concentra et se retira tout autour de ce point central… » Maintenant, c'est clair ?

— Non, dit Montalbano, abasourdi.

Certes, il comprenait le sens des mots mais il ne saisissait pas la relation entre eux.

— Je me réfère à Cordovero, expliqua Maraventano, lequel affirme que l'*En sof*, l'entité suprême, afin que les hommes puissent, au moins en partie, en comprendre la grandeur, est contrainte de se contracter.

— Je commence à comprendre, dit enfin le commissaire.

— Et quand il aura fini de se contracter, elle apparaîtra aux hommes dans toute sa lumière, dans toute sa puissance.

— Petite Madone sainte ! balbutia Montalbano.

Il avait tout à coup deviné où ce fou qui se prenait pour Dieu voulait en venir.

— Cet imbécile n'a rien compris à la Kabbale, conclut Maraventano.

— Cet imbécile, ajouta Montalbano, n'est pas en train de penser à tuer un seul homme, mais il est en train de préparer un massacre.

Maraventano le scruta.

— Oui, fit-il, je tiens votre hypothèse pour plausible.

Montalbano se sentit la gorge sèche, il fut tenté de prendre un des biberons et de suçoter deux gorgées.

— Pourquoi dites-vous qu'il n'a rien compris à la Kabbale ?

Maraventano sourit.

— Je vous donne un seul exemple. Le point de concentration maximale de la lumière, le point central, est le lieu de la création, non de la destruction, toujours selon Luria et Vital. Cet individu, lui, s'est convaincu du contraire. Il faut que vous l'arrêtiez. Par n'importe quel moyen.

— Vous pouvez m'expliquer pourquoi il agit toujours aux premières heures du lundi ?

— Je peux hasarder une hypothèse : le lundi est le début de la lumière, le jour durant lequel on croit que le Créateur a commencé son œuvre.

— Écoutez, dit vivement Montalbano, en comprenant que la moindre miette d'information pouvait toujours servir. Vous connaissez quelqu'un à Vigàta ou aux alentours qui se soit occupé de ces sujets ? Réfléchissez-y bien. Il ne doit pas y en avoir beaucoup, des gens qui se sont voués, ou qui se vouent, à des études si difficiles et complexes.

Alcide Maraventano chercha dans le puits sans fond de sa mémoire et quelque chose, enfin, il trouva.

— Il y avait un homme, mais il y a tant et tant d'années. Quelquefois, il venait discuter avec moi, il s'appelait Saverio Ostellino, il était mon aîné de quelques années. Il est mort depuis longtemps. Il habitait à Vigàta. Je me souviens d'être allé à ses funérailles. Il est enterré ici.

— Au cimetière catholique de Vigàta ? s'étonna Montalbano.

— Et pourquoi pas ? rétorqua Alcide Maraventano. Il s'intéressait à la Kabbale non pas par foi, mais par érudition.

— Il avait des enfants ?

— De cela, il ne me parla jamais.

Cela dit, le vieux s'appuya contre le dossier de son siège, inclina la tête en arrière et resta ainsi. Montalbano attendit un peu et ensuite, tendant l'oreille, il entendit un très léger ronflement. Maraventano s'était endormi. Ou il faisait semblant ? En tout cas, ce sommeil vrai ou faux signifiait une seule chose : que la visite était terminée.

Le commissaire se leva et sortit de la pièce sur la pointe des pieds.

L'air dédaigneux, Mimì Augello lui flanqua sur le bureau une dizaine de feuilles écrites très serré.

— Voilà la liste de tous ceux dont le nom de famille commence par « o ». Pour ton information, il s'agit de quatre cents personnes, entre les hommes, les femmes, les jeunes, les minettes, les vieux, les minots et les nouveau-nés.

— Tout le monde est là ?

— Oui, ils sont tous dans la liste.

— Mimì, te mets pas à faire le Catarella.

— Qu'est-ce que ça veut dire ?

— En ce moment, ils sont tous à Vigàta ? Ils sont présents ? Ou quelques-uns d'entre eux sont partis ?

— Et qu'est-ce que j'en sais, moi ?

— Il faut que tu le saches. Quand on décidera de les regrouper, je veux être vraiment sûr qu'ils sont tous là. Je veux savoir qui est parti pour affaires, étude, maladie et trucs de ce genre. Je dois aussi savoir si certains ont en tête de partir d'ici lundi prochain ou si, au contraire, certains reviennent, toujours d'ici lundi. C'est clair ?

— Très clair. Mais comment je fais ?

— Mets-toi d'accord avec Fazio, employez tous les hommes dont vous avez besoin. Faites du porte-à-porte, comme une espèce de recensement.

— Et s'ils se mettent à poser des questions ?

— Tu leur réponds des conneries. Tu sais faire ça, Mimì, inventer des conneries.

Dès que Mimì fut sorti, il prit en main la liste. Comment avait dit Maraventano qu'il s'appelait, le connaisseur de la Kabbale ? Ah oui : Saverio Ostellino. Sur la liste, il y en avait trois : Francesco, Tiziano et, justement, Saverio. Certainement un petit-fils. Qui peut-être n'avait rien à voir avec toute cette affaire. Son nom de famille, commençant par « o », l'incluait parmi les victimes possibles et donc l'excluait de la possibilité d'être le fou fanatique. Mais tout ça était à contrôler.

Il passa une mauvaise nuit, en pratique des heures et des heures à virer et tourner dans le lit. Trop de questions, de doutes, d'incertitudes qui lui transperçaient la coucourde.

Devait-il prévenir le Questeur de ce qui était en train de se passer ? C'était son devoir, bien sûr. Et si l'autre ne le croyait pas, est-ce qu'il pourrait agir quand même à sa guise ? Que le fou pensait à faire un massacre, il en était sûr comme si celui-ci le lui avait communiqué personnellement en personne, comme dirait Catarella.

Et d'autorité s'imposaient de temps à autre certaines paroles d'Alcide Maraventano : « Parce que le lundi est le début de la lumière, le jour durant lequel on croit que le Créateur a commencé son œuvre. » Ces mots l'inquiétaient, mais il ne réussissait pas à comprendre pourquoi.

Quelque part dans la maison, il devait y avoir une bible qu'il s'était fait prêter un jour et qu'il n'avait jamais restituée. Il y mit du temps, mais il la trouva. Il revint se coucher et commença à lire. « Dieu ayant considéré, au septième jour, que l'œuvre qu'il avait accomplie était achevée, le septième jour il s'abstint de toute œuvre faite par lui. » En d'autres termes, « le septième jour, il se reposa ». Et avec ça ? Quelle importance avait cette phrase pour l'enquête qu'il était en train de mener ? Il ne comprenait pas pourquoi ni comment mais il sentait, à vue de nez, que cela signifiait quelque chose, ce jour de repos, et que c'était très important.

L'homme marchait à pas lents, la tête basse comme pour regarder où il mettait les pieds, étant donné le peu de lumière que donnaient les lampadaires, dont certains étaient même éteints. Il ne passait pas un chien, tout le monde était allé dormir, c'est du moins ce qu'ils croyaient, alors qu'en fait, ils étaient allés faire la répétition générale du sommeil éternel dans lequel, dans quelques jours, ils seraient précipités par son œuvre. Tous, les vieux qui sentaient déjà dans leur cou l'haleine de la mort et les minots à peine nés qui n'avaient pas encore ouvert les yeux, vieux et jeunes gens, garçons et filles. À l'idée de la proximité de ce jour, le Jour, un frisson violent lui partit de l'aine, une espèce de secousse électrique lui grimpa le long de la colonne vertébrale, lui arriva dans la coucourde en lui procurant une espèce d'ivresse soudaine, si violente que les ombres des maisons commencèrent à lui tourner tout autour. Il plissa les yeux, haletant et gémissant de plaisir. Il dut rester quelques minutes immobile, puis l'ivresse passa et il fut de nouveau en mesure de reprendre sa promenade. En lui-même, en silence, il entonna : « Dies irae, dies illa... »

Le lendemain matin, sur le tard, Mimì Augello arriva en disant que la liste s'était réduite à trente-cinq personnes.

— Si tu veux, je détaille. Il y en a quatre qui ont émigré en Belgique, six en Allemagne, trois qui étudient à Palerme...

— Tu es sûr qu'ils ne vont pas rentrer d'ici lundi ?

— Tout à fait sûr.

Puis, après une pause :

— Ils m'ont assailli de questions.

— Et toi ?

— J'ai dit qu'il s'agissait d'une loi toute neuve, de l'Union européenne. Un recensement sur les déplacements internes et externes des habitants d'une ville échantillon.

— Et ils l'ont cru ?

— Certains oui et d'autres non.

— Et ceux-là, qu'est-ce qu'ils t'ont dit ?

— Rien. Probablement qu'ils juraient en eux-mêmes.

— Mais alors, pourquoi ont-ils accepté ?

— Parce qu'on représente la loi, Salvo.

— Ce qui signifie que, au nom de la loi, nous avons le pouvoir de faire n'importe quelle connerie ?

— C'est maintenant que tu t'en aperçois ?

Montalbano préféra ne pas continuer sur ce sujet.

— Donc, maintenant, vous savez où ils habitent. Mimì, tu dois te mettre à une tâche délicate, emmerdante. Tu fais un signe de croix, sur la carte de Vigàta, pour indiquer où sont les maisons de ceux dont le nom commence par « o ». Donc, trace un parcours idéal, le plus bref, pour qu'au moment opportun nous puissions avertir tout le monde en le moins de temps possible.

— D'accord.

— Si on réussit pas à identifier et à arrêter le fou avant, il faudra prendre tous ces gens, peut-être le dimanche soir tout de suite après dîner, et les transférer au cinéma Mezzano. J'ai déjà parlé avec le propriétaire, l'établissement a cinq cents places.

Mimì se fit pensif.

— Qu'est-ce que tu as ? Je comprends que ça va être compliqué de persuader ces gens de sortir de chez eux, peut-être qu'ils ont des vieux difficiles à transporter…

— Le problème n'est pas là, dit Mimì.

Aussitôt, Montalbano sentit la fureur monter. Il détestait cette phrase. Il l'entendait prononcer toujours plus souvent dans n'importe quelle réunion et celui qui la

76

prononçait avait l'intention, plus ou moins cachée, de dévier la discussion en cours. Il se retint, il ne fit pas d'estrambord parce que l'affaire qu'ils étaient en train de traiter était trop importante.

— Et c'est quoi, le problème ?

— Une fois qu'on aura réussi à avoir tous ces gens dans le cinéma, qu'est-ce qu'on leur fait faire ? Tu te rends compte ? Il y aura les minots qui pleurent, d'autres qui joueront et foutront le bordel, des vieux qui voudront se reposer, des hommes qui s'engueulent…

— Ça, c'est pas un problème. On leur fait projeter un beau film. Un de ceux que tout le monde peut voir. Et toi, qui as une voix passable, tu pourras aussi leur chanter une petite chanson…

Il prit en mains la liste de ceux qui étaient absents de Vigàta, la scruta. Les trois Ostellino, Francesco, Tiziano et Savero n'y apparaissaient pas. Il la tendit à Augello.

Mimì la lui arracha des mains et sortit du bureau sans même le saluer.

Sept

Le lendemain matin, il se présenta au commissariat qu'il était encore tôt, vraiment tôt.

— Ah, *dottori*, *dottori*, y a encore personne, exception faite de Fazio, dit Catarella dès qu'il le vit.

— Dis-lui de venir me voir.

— *Dottori*, le susdit dort dans le bureau du *dottori* Augello, l'avertit Catarella.

De fait, Fazio avait sombré dans un sommeil profond, la tête dans ses bras croisés et appuyés sur le bureau.

— Fazio !

— Eh ? fit celui-ci en relevant la tête mais en gardant les yeux fermés.

— Au point où t'en es, pourquoi tu t'apportes pas ton lit de chez toi ?

Fazio bondit sur ses pieds, honteux.

— Pardonnez-moi, *dottore*, mais c'est que cette nuit, j'ai dû remplacer Gallo.

— Pourquoi toi ? Tu pouvais pas le dire à Galluzzo ? À propos, ça fait deux jours que je le vois pas, M. Gallo !

Fazio lui lança un regard interloqué.

— Mais comment, *dottore*, personne vous a rien dit ?

— Non. Qu'est-ce qu'on devait me dire ?

— Qu'avant-hier mourut la mère de Gallo.

— Ah ben merde ! Vous auriez pu daigner me le faire savoir ! C'est quand, l'enterrement ?

Fazio regarda sa montre.

— D'ici trois heures.

— Cours tout de suite chez le fleuriste, je veux une couronne. Dis-lui que je le paie ce qu'il veut mais que je la veux.

Trois heures plus tard, il écouta la messe funèbre, suivit le cortège jusqu'au cimetière. Il allait s'en aller, après une embrassade à Gallo, quand une pensée lui vint. Il s'approcha d'un gardien.

— Vous sauriez me dire où est enterré Saverio Ostellino ?

— Dans sa tombe, rétorqua le gardien qui, suivant la tradition littéraire, était aussi un philosophe spirituel.

Le commissaire, qui n'était pas en humeur de galéjade, lui lança un regard noir. À ce regard, toute la philosophie du gardien s'évapora.

— Vous prenez cette allée et vous la suivez jusqu'au fond. Puis vous tournez tout de suite à main gauche et vous vous retrouverez devant l'Église qu'il y a au centre du cimetière. Derrière, presque collée, il y a la tombe que vous cherchez.

Ce n'était pas une tombe quelconque, mais une véritable chapelle nobiliaire, construction passablement imposante. En haut, il y avait une ample frise, une sorte de cartouche, sur laquelle était écrit en caractères de bronze doré « Famille Ostellino ». Elle était bien entretenue. Il glissa la tête entre les barres de fer forgé du portail, mais les vitres épaisses et grisées l'empêchèrent de voir l'intérieur. Il adressa une brève prière mentale au cabaliste Saverio Ostellino pour que, de l'au-delà, il lui donne un coup de main et quitta le cimetière.

Il se rendit à la trattoria San Calogero mais, à la grande consternation du propriétaire, ne put manger rien de rien. Il se sentait l'estomac serré et même le fumet des poissons le dérangeait.

Il se fit une longue balade sur la jetée, mais il était abattu et fatigué. Fatigué et humilié par son impuissance, son incapacité à contrecarrer les plans de l'homme qui se prenait pour Dieu. Avec lucidité, il se rendait compte qu'il se trouvait contraint au suivisme derrière la folie de cet inconnu. Il n'arrivait pas à trouver quoi que ce soit qui lui permette, sinon d'être un pas en avant, au moins à égalité avec son adversaire. Il ne pouvait que jouer en défense. Et pour lui, c'était une nouveauté qui le prenait absolument au dépourvu.

Le pire était qu'il ne réussissait pas à changer en fureur le sentiment de frustration qu'il éprouvait. La fureur, chez lui, était un puissant moteur.

Il s'était à peine assis que la porte battit avec violence contre le mur. Et surgit, naturellement, Catarella.

— Esscusassez-moi, *dottori*, elle m'a échappé.

— Qu'est-ce qu'il y a ?

— Il y a un type qui veut parler avec vous personellement en personne. Il dit comme ça que lui, il doit avoir la prépriorité absolue ! Il dit que c'est une affaire urgentissimement urgente !

— Il t'a dit comment il s'appelle ?

— Oh que oui. Algida.

— Comme les glaces ?

— Exactement comme les glaces, *dottori*.

— Il t'a dit son nom de famille ?

— Oh que oui, *dottori*. Parapettàno.

Alcide Maraventano ! S'il appelait, ce devait être très important et vraiment urgentissime.

— Je vous le passe, *dottori* ?

— Non, je viens chez toi.

Il craignait que Catarella, avec ses manœuvres compliquées au standard, finisse par couper la ligne. Il agrippa le combiné d'une main déjà moite de tension.

— Montalbano, je suis. D'où appelez-vous, monsieur Maraventano ?

— De chez moi.

— Vous avez le téléphone ?

— Jamais de la vie. Il est venu me trouver un ami qui a un de ces machins, comment ça s'appelle…

— Un portable ?

— Oui, et j'en ai profité. Je veux vous dire que j'ai longuement réfléchi sur tout ce que vous m'avez raconté et que j'ai abouti à une conclusion.

À l'autre bout de la ligne, Montalbano perçut un bruit bizarre qu'il ne tarda pas à identifier. Maraventano tétait. Il advient nerveux, ce type prenait ses aises.

— Voulez-vous me donner votre conclusion, je vous prie ?

— La voici, très cher : le prochain événement, quel qu'il soit, ne peut absolument pas arriver, comme les autres, dans les premières heures de lundi parce que…

— … parce que le cycle doit se terminer forcément samedi, conclut spontanément Montalbano.

En un éclair, il avait réussi à comprendre ce qu'il n'avait pas compris quand il avait lu la Bible. Le lundi, jour qui annonçait le début de la Création, ne pouvait être celui de la fin !

— Bravo ! s'exclama Maraventano. Je vois que vous avez parfaitement compris. Rappelez-vous : quoi qu'il s'agisse, ça arrivera sûrement avant minuit samedi, parce que le dimanche notre imbécile devra se reposer. En même temps que beaucoup d'autres personnes, je crains. Et attention : la fin de la concentration, dans la confusion mentale de cet individu, coïncidera nécessairement avec son retour à l'état de lumière éblouissante, inregardable. Je me suis bien expliqué ?

Il s'était très bien expliqué. Montalbano, qui sentait monter une espèce de fièvre, ne le remercia pas, ne lui dit pas au revoir mais raccrocha simplement et se mit à gueuler sans même s'en rendre compte.

— Quel jour on est, hein ? Quel jour on est ?

Il avait un énorme calendrier, offert par la boulangerie Foderaro & Vadalà, juste sous le nez et il réussissait pas à le voir.

— Le premier du mois, balbutia Catarella, contaminé par la panique qui perçait dans la voix du commissaire.

Et donc le lendemain serait le 2 novembre, le jour des Trépassés[1]. Ils ne se trompaient pas, Maraventano et lui. Il en eut l'immédiate, claire et absolue certitude. Comment disait la prière qu'il avait entendue à l'église pour l'enterrement ? Voilà, c'était le « Credo » :

... de là il doit venir juger les vivants et les morts...

Et le 2 novembre, au cimetière, ce fou les aurait tous sous la main, les vivants et les morts ! Et la dernière chose que les vivants verraient serait la manifestation de la lumière absolue.

« Comme il est arrivé à ceux d'Hiroshima », pensa-t-il.

Et d'un coup, son état d'agitation désordonnée disparut, ne resta plus qu'une tension rationnelle. Il avait enfin entrevu le moyen de prendre l'initiative, de désarçonner l'adversaire. Il n'était plus suiviste. À lui de jouer le bon coup.

— Envoie-moi tout de suite Augello et Fazio, dit-il à Catarella en retournant dans son bureau.

---

1. C'est le 2 novembre, jour des Trépassés dans la religion catholique, que les Italiens se rendent au cimetière, et non pour la Toussaint. C'est une fête particulièrement respectée en Sicile. *(N.d.T.)*

— Qu'est-ce qui fut ? demanda Mimì en se ruant dans la pièce, suivi de l'autre. Catarella s'est mis à gueuler que tu…

Il vit Montalbano blême comme un mort et se tut, effrayé.

— Écoutez-moi bien. Contrordre. Quoi qu'il doive arriver, ça arrivera demain, samedi, et non lundi.

— Comment tu l'as appris ? demanda Augello.

— Personne ne me l'a dit. J'y avais déjà pensé, à cette possibilité, et quelqu'un vient juste de me la confirmer. Fazio, rappelle-toi que, dès que nous en aurons fini ici, tu vas envoyer Gallo prévenir Mezzano que son cinéma doit rester à notre complète disposition entre vingt et une heures et minuit aujourd'hui.

Les deux subordonnés échangèrent un regard ahuri.

— Aujourd'hui ? demanda Augello. Mais si tu dis toi-même que cette histoire doit se conclure samedi !

— Mimì, c'est le seul moyen que nous avons de lui couper la route. Une fois, pour changer, si ma supposition est juste, on va le précéder. Mais ce serait trop long de vous expliquer mon raisonnement. Moins on perd de temps et mieux ça vaut, croyez-moi. Et du temps, il nous en reste pas beaucoup. Foncez avec les autres prévenir les familles. Dites-leur de se présenter à neuf heures précises. Ils ont cinq heures pour se préparer. S'il y a un malade, qu'ils nous le fassent savoir, on envoie une ambulance le chercher. Mimì, tu te mets à la porte du cinéma avec la liste et tu pointes les noms de ceux qui entrent. S'il y en a un qui s'est pas présenté, tu avertis Fazio qui s'occupera de le faire rechercher. D'accord ?

— D'accord, répondirent les deux autres en chœur.

— Je répète : je veux avoir la certitude absolue qu'à neuf heures et demie de ce soir, toutes les personnes intéressées sont dans le cinéma.

— Qu'est-ce qu'on leur raconte, cette fois ?

— La vérité.

— C'est-à-dire ?

— Que s'ils ne font pas ce qu'on leur dit, ils courent un danger mortel. Tu verras, ils vont se précipiter.

— Tu me permets une remarque ? demanda Mimì.

— Bien sûr.

— Cette histoire d'anticiper à samedi, c'est le résultat d'un raisonnement à toi. C'est ça ?

— Oui.

— Maintenant, imagine que ton raisonnement soit erroné. Il s'ensuit que le fou fera ce qu'il a en tête de faire lundi prochain, comme les lundis passés, continua Augello. En ce cas, comment on fera pour persuader les gens de revenir au cinéma lundi ?

— On leur dit qu'on a changé de film, dit Montalbano. Et qu'il y a aussi une première partie.

Le lieutenant de carabiniers Cesare Romitelli écouta dans un silence parfait l'histoire que lui raconta Montalbano et, tout de suite après, se consacra à une systématique autant qu'inutile entreprise de remise en ordre de tout ce qui se trouvait sur son bureau. Ensuite, il releva les yeux et contempla le commissaire.

— Vous me mettez dans une situation embarrassante, dit-il en déplaçant une chemise du côté gauche au côté droit.

— Pourquoi ? demanda Montalbano.

— Commissaire, je crois à l'histoire que vous m'avez racontée. Vraiment. Et je suis prêt à collaborer avec vous. Mais je dois informer mes supérieurs et vous, vous ne le voulez pas, comme vous ne voulez pas informer les vôtres. C'est ça ?

— Oui.

— Mais nous, nous sommes des militaires, commissaire.

— Je comprends, dit Montalbano.

Ils gardèrent le silence un instant.

— Ce serait absolument différent, reprit Romitelli, si une de mes patrouilles, en passant en voiture aux environs du cinéma Mezzano, notait, par hasard, un rassemblement. Alors, son devoir serait d'intervenir, et même de demander des renforts, pour maintenir l'ordre public. Je me suis fait comprendre ?

— Vous vous êtes très bien fait comprendre ! dit Montalbano en se levant et en serrant la main du lieutenant.

Il sortit soulagé de la caserne des carabiniers. Il avait aussi obtenu, du maire, l'envoi d'une dizaine de policiers municipaux. Seul, avec ses hommes, il n'y arriverait pas, à contenir les centaines de curieux qui allaient se pointer dès que la nouvelle se saurait.

L'entrée au cinéma des familles convoquées se déroula entre deux haies de foule bruyante retenues à grand-peine par les carabiniers et les policiers municipaux. Toute l'affaire, va savoir pourquoi, avait pris une tournure allègre, ceux qui entraient et ceux qui les regardaient entrer se foutant les uns des autres.

Mais, parmi les convoqués, il y eut aussi des protestations et des murmures, surtout de la part des plus vieux. Un jeune, cheveux longs, boucle d'oreille, barbe, se plaça devant le commissaire et lui fit le salut fasciste. Fazio lui balança un puissant coup de pied au cul et le type disparut dans la foule.

Tandis que les gens entraient, le cinéma se transformait en quelque chose à mi-chemin entre la crèche et l'hospice des vieux.

Enfin, le commissaire put grimper sur la scène, suivi par Mimì Augello. Il se savait absolument incapable de parler en public, il était rouge et se sentait la bouche desséchée comme quand il mangeait un citron.

— Le commissaire Montalbano, je suis. Excusez-moi

pour le dérangement, mais je l'ai fait dans votre truc, comment on dit…

— Intérêt, suggéra Augello.

— … intérêt. Il y a quelqu'un qui… il y a une situation que… bref, je passe la parole à mon adjoint, le *dottor* Augello.

Il descendit l'échelle trempé de sueur. Mimì fut rapide et efficace, il expliqua ce qu'il devait expliquer, rassura les présents sur le fait que rien ne pouvait leur arriver à l'intérieur du cinéma, surveillé de l'intérieur et de l'extérieur. Il annonça qu'on ferait l'appel pour plus de sécurité. Fazio monta, la liste en main, et se mit à côté de lui.

On entendit des petits rires, des commentaires, la tension avait beaucoup baissé. L'appel était arrivé presque à la fin quand il y eut un hic.

— Ostellino Francesco.

— Présent.

— Ostellino Saverio.

Personne ne répondit.

— Ostellino Saverio ? répéta Fazio.

Cette fois encore, aucune réponse.

— Je m'appelle Ostellino Tiziano, dit alors un sexagénaire en se levant. Francesco qui vient de répondre et Saverio sont mes fils.

Pendant ce temps, Francesco Ostellino s'était levé et regardait autour de lui, en quête de son frère.

— Je ne le vois pas, dit-il.

— Il était avec moi, reprit le père. On est arrivés tous les trois au cinéma, on venait d'entrer quand il m'a dit qu'il faisait un saut dehors pour acheter des cigarettes.

Un frisson violent, pire que la fièvre tierce, secoua le commissaire de la tête aux pieds. Non, l'absence de Saverio Ostellino n'était pas un hasard : il eut la certitude d'avoir réussi à faire faire son premier faux pas à l'adversaire.

Il fonça comme une flèche sur le sexagénaire.

— Votre fils Saverio vit seul ou avec vous ?

— Seul dans la maison qui…

— Par hasard, vous avez les clés ?

— Oui.

— Donnez-les-moi et l'adresse aussi, lui intima-t-il.

Et tandis que l'autre obéissait sans moufter, il continua à l'adresse de Mimì et de Fazio, toujours sur la scène :

— Vous deux, venez avec moi. Gallo continue l'appel.

Ils sortirent en courant du cinéma. Au-dehors, il n'y avait plus à présent ni curieux ni oisifs. À quelques pas, il y avait l'enseigne d'un tabac. Le magasin avait son rideau à demi baissé. Ils se plièrent en deux et entrèrent.

— C'est fermé ! beugla le propriétaire en les voyant apparaître soudain tous les trois devant lui.

— Police ! Vous connaissez un type qui s'appelle Saverio Ostellino ?

— Oui, des fois il m'achète des cigarettes.

— Vous l'avez vu, il y a une heure et demie, à peu près ?

— Je l'ai pas vu depuis hier.

— Il y a d'autres tabacs dans le coin ?

— Oh que oui, il y en a un autre dans la petite rue à côté.

Dans sa hâte, Mimì Augello calcula mal la hauteur du rideau de fer et se flanqua un grand coup sur la tronche. Il se lança dans une litanie de jurons. Ils arrivèrent à l'autre tabac que le propriétaire était en train de ranger un présentoir de pipes qui se trouvait à côté de la porte.

— Vous connaissez Saverio Ostellino ? lui cria Fazio dans le dos.

Le buraliste fit littéralement un saut au plafond et se retourna, terrorisé :

— Mais c'est quoi, ces façons, merde ?

Fazio n'avait pas le temps de discuter des bonnes

manières. Il l'agrippa par le paletot et le colla contre le présentoir.

— Police. Vous le connaissez, Saverio Ostellino, oui ou non ?

— Non, répondit, effaré, le buraliste.

— Combien de clients sont entrés depuis une heure et demie ?

— Qua... quatre.

— Tu te souviens ce qu'ils ont acheté ?

— Attendez. Une femme une boîte d'allumettes, le comptable Anfuso deux papiers timbrés, une petite jeune une enveloppe et un timbre et mon cousin Filippu s'est joué un loto.

Donc, jusqu'à preuve du contraire, Saverio Ostellino n'était pas sorti du cinéma pour s'acheter des cigarettes, comme il l'avait dit à son père.

— Il faut qu'on le chope le plus vite possible, dit Montalbano.

Ils se mirent à courir vers le cinéma, où le commissaire avait laissé sa voiture. Fazio se sentait le cœur serré : jamais auparavant il n'avait vu son chef aussi inquiet.

Huit

Alors que la villa des Ostellino se trouvait si loin dans le faubourg qu'on se croyait déjà à la campagne, ils y arrivèrent en un vire-tourne ; jusqu'alors le commissaire n'avait jamais essayé de rouler aussi vite et de lui, on pouvait tout dire sauf qu'il était quelqu'un qui savait tenir un volant. Un chien errant s'en tira de peu et le chauffeur d'une Fiat 500, qui venait en sens inverse, vit la mort en face.

Montalbano s'arrêta juste devant la porte de la villa. Ils sortirent et la scrutèrent de l'extérieur. Aucune lumière ne filtrait des volets, la maison était dans l'obscurité complète. Peut-être Saverio Ostellino était-il posté derrière une fenêtre à les attendre revolver en main et peut-être que non. Le seul moyen de savoir était d'essayer. Le commissaire tendit les clés à Fazio et celui-ci ouvrit la porte. Montalbano entra le premier et alluma la lumière.

Ils se retrouvèrent dans une grande salle de réception, bien meublée de meubles du XIXe, d'un goût plutôt funèbre.

— Saverio ! appela Montalbano.

Pas de réponse. Pour une raison ou une autre, Augello et Fazio sortirent les pistolets en même temps. Ils examinèrent soigneusement le rez-de-chaussée qui était fait du très grand salon et puis un peu d'une cuisine, d'une petite chambre-bureau, d'un cabinet de toilette. Rien, non seulement il n'y avait pas âme qui vive, mais les pièces, quoique très propres, donnaient l'impression de ne pas avoir été habitées depuis longtemps.

Ils montèrent avec cautèle à l'étage supérieur : trois chambres à dormir, trois salles de bains. Ils ouvrirent les *armuar*, se penchèrent pour regarder sous les lits. Personne.

Dans une seulement des trois chambres, on voyait, au grand désordre qui y régnait, qu'elle était normalement utilisée. De même pour une des trois salles de bains. Restait le dernier étage, qui était composé d'une unique très grande chambre, un bureau avec une table au centre. Des milliers de livres partout, sur les étagères, à terre, en tas, en piles. Aussitôt, le commissaire eut l'impression de voir une reproduction de la chambre d'Alcide Maraventano. Un coup d'œil lui suffit pour comprendre qu'il se trouvait devant une bibliothèque spécialisée : livres ésotériques, de magie, de philosophie, d'histoire des religions et ainsi de suite. La chose curieuse était qu'ils ne semblaient pas avoir été achetés récemment, le plus neuf devait remonter à une quarantaine d'années.

En tout cas, il n'y avait plus moyen de douter : le tueur d'animaux, l'homme qui se prenait pour Dieu, avait enfin un nom et un prénom. Montalbano se sentit pour moitié satisfait et pour l'autre moitié, si possible, encore plus effrayé. Il avait réussi à le pousser à la faute mais la partie n'était pas terminée. Et même, elle n'avait pas encore commencé.

— C'est lui, dit Montalbano. Et heureusement qu'il n'est pas resté au cinéma, il aurait eu à sa disposition tous les « O » qu'il voulait.

À ce moment, Fazio, qui farfouillait dans les tiroirs, fit une découverte.

— Il a laissé ici son pistolet. C'est un 7.65.

Pour toute réponse, Montalbano se donna une grande claque sur le front.

— Quel con ! s'exclama-t-il.

Mimì et Fazio se retournèrent pour le fixer d'un œil écarquillé.

— C'est à moi que tu le dis ? demanda Augello.

— C'est à moi que vous le dites ? demanda Fazio.

Le commissaire n'expliqua pas qu'il se l'était dit à lui-même.

— Fermez cette maison et venez avec moi, vite !

Ils obéirent sans oser demander pourquoi. Sans qu'il y ait eu d'accord préalable, cette fois, ce fut Augello qui se mit au volant. Ils en avaient trop vu durant le voyage d'aller et le commissaire ne protesta pas.

— Où allons-nous ?

— Au cimetière.

Augello, qui était en train de prendre un virage pratiquement sur deux roues, à cette réponse dérapa quelque peu.

— Mimì, tu ne m'as pas compris : au cimetière, on doit y arriver vivants.

— Je peux savoir ce qu'on va y faire ? demanda Fazio en mettant dans sa voix tout le respect possible.

— Vous devez savoir que le jour où je suis venu aux funérailles de la mère de Galluzzo…

Il s'interrompit.

— Eh beh ? fit Mimì.

Mais Montalbano était en train de suivre une de ses pensées.

— Fazio, tu le connais, ce Saverio Ostellino ?

De beaucoup d'habitants de Vigàta, Fazio connaît vie, mort et miracles. Il avait ce que Montalbano appelait le complexe de l'état civil.

— Il a quarante-deux ans. Il a enseigné au lycée de Montelusa. Une vie méthodique. Mais il y a trois ans, sa vie a changé.

91

— Pourquoi ?

— Il est resté veuf. D'un seul coup, il a perdu sa femme et sa fille qui allait à l'école élémentaire. Ce fut un accident d'auto. C'est sa femme qui conduisait, lui, il était pas là. Depuis lors, il est allé vivre seul dans une maison que lui avait laissée son grand-père. Celle où on est passé, je crois. Il a arrêté de besogner, il a plus envie de rien faire. Il en sort presque jamais.

Le portail du cimetière était fermé. Ils frappèrent à la porte du gardien qui se trouvait à côté.

— Ouvrez, police !

Le gardien qui s'aprésenta en jurant était celui que Montalbano connaissait déjà.

— Ouvrez-nous.

— Bienvenue, fit l'homme en se mettant sur le côté.

— Venez avec nous, dit Montalbano qui n'avait pas envie de chercher querelle. Et il ajouta : Saverio Ostellino, vous l'avez vu ces derniers temps ?

— Oh que oui. Pratiquement, depuis que sa femme et sa fille sont mortes, il vient tous les jours. C'est le premier à entrer et le dernier à sortir. Bah ! Le pôvre, il n'a plus toute sa tête.

— Et qu'est-ce qu'il fait ?

— Il s'enferme dedans le caveau de famille et il prie. C'est du moins ce qu'il a dit à moi et à mes aides. Il porte toujours avec lui une mallette de grandeur moyenne. Dedans, il nous a expliqué qu'il y a des livres de prières.

— Mais quand lui est dedans le caveau, vous ne le savez pas ce qu'il fait réellement.

— Oh que non, commissaire, il y a des vitres colorées. Mais qu'est-ce que vous voulez qu'il fasse, c'te pôvre malheureux ? Il prie. Une fois, il me parla. Il m'expliqua qu'il avait trouvé, d'après lui, le moyen de faire ressusciter sa femme et la minote. *Pazzu completu*, fou complet. Qu'est-ce qu'on y peut ? Des grands malheurs, c'est.

Ils étaient arrivés devant la chapelle des Ostellino.

— Vous avez une clé ?

— Oh que non, mais il faut pas grand-chose pour ouvrir. Si vous me le permettez et si vous vous mettez de côté un moment…

En dépit de l'obscurité du cimetière, Montalbano et Fazio se regardèrent d'un air ébahi : le gardien se montrait un très vaillant cambrioleur. Mais à ce moment, ils avaient d'autres pensées dans la tête.

À la lumière, l'intérieur du caveau se révéla très propre et en ordre parfait. Il y avait des fleurs fraîches devant les niches de la femme et de la fille de Saverio Ostellino. Peut-être que le malheureux y venait simplement dans le but de prier et c'est tout. Mais à ce moment, le commissaire s'aperçut qu'à terre, à côté de l'autel, il y avait une espèce de rectangle obscur. Il s'approcha : c'était une trappe ouverte, la dalle épaisse qui servait à fermer était appuyée au mur. Il se baissa pour scruter, mais il faisait trop noir.

— Et de là, on va où ?

— Dans la *purpània*, répondit le gardien, la fosse où on met les vieilles plaques ou les morts frais en attente de leur installation. Mais je suis très étonné.

— Pourquoi ?

— Je ne m'attendais pas à ça de sa part : pour ouvrir la *purpània*, il faut une autorisation. Et M. Ostellino ne nous l'a pas demandée. Et puis, ça se laisse pas ouvert.

— Il y a de la lumière, en bas ?

Sans lui répondre, le gardien tourna un interrupteur à l'entrée.

— C'est M. Ostellino qui l'a fait mettre il y a deux ans.

Ils descendirent l'un après l'autre, le commissaire en tête. La crypte était aussi grande que le caveau au-dessus. Elle n'était pas crépie. Trois vieilles plaques avaient été posées au centre. Elles avaient été déplacées pour laisser les parois libres. En fait, toutes les quatre, jusqu'à hauteur d'homme, avaient été littéralement revêtues de bâtons de dynamite, installés en groupe en un ordre parfait. Les mèches des bâtons étaient liées entre elles et reliées à une mèche plus longue et plus grosse que toutes les autres. Il suffisait d'allumer celle-là pour tout faire sauter.

— Merde ! dit Augello dans un souffle.

— Voilà ce qu'il portait dans sa mallette ! Tu parles de livres de prières ! s'exclama le gardien en s'essuyant le front d'une main.

— Nous sommes arrivés à temps. Demain, jour des Morts, au moment où le cimetière était le plus fréquenté, il aurait mis le feu à la mèche. Sortons.

Ils remontèrent en silence, chacun perdu dans ses pensées. Hors de la tombe, Montalbano dit à Fazio :

— Appelle-moi Gallo sur le portable.

Puis :

— Allô ? Montalbano, je suis. Comment ça se passe, par chez vous ?

— Tout est relativement tranquille, *dottore*.

— Écoute, envoie ici, au cimetière, Imbrò ou qui tu veux. Le gardien lui expliquera devant quelle tombe il doit monter la garde sans bouger d'un pas.

— Je vous l'envoie tout de suite, *dottore*. Ah, je voulais vous dire une chose : ce type, vous savez, Saverio Ostellino, il est revenu, il est assis dans la salle. Il s'est excusé, il a dit qu'avant de s'enfermer dans le cinéma, il avait dû régler une affaire urgente.

Montalbano se sentit glacé.

Dès qu'il les vit sortir de la voiture arrivée à la vitesse d'un projectile, Gallo vint à leur rencontre.

— Où est-il ? Où est-il ? demanda Montalbano, hors d'haleine, comme si c'était lui qui avait foncé jusque-là et non l'auto.

Gallo lui lança un regard étonné, il ignorait tout.

— Il s'est assis au premier rang. Il n'y a que lui, les autres places de ce rang sont vides. Mais qu'est-ce qui se passe ?

— Écoute-moi bien et réfléchis avant de répondre. Il t'a paru, je sais pas, bizarre, agité ?

— Ben, un peu oui. Mais ils sont tous agités, là-dedans.

— Il a emmené avec lui quelque chose ?

— Oh que oui, un gros sac comme ceux qu'utilisent les bonnes femmes pour faire les courses.

— Petite Madone sainte ! laissa échapper Mimì.

— Mais qu'est-ce qui se passe ? redemanda Gallo, toujours plus inquiet de voir l'inquiétude des autres.

— Vous restez ici dans le hall, dit le commissaire. Moi, je vais à l'intérieur jeter un coup d'œil.

Il s'attendait à tout, en entrant, sauf à ce que M. Mezzano ait eu la brillante idée de se mettre à projeter des dessins animés que le public commentait en riant. Quelques vieux dormaient.

Montalbano vit tout de suite Saverio Ostellino : il était seul, tête baissée, absorbé dans les folles pensées qui lui tournaient dans la cervelle. Il s'approcha lentement, Ostellino ne s'en aperçut même pas, il resta dans la même position. Montalbano fouilla du regard le sol à côté de l'homme, mais ne vit pas ce qu'il cherchait. Alors, il se pencha comme pour se lacer une chaussure. Il en fut certain, le sac n'était pas là.

Il sortit de la salle.

— Il a caché le sac quelque part avant d'aller s'asseoir. Il faut le trouver.

Ils cherchèrent partout dans le hall, entre les rideaux, derrière les pots de fleurs, dans le comptoir des friandises. Rien. Le commissaire regarda sa montre : minuit et une minute.

On était déjà le jour des Morts. Il n'y avait plus de temps à perdre, il devait agir tout de suite. Si ça se trouvait, Saverio Ostellino avait en poche une télécommande qui pouvait faire exploser ce qu'il y avait dans le sac, où qu'il l'ait caché.

— Il faut qu'on l'arrête, dit-il. Mais il faut y aller avec

précaution. Toi, Fazio, entre dans la salle et mets-toi dans le couloir derrière lui. Vérifie qu'il n'a rien en main. S'il a quelque chose, flanque-lui un coup sur la tête qui le mette hors de combat. S'il ne l'a pas, agrippe-le et arrange-toi pour qu'il n'ait pas le temps de mettre la main à la poche. C'est clair ?

— Très clair ! dit Fazio.

— Derrière toi entrera Mimì qui va te donner un coup de main. Il faut que l'arrestation ait lieu avec le minimum de raffut possible. Si quelqu'un s'en aperçoit et se met à pousser des cris, il peut y avoir une panique. La pire chose qui pourrait arriver. Et maintenant, en avant !

Fazio entra, cinq secondes après Augello le suivit. Quand le commissaire à son tour pénétra dans la salle, il pila. Saverio Ostellino n'était plus à sa place et Fazio et Augello se tournaient vers lui, l'air ahuri.

Sur un signe de Montalbano, Fazio parcourut rapidement l'allée centrale, en regardant à droite et à gauche.

— Il n'est pas là, dit-il en revenant près du commissaire.

Mais Montalbano s'était fait une idée et il savait qu'il avait encore, plus ou moins, quelques minutes devant lui.

— Toi, dit-il à voix basse, haletante, à Mimì, fais suspendre la projection, remercie tout le monde d'avoir collaboré et renvoie-les chez eux le plus vite que tu peux. Tu leur dis que le danger est passé. Qu'ils ne fassent pas de bordel, je veux le cinéma évacué dans les cinq minutes.

Mimì partit en courant.

— Toi, viens avec moi, dit le commissaire à Fazio.

Il s'approcha, résolu, d'une porte couverte d'un rideau, au-dessus de laquelle était écrit au néon : « Cabinets ». Ils entrèrent d'abord du côté des femmes, les portes des quatre toilettes étaient ouvertes, dedans, il n'y avait personne. Dans la salle des hommes, la porte d'un W-C était fermée de l'intérieur.

Montalbano fixa Fazio et ils se comprirent : Saverio Ostellino se trouvait sûrement derrière cette porte. Dans le silence arrivait distinctement le bruit de son souffle haletant, une espèce de râle.

Le commissaire sentit dans sa bouche un goût de sang, il devait s'être mordu la langue. Les mâchoires lui faisaient mal, tellement il serrait les dents.

Par gestes, Montalbano expliqua son plan. Il allait compter jusqu'à trois sur ses doigts, puis Fazio devrait défoncer la porte d'un coup d'épaule. Fazio fit signe de la tête qu'il avait compris et tendit au commissaire son pistolet. Montalbano le refusa et commença à compter.

Le coup d'épaule de Fazio fut si violent que la porte s'arracha à ses gonds et le commissaire s'empressa de la tirer à l'extérieur. Le tableau qui se présenta fut pire qu'un cauchemar.

Saverio Ostellino tenait en main, allumée, une lampe à pétrole. À ses pieds, une trentaine de bâtons de dynamite. Le sac, vide, était dans un coin. Ostellino ne bougeait pas, il était immobile, ses yeux exorbités ne voyaient même pas les deux hommes devant lui.

Ce fut alors que Fazio, complètement pris par les Turcs, vit son supérieur s'incliner profondément, la main sur la poitrine.

— Votre Immensité, je vous supplie de pardonner mon audace et de m'écouter. Daignez tourner votre regard vers moi !

Les yeux de Saverio Ostellino perdirent de leur fixité, se posèrent sur le commissaire, accommodèrent difficilement sur lui.

Montalbano avança très lentement de deux pas, la tête basse, mit un genou à terre.

— Immensité, laissez votre humble serviteur accomplir l'œuvre ! Accordez-moi la grâce d'allumer la flamme !

Fazio à son tour tomba à genoux, les bras écartés comme dans un geste de supplication dévote.

Ostellino le contempla. Et ensuite, dans un mouvement qui semblait au ralenti, tandis que son visage s'ouvrait dans un sourire heureux, il allongea le bras et tendit la lampe à Montalbano.

Fazio s'élança, agrippa l'homme par le bras. Alors, le visage de Saverio Ostellino fut bouleversé.

— Vous m'avez trompé ! Vous m'avez trompé !

Il ne se débattait pas pour se libérer de la prise. De grosses larmes commencèrent à lui strier le visage.

— Je pouvais réussir, vous comprenez ? Je pouvais les avoir de nouveau avec moi ! Dans ma lumière ! Pour l'éternité !

Et Montalbano comprit. Le sens de ces mots désespérés le secoua, le troubla. Il jeta la lampe dans un lavabo, sortit, revint dans la salle à présent vide.

Assis, il resta à fixer l'écran blanc. Il se sentait étouffé par une lourde, dense couverture de mélancolie éperdue.

Au bout d'un certain temps, Fazio vint s'asseoir dans le fauteuil d'à côté.

— Le *dottor* Augello l'accompagne dans une clinique de Montelusa. J'ai parlé avec son père et son frère.

— Qu'est-ce qu'ils t'ont dit ?

— Ils y croient même pas à ce qui est arrivé. Ils ne savaient pas que Saverio sortait la nuit, ils savaient seulement qu'il restait à lire toute la sainte journée les livres de son grand-père. Quels livres c'était ?

— Les livres d'un cabaliste.

— D'un type qui calculait les numéros du loto ? s'étonna Fazio.

— Non, c'est autre chose. Et lis aujourd'hui, et lis demain, il a fini par perdre complètement la tête, tête qui avait déjà reçu un bon coup avec la mort de sa femme et de sa fille. Jusqu'à ce qu'un jour il se convainque que, s'il arrivait à devenir Dieu, il pouvait faire ressusciter les personnes qu'il aimait.

— Oui, mais cette histoire de la contraction ?

— Beh, tu vois, Dieu est si grand que, pour l'imaginer, on doit le rapetisser, alors…

— Oh que non, *dottore*, arrêtez-vous là. Il me vient un mal de tête. Vous avez des ordres à me donner ?

— Oui. Cette nuit même, il faut vider le caveau des Ostellino. J'ai pas confiance, je vais pas laisser des explosifs là avec toute la foule qu'il va y avoir au cimetière. Demain matin, achète deux bouquets de fleurs et mets-les…

— J'ai compris, ça sera fait, dit Fazio.

De retour à Marinella, il n'eut pas envie de se laver et de se changer. Il avait pris sa décision. Il y avait un avion qui partait à sept heures et dans lequel on trouvait toujours de la place. Il avait besoin de Livia, vers dix heures maximum, il serait à Boccadasse.

Mais maintenant, il n'avait pas d'appétit, il n'avait pas sommeil. Il alla s'asseoir dans la véranda. La nuit était tiède, il n'y avait pas de nuages. Il se mit à fixer un point du ciel qu'il connaissait.

Juste là, d'ici quelques heures, le début de la lumière du jour commencerait à percer l'obscurité.

LA PREMIÈRE ENQUÊTE
DE MONTALBANO

Un

De sa prochaine promotion au grade de commissaire, il fut fait, à Montalbano, une espèce de prédiction, par des voies très transversales, exactement deux mois avant la communication officielle avec les tampons adéquats.

Dans chaque bureau de l'État qui se respecte, en fait, la prédiction (ou prévision, si vous préférez) de l'avenir, plus ou moins proche, de chaque composante de ce bureau — et des bureaux limitrophes — est un exercice quotidien, banal, évident; il n'est pas besoin, par exemple, de fouiller les viscères d'un animal éventré ou de rester à observer la direction du vol des bandes d'oiseaux, comme le faisaient les anciens. Et il n'est pas non plus nécessaire de recourir à la lecture du marc de café, comme il est courant en des temps plus modernes. Et dire que, du café, dans ces bureaux, chaque jour, il s'en boit des océans. Non, pour une prédiction (ou prévision, comme il vous plaira), il suffit d'un demi-mot, d'un début de regard, un murmure entre les dents, une esquisse de haussement de sourcils. Et ces prédictions (ou prévisions, etc.) ne concernent pas seulement la question des carrières des bureaucrates, transferts, promotions, rappels, notes bonnes ou mauvaises, mais souvent et volontiers, elles s'attaquent à la vie privée.

— D'ici une semaine grand maximum, la femme du collègue Falcuccio lui mettra les cornes avec l'expert Stracuzzi, dit à voix basse le comptable Piscopo au géomètre Dalli Cardillo avec un regard vers l'inconscient collègue Falcuccio en train d'aller au retrait.

— Vraiment ? dit, un peu étonné, le géomètre.

— La main sur le feu.

— Et comment vous faites pour le savoir ?

— Elle se fait prier, dit le comptable Piscopo avec un demi-sourire tandis qu'il renverse la tête sur une épaule et pose la main droite sur le cœur.

— Mais vous l'avez déjà vue, Mme Falcuccio ?

— Non, moi, jamais. Pourquoi vous me posez cette question ?

— Parce que moi, je la connais.

— Eh bè ?

— Écoutez, comptable, elle est grosse, poilue et à moitié naine.

— Et qu'est-ce que ça veut dire ? Est-ce que par hasard les femmes grosses, poilues et à moitié naines n'ont pas aussi ce truc entre les jambes ?

Et le plus beau c'est que, à sept jours de cette conversation, Mme Falcuccio ponctuellement se retrouve à râler de plaisir (« Sainte Marie ! *Morta sugnu*, je suis morte ! ») dans le vaste lit de veuf de l'expert Stracuzzi.

Et si cela arrive dans n'importe quel bureau normal, imaginez le très haut taux de réussite qu'ont les prédictions (ou prévisions, etc.) dans les commissariats où tout le personnel, sans distinction hiérarchique, est entraîné exprès, instruit à recueillir le moindre indice, le plus léger changement de vent, et en tirer les conséquences.

La nouvelle de sa promotion ne prit pas Montalbano par surprise, c'était un acte dû, comme on disait justement dans ces bureaux. Sa période d'apprentissage comme commissaire-adjoint, il l'avait largement dépassée à Mascalippa, village perdu dans les Erei, aux ordres du commissaire Libero Sanfilippo. Mais ce qui préoccupait Montalbano, c'était où on l'enverrait, ce qu'on appelait la destination. Vu que c'est un mot, destination, très proche d'un autre, le destin. Parce que la promotion, cela signifiait aussi transfert. Et donc changement de logement, d'habitudes, d'amitiés : un destin tout à découvrir. Franchement, de Mascalippa et alentours, il en avait par-dessus la tête, non des habitants qui étaient *né peju né megliu*, ni pires ni meilleurs que les autres, avec le juste pourcentage de délinquants et de personnes convenables, de crétins et d'intelligents, non, sincèrement, il n'en pouvait plus du paysage. Entendons-nous bien, s'il y avait vraiment une Sicile qu'il aimait regarder, c'était bien cette Sicile faite de terres arides, brûlées et marron, où un peu de vert testard se retrouvait comme tiré au canon, où les dés blancs des bicoques en haut des collines semblaient devoir glisser en bas à un coup plus fort de vent, où, à la contre-heure, même les lézards et les serpents, il leur manquait l'envie de se glisser dans un buisson de sorgho ou de se cacher sous une pierre, résignés, inertes, à leur destin, quel qu'il fût. Et surtout, il aimait contempler les lits de ce qui autrefois était fleuves et torrents, c'est du moins ainsi que s'obstinaient à les appeler les cartes routières, Ipsas, Salsetto, Kokalos, alors que ce n'était plus maintenant qu'une file de pierres blanches de chaux, de plates caillasses poussiéreuses. Contempler le paysage lui plaisait, certes : mais vivre dedans, y vivre jour après jour, c'était un truc à devenir dingue. Parce que lui, il était homme de mer. À Mascalippa, certains petits matins, en ouvrant la fenêtre et en prenant une profonde inspiration, au lieu d'avoir les poumons remplis, il se les sentait vidés, l'air lui manquait comme après une longue apnée. Certes, l'air de l'aube de Mascalippa était bon, spécial, il sentait la paille et l'herbe, la pleine campagne mais à lui, ça ne suffisait pas, ça risquait même de le suffoquer. Il avait besoin de l'air de la mer, il avait besoin de jouir du parfum des algues, il avait besoin de se lécher les lèvres et de se les sentir un peu salées. Il éprouvait la nécessité de longues promenades au petit jour au bord de l'eau, avec le ressac qui venait lui caresser les pieds. Une destination dans un pays de montagne comme Mascalippa, c'était pire qu'une condamnation à dix ans de prison.

Le matin même où un individu qui n'avait rien à voir avec les questures et les commissariats, mais qui était fonctionnaire (c'est-à-dire le directeur du bureau de poste), avait vaticiné sur son transfert, Montalbano fut appelé par son chef, le commissaire Libero Sanfilippo. Lequel était un vrai flic, de ceux qui s'apercevaient au premier coup d'œil si la personne qu'ils avaient devant eux disait la vérité ou racontait des craques. Et déjà, à l'époque, c'est-à-dire en 1985, il appartenait à une race en voie d'extinction. Comme les médecins qui autrefois avaient ce qu'on appelait l'œil clinique et diagnostiquaient la maladie du patient rien qu'en le voyant alors qu'aujourd'hui s'ils n'ont pas d'abord entre les mains des dizaines d'analyses faites à l'avant-garde de la technologie, ils réussissent à comprendre un beau que dalle, même s'il s'agit d'une simple et traditionnelle grippe. Des années plus tard, quand à Montalbano il arrivait de parcourir de nouveau les premières années de sa carrière, à la première place il installait Libero Sanfilippo qui, l'air de rien, comme s'il n'avait rien voulu lui apprendre, lui avait en fait enseigné tant de choses. En premier lieu, comment atteindre l'équilibre intérieur en dépit d'un fait grave et bouleversant.

— Si tu cèdes à une réaction quelconque, horreur, indignation, pitié, tu es complètement foutu, lui répétait Sanfilippo en toute occasion.

Mais cet enseignement, Montalbano ne sut le suivre qu'en partie, parce que certaines fois, il était submergé, malgré toutes ses résistances, par les sentiments et les émotions.

En second lieu, il lui avait expliqué comment cultiver cet œil clinique que son adjoint lui enviait énormément. Mais de cette deuxième leçon aussi, Montalbano prit ce qu'il pouvait : manifestement, ce genre de regard aux rayons x à la Superman était en grande partie un don de la nature.

Le côté négatif du commissaire Sanfilippo — du moins aux yeux de son adjoint ex-soixante-huitard — était son total et aveugle dévouement à toute espèce d'Ordre méritant le « O » majuscule. L'Ordre constitué. L'Ordre public. L'Ordre social. Aux premiers temps de son séjour à Mascalippa, Montalbano se demanda comment il était possible qu'un brave homme passablement cultivé eût une telle foi inoxydable dans un concept abstrait qui, à l'instant où tu le transférais dans la réalité, prenait la désagréable forme d'une matraque ou d'une paire de menottes. La réponse, il l'eut le jour où il lui arriva de se retrouver avec la carte d'identité de son supérieur entre les mains. Son prénom complet était Libero Pensiero, Libre Pensée en italien. Sainte Mère ! Mais Libre Pensée, Volonté, Liberté, Palingenèse, Vengeur étaient les noms typiques qu'autrefois les anarchistes donnaient à leurs enfants ! Le père du commissaire était certainement un anarchiste et le fils, par opposition, non content de s'être fait flic, s'était en plus azimuté sur l'Ordre, dans une tentative extrême pour annuler l'héritage paternel.

— Bonjour, *dottore.*

— Bonjour. Fermez la porte et asseyez-vous. Fumez aussi, si vous voulez. Mais attention aux cendres.

Eh oui. Parce que, outre l'Ordre avec le O majuscule, Sanfilippo aimait aussi l'ordre avec la minuscule. Si quelques pincées de cendres tombaient hors du cendrier, Sanfilippo s'agitait sur son siège, changeait complètement de tête, souffrait.

— Comment va l'affaire Amoruso-Lonardo ? Ça avance ?

Montalbano s'étonna. Quelle affaire ? Filippo Amoruso, retraité sexagénaire, en refaisant la limite de son potager, l'avait légèrement déplacée, mordant de dix petits centimètres sur le potager voisin de Pasquale Lonardo, retraité octogénaire. Lequel s'était rendu compte de la chose, avait soutenu, en présence de tiers, s'être à plusieurs reprises charnellement uni avec feu la mère d'Amoruso, connue urbi et orbi comme une très grande radasse. Sur quoi, Amoruso, sans crier gare, avait enfilé dans le bide de Leonardo dix centimètres de cran d'arrêt, sans calculer néanmoins que Leonardo, en cet instant précis, tenait en main une grosse bêche avec laquelle, avant de s'écrouler à terre, il lui avait cassé la tête. À présent, ils étaient tous les deux au « pital », à l'hôpital, inculpés de violences et tentatives d'homicide. La question du commissaire, dans sa totale inutilité, ne signifiait qu'une chose : que Sanfilippo démarrait de loin avant d'entrer dans le vif du discours qu'il avait en tête de lui tenir. Montalbano se mit sur la défensive.

— Ça avance.

— Bien, bien.

Le silence tomba. Montalbano déplaça la fesse gauche de quelques centimètres en avant et croisa les jambes. Il ne se sentait pas à l'aise. Il y avait dans l'air quelque chose qui lui mettait les nerfs. Pendant ce temps, Sanfilippo avait tiré de la poche de son pantalon un mouchoir qu'il passait sur le bureau pour le faire briller encore davantage.

— Hier après-midi, comme vous devez le savoir, je suis allé à Enna. M. le Questeur voulait me parler, dit-il tout à coup.

Montalbano décroisa ses jambes et ne souffla mot.

— Il m'a annoncé ma promotion comme vice-Questeur et mon transfert à Palerme.

Montalbano se sentit la bouche sèche.

— Félicitations, réussit-il à articuler.

Et il l'avait appelé seulement pour lui raconter une chose que depuis un mois tout le monde savait ? Le commissaire retira ses lunettes, fixa les verres à contre-jour, les replaça sur son nez.

— Merci. Il m'a dit que d'ici deux mois maximum, vous aussi, vous aurez une promotion. Vous en avez entendu parler?

— Mfoui, exhala Montalbano.

Il n'avait pu ouvrir la bouche sur le « oui », ses lèvres s'étaient comme paralysées, il était tendu à se rompre comme une corde d'arc.

— M. le Questeur m'a demandé si ce ne serait pas une bonne idée que vous preniez ma place.

— Ici?!

— Bien sûr. Ici à Mascalippa. Et où, sinon?

— Maismaismais… fit Montalbano.

Et on ne comprenait pas s'il évoquait sa mémé ou s'il s'était bloqué sur « mais ». Il s'y attendait! Depuis l'instant où il était entré dans le bureau du commissaire, il s'attendait à la mauvaise nouvelle! Qui était ponctuellement arrivée. En un tourne-vire, il vit passer devant ses yeux le paysage de Mascalippa et alentours. Splendide, certes, mais pour lui ce n'était vraiment pas ça. Pour faire bon poids, il vit aussi quatre vaches qui paissaient sans enthousiasme. Il eut un frisson de froid, comme une attaque de malaria.

— Moi, je lui ai répondu que je n'étais pas d'accord, reprit Sanfilippo qui l'observait avec un petit sourire.

Mais ce très grand cornard de son supérieur, il voulait lui faire venir une attaque, un infarctus? Il voulait le voir écrasé et vacillant sur la chaise? Bien qu'il fût à un pas de la crise de nerfs, l'instinct polémique de Montalbano l'emporta.

— Vous pouvez m'expliquer pourquoi, d'après vous, ce n'est pas une bonne idée que je fasse le commissaire à Mascalippa?

— Parce que vous avez une incompatibilité absolue avec l'environnement.

Il marqua une pause, accentua son petit sourire.

— Plus précisément : c'est l'environnement qui est incompatible avec vous.

Quel grand flic, ce Sanfilippo !

— Quand est-ce que vous vous en êtes aperçu ? Je n'ai rien fait pour...

— Non, vous faisiez, bien sûr que vous faisiez ! Vous ne parliez pas, vous ne disiez rien, ça oui. Mais pour faire, vous faisiez ! Une quinzaine de jours après votre envoi ici, j'avais tout compris.

— Mais qu'est-ce que j'ai fait, Seigneur Dieu ?

— Je vous donne un seul exemple. Vous vous souvenez cette fois où nous sommes allés interroger les paysans de Monestellario et où nous avons accepté de manger avec une famille de bergers ?

— Oui, dit Montalbano, dents serrées.

— Ils ont préparé une table dehors. C'était une journée splendide, les cimes étaient encore enneigées. Vous vous rappelez ?

— Oui.

— Vous gardiez la tête baissée, vous ne vouliez pas regarder le paysage. On posa devant vous de la ricotta fraîche. Et vous, vous avez murmuré que vous n'aviez pas faim. Alors le chef de famille a dit que ce jour-là, on voyait le lac et il a indiqué un endroit en contrebas. Je regardai. Un joyau qui brillait au soleil. Je vous invitai à admirer cette merveille. Vous avez obéi, mais tout de suite, vous avez fermé les yeux et pâli. Vous n'avez pas touché les plats. Et cette autre fois où...

— Ça suffit, je vous en prie...

Le commissaire se régalait de jouer avec lui au chat et à la souris. Au point qu'il ne lui avait rien dit de la manière dont s'était terminée la rencontre avec le Questeur. Encore secoué par le souvenir de cette journée de cauchemar passée à Monestellario, il fut pris du soupçon que Sanfilippo n'ait pas encore trouvé le courage de lui dire la vérité. À savoir que le Questeur ne s'était pas sorti de la tronche l'idée que Montalbano allait faire le commissaire à Mascalippa.

— Et M. le Questeur ? hasarda-t-il.

— M. le Questeur, quoi ?

— Qu'est-ce qu'il a répondu à votre observation ?

— Qu'il y réfléchirait. Mais si vous voulez entendre mon opinion…

— Bien sûr que je veux l'entendre !

— D'après moi, il s'est laissé convaincre. Il laissera nos chefs décider de votre transfert.

Quelle serait l'irrévocable décision des chefs, des Dieux suprêmes, des Divinités qui, comme toutes les Divinités qui se respectent, siégeaient à Rome ? Cette obsédante question ne lui permit pas de goûter comme il se devait le cochon de lait que le restaurateur Santino lui avait glorieusement annoncé la veille.

— Aujourd'hui, vous ne m'avez pas donné de satisfactions, dit, un peu vexé, Santino qui l'avait vu manger sans envie.

Montalbano écarta les bras dans un geste de résignation.

— Excuse-moi, Santì, mais je me sens pas bien.

Il sortit de la trattoria et se retrouva tout à coup perdu et vacillant dans le néant. Quand il était entré pour manger, il y avait du soleil mais, une bonne heure plus tard, une brume épaisse et sombre était tombée. Mascalippa était faite ainsi.

Il se dirigea vers chez lui le cœur serré, évitant à la dernière seconde la collision frontale avec d'autres ombres humaines. Nuit dehors et nuit dedans lui. Et tandis qu'il marchait, il prit une décision qu'il savait ferme, indiscutable : si, par hasard, ils l'assignaient à un village genre Mascalippa, il présenterait sa démission. Et il ferait l'avocat, ou l'assistant d'avocat, ou le gardien d'un cabinet d'avocats, pourvu que ce soit au bord de la mer.

Il avait loué un petit appartement de deux pièces, salle de bains et cuisine en plein centre du village de manière que, en se mettant à la fenêtre, on ne vît rien des collines et des montagnettes. Il n'y avait pas de chauffage central et malgré les quatre radiateurs électriques toujours allumés, certains soirs d'hiver la seule chose à faire était d'aller se coucher et, emmitouflé, ne garder hors des couvertures qu'un bras pour tenir le livre. Lire et réfléchir sur ce qu'il avait lu lui avait toujours plu ; c'est pourquoi les deux pièces étaient pleines à craquer de livres. Il était capable d'en attaquer un le soir et de le finir à l'aube, sans interruption. Et heureusement, il n'y avait pas de danger qu'on vienne l'appeler dans la nuit pour un crime de sang. Va savoir pourquoi, les meurtres, les fusillades, les bagarres violentes survenaient toujours dans la journée. Et il n'y avait pratiquement pas d'enquête à mener, c'étaient toujours des crimes sans mystère : Untel avait tiré sur Machin pour une histoire d'intérêts et avait avoué ; Truc avait poignardé Chose pour une affaire de cornes et avait avoué. S'il voulait utiliser sa coucourde, Montalbano était obligé de résoudre les rébus de *La Semaine des devinettes* : de toute façon, ses années à Mascalippa, à côté de quelqu'un comme Sanfilippo, ce n'était pas du temps perdu, au contraire.

Mais ce soir-là, la perspective de passer la soirée à lire ou à regarder quelque connerie télévisée ne lui parut pas supportable. À cette heure, Mery était certainement rentrée chez elle, dans l'appartement de fonction de l'école où elle enseignait le latin. Ils s'étaient connus à l'université à l'époque de la contestation, ils avaient le même âge, en vérité, elle avait quatre mois de moins. Tout de suite, au premier coup d'œil, ils s'étaient plus et bientôt de la sympathie, ils étaient passés à une espèce d'amitié amoureuse absolument libre : quand ils avaient envie l'un de l'autre, ils se téléphonaient et se voyaient. Puis, ils se perdirent de vue. Au milieu des années soixante-dix, Montalbano apprit que Mery s'était mariée et que le mariage n'avait pas duré un an. Il la rencontra par hasard à Catane, sur la via Etnea, lors de sa première semaine de service à Mascalippa. Désespéré, il avait pris la voiture et, une heure plus tard, était arrivé à Catane avec l'intention de voir un nouveau film : ceux qu'ils projetaient dans le seul cinéma de Mascalippa avaient au strict minimum trois ans. Et là, devant le cinéma, alors qu'il faisait la queue, il s'entendit appeler. C'était elle, Mery, qui sortait de la salle. Si auparavant elle avait été une belle fille florissante, à présent la maturité et l'expérience lui avaient conféré une beauté recueillie, comme secrète. Pour finir, Montalbano n'avait pas vu le film, il était allé chez Mery, qui vivait seule et n'avait plus l'intention de se marier. Cette unique expérience conjugale lui avait plus que suffi. Montalbano passa la nuit avec elle et le lendemain, à six heures du matin, il reprit la route de Mascalippa. Depuis lors, c'était devenu une espèce d'habitude, deux fois par semaine au moins, Montalbano allait à Catane !

— Salut, Mery. Salvo, je suis.

— Salut. Tu sais quoi ?

— Non.

— J'allais t'appeler.

Montalbano se sentit mal : tu veux voir que Mery voulait lui dire que ce soir-là, elle était prise et qu'ils ne pourraient pas se voir ?

— Pourquoi ?

— Je voulais te demander si tu pouvais venir un peu plus tôt que d'habitude, comme ça on pourrait aller dîner ensemble. Hier soir, un collègue m'a emmenée dans un restaurant qui…

— À sept heures et demie, je serai chez toi, ça va ? coupa Montalbano en chantant presque de contentement.

Le restaurant s'appelait, avec un certain défaut d'imagination, « Le Dauphin ». Mais l'imagination qui manquait dans l'enseigne abondait en revanche dans la cuisine : les hors-d'œuvre, tous rigoureusement de poisson, étaient une dizaine et chacun plus céleste que l'autre. Les petits poulpes au sel fondaient avant même d'avoir touché le palais. Et que dire du mérou cuisiné dans une petite sauce dont Montalbano ne réussit pas à identifier toutes les composantes ? Et puis, il y avait Mery qui, pour le coup de fourchette, pouvait presque lui tenir tête. Et quand tu manges avec plaisir, si tu as avec toi une personne qui ne mange pas avec autant de plaisir, alors le bonheur de manger est comme étouffé, diminué. Ils ne parlaient pas. De temps en temps, ils se regardaient dans les yeux et se souriaient. À la fin, après les fruits, les lumières de l'établissement baissèrent puis s'éteignirent. Quelqu'un parmi les clients protesta. Mais de la porte de la cuisine arriva un garçon qui poussait un chariot sur lequel il y avait un gâteau avec une bougie allumée et un seau avec une bouteille de champagne. Ébahi, Montalbano vit que le garçon s'arrêtait à leur table. Les lumières revinrent et tous les clients applaudirent tandis que certains disaient à voix haute :

— Bon anniversaire !

C'était sûrement celui de Mery. Et lui, il se l'était complètement oublié. Quel dégueulasse il était ! Quelle tête de linotte ! Mais y avait rien à faire : il n'arrivait à garder à l'esprit aucune date.

— Par… par… pardonne-moi, je ne me suis pas souvenu qu'aujourd'hui c'était… c'était ton, dit-il, plein de vergogne, en lui prenant la main.

— Mon quoi ? demanda Mery, amusée, l'œil brillant.

— C'est pas ton anniversaire ?

— Le mien ? Aujourd'hui, c'est ton anniversaire à toi ! s'exclama Mery, explosant de rire.

Montalbano la contempla, ahuri. Vrai, c'était !

À peine de retour chez Mery, celle-ci ouvrit l'*armuar* et en tira un paquet dans un de ces emballages que les commerçants appellent « paquet-cadeau » et qui sont un amas de rubans de couleur, de nœuds et de mauvais goût.

— Avec tous mes vœux.

Montalbano l'ouvrit. Le cadeau de Mery consistait en un gros pull de montagne très élégant.

— Il te servira pour tes hivers à Mascalippa.

Sa phrase à peine prononcée, elle s'aperçut que Salvo avait pris une expression bizarre.

— Qu'est-ce qu'il y a?

Et Montalbano lui raconta la promotion et l'entretien avec le commissaire.

— ... et donc je ne sais pas où ils vont m'envoyer, conclut-il.

Mery resta silencieuse. Puis il regarda sa montre, il était dix heures et demie, elle se leva d'un bond de son fauteuil.

— Excuse-moi, je dois passer un coup de fil.

Elle alla dans sa chambre et ferma la porte pour ne pas se faire entendre. Montalbano ressentit une légère pointe de jalousie. Mais du reste, il ne pouvait prétendre que Mery n'ait pas d'aventure avec quelqu'un d'autre. Au bout d'un moment, il s'entendit appeler. Quand il entra dans la chambre à coucher, son amie s'était déjà couchée et l'attendait.

Plus tard, tandis qu'ils se tenaient embrassés, Mery lui dit à l'oreille :

— J'ai téléphoné à l'oncle Giovanni.

Montalbano s'étonna.

— Et qui est-ce?

— Le frère cadet de maman. Il m'adore. C'est un type important au ministère dont tu dépends. Je lui ai demandé de se renseigner sur ta destination. J'ai mal fait?

— Non, dit Montalbano en lui donnant un baiser.

Mery l'appela au bureau à six heures de l'après-midi du lendemain.

Elle ne dit qu'un mot.

— Vigàta.

Et elle raccrocha.

Deux

Qui avait prononcé ces trois syllabes, Vi-gà-ta, avait donc été, du haut de l'Olympe romain, dans l'empyrée des palais du Pouvoir, non pas un devin quelconque, mais une Divinité Suprême, un Dieu de cette religion qui s'appelait Bureaucratie, de ceux dont la parole traçait un destin irrévocable. Qui, dûment supplié, avait donné une réponse claire et précise, bien mieux que celles de la Sibylle de Cumes ou de la Pythie ou du dieu Apollon à Delphes, dans la mesure où les réponses de la Sibylle ou de la Pythie ou dieu Apollon avaient toujours besoin de l'interprétation des prêtres et où presque jamais les interprétations ne concordaient entre elles. « *Ibis redibis non morieris in bello* », disait la Sibylle au soldat qui allait partir pour la guerre. Et bien le bonjour chez toi. Mais il était nécessaire de mettre une virgule avant ou après ce « non » pour que le soldat sache s'il allait laisser sa peau dans la bataille ou s'il s'en tirerait. Et dire l'emplacement de la virgule, c'était le travail des prêtres qui donnaient leur interprétation suivant l'importance du don. Là, il n'y avait rien à interpréter. Vigàta, avait dit la divinité, et Vigàta ce serait.

Montalbano, après avoir reçu le coup de fil de Mery, ne parvint plus à rester assis derrière le bureau. Murmurant

116

une phrase incompréhensible au planton, il sortit et commença de se promener à travers les rues. Il dut se retenir à grand-peine, pendant qu'il marchait, de se mettre à danser le boogie-woogie, qui à ce moment donnait le rythme à son sang. Sainte Mère, quelle merveille ! Vigàta ! Il essaya de l'évoquer dans son souvenir et la première chose qui lui vint fut une espèce de carte postale qui montrait le port avec trois jetées et, à main droite, la forme massive d'une grande tour. Puis il se rappela le cours principal au milieu duquel se trouvait un grand café qui avait aussi une salle avec deux billards. Il y entrait, dans cette salle, pour accompagner son père qui, de temps en temps, faisait une partie. Et tandis que son père jouait, lui, il s'envoyait une énorme portion triangulaire de glace, en général un « morceau dur » — c'est comme ça qu'on l'appelait — de chocolat et crème chantilly. Ou de cassate. Là, ils faisaient des glaces dont il n'avait plus trouvé d'égales. Il ressentit la saveur entre langue et palais. Et avec la saveur lui revint, clair et net, le nom du café : Castiglione. Va savoir s'il existait encore et s'il faisait toujours ces glaces incomparables. Ensuite, devant ses yeux, flamboyèrent deux couleurs aveuglantes comme la lumière d'un flash : le jaune et l'azur. Le jaune du sable très fin et l'azur de l'eau de mer. Sans s'en rendre compte, il était arrivé à une espèce de belvédère d'où l'on admirait l'ample vallée et la cime des montagnes. Bien sûr, il ne s'agissait pas des Dolomites, mais c'était toujours la cime des montagnes. Et pour lui, c'était plus que suffisant pour le précipiter dans la mélancolie la plus sombre, dans une sensation d'exil insoutenable. Cette fois, il parvint à regarder le paysage et même à le goûter un peu, conforté par la certitude que bientôt, il ne le verrait plus.

Le soir, il téléphona à Mery pour la remercier.

— Je l'ai fait dans mon intérêt, dit Mery.

— Quel intérêt ? Je ne comprends pas.

— Si on te transférait à Abbiategrasso ou à Casalpus-
terlengo, il aurait été impossible de te voir. Alors que de
Vigàta à Catane, il faut à peine plus de deux heures. J'ai
regardé la carte.

Ému, Montalbano ne sut que dire.

— Tu croyais que je t'aurais lâché si facilement?
continua Mery.

Ils rirent.

— Un de ces jours, je veux y faire un saut, à Vigàta.
Je veux voir si la ville est restée comme je m'en souviens.
Naturellement, je ne dirai à personne que…

Il s'interrompit. Un serpent de glace lui passa très vite
le long de la colonne vertébrale, le paralysa.

— Salvo, qu'est-ce qu'il y a? T'es encore là?

— Oui. Non, c'est que j'ai pensé à quelque chose…

— Quoi?

Montalbano hésita, il craignait de blesser Mery. Mais
le doute fut plus fort que toutes les convenances.

— Mery, on peut se fier à l'oncle Giovanni? On est
absolument certains que…

À l'autre bout du fil, un rire résonna.

— Je m'y attendais!

— Tu t'attendais à quoi?

— À ce que tôt ou tard tu me poses cette question.
L'oncle m'a dit que ta destination est déjà fixée, écrite. Tu
peux être tranquille. Plutôt, faisons une chose. Quand tu
décideras d'aller à Vigàta, avertis-moi un peu à l'avance.
Comme ça, je me fais donner un jour de congé et on y va
ensemble. On se voit demain?

— Naturellement.

— Naturellement quoi? Qu'on va à Vigàta ensemble
ou qu'on se voit demain?

— Les deux.

Mais il sut tout de suite avoir raconté des menteries.
Ou du moins, des demi-menteries. Le lendemain, il
partirait certainement pour Catane passer la soirée avec

Mery, mais à Vigàta, il était décidé à y aller seul. Sa présence à elle l'aurait certainement distrait. En vérité, le premier verbe qui lui était venu à l'esprit n'était pas « distrait », mais « dérangé ». Et de ce verbe, il avait un peu de vergogne.

Vigàta était plus ou moins comme elle était restée imprimée dans sa mémoire, il y avait quelques constructions neuves sur le Plateau Lanterna, d'horribles gratte-ciel nains d'une quinzaine ou d'une vingtaine d'étages, alors qu'avaient toutes disparu les maisonnettes derrière la colline, amassées les unes contre les autres pour former un entrelacs de ruelles palpitantes de vie. C'était pour la plupart des *catoj*, c'est-à-dire des logements d'une seule pièce qui, le jour, prenaient l'air seulement par la porte d'entrée, gardée par nécessité ouverte toute la journée. Et ainsi, quand tu passais dans ces ruelles, tu pouvais assister à un accouchement, à une dispute familiale, à l'extrême-onction administrée par un curé à un moribond, aux préparatifs d'un mariage ou d'un enterrement. Tout à la vue de tous. Et tout dans une Babel de voix, de plaintes, de rires, de prières, de jurons, d'insultes. Il demanda à un passant comment il se faisait que les bicoques aient disparu et il lui répondit qu'elles avaient été emportées jusque dans la mer, quelques années auparavant, par une épouvantable inondation.

Il s'était oublié, en revanche, l'odeur du port. Un mélange d'eau de mer stagnante, d'algues pourries, de cordages trempés, de goudron cuit au soleil, de naphte, de sardines. Chaque élément composant l'odeur, pris en soi, ne constituait peut-être pas un cadeau agréable pour l'odorat, mais l'ensemble finissait par former une espèce de senteur très plaisante, mystérieuse et impossible à confondre. Il s'assit sur une bitte d'amarrage. Il ne s'alluma même pas de cigarette, afin d'éviter que cette senteur retrouvée fût polluée par l'odeur du tabac. Et il resta comme ça longtemps, à observer les mouettes, jusqu'à ce qu'un borborygme de son estomac lui annonce qu'était arrivée l'heure de manger. L'air de la mer lui avait donné de l'appétit.

Il revint sur le cours, qui s'appelait via Roma, et tout de suite vit une enseigne sur laquelle était écrit « Trattoria San Calogero ». En se recommandant au *Signuruzzu*, au Petit Seigneur, il entra. Toutes les tables étaient vides, ce n'était certes pas le bon horaire, il était trop tôt.

— On peut manger ? demanda-t-il à un garçon aux cheveux blancs qui, en l'entendant entrer, était sorti de la cuisine et l'observait.

— Pas besoin de permission, répondit sèchement l'autre.

Il s'assit, furieux contre lui-même de sa question idiote.

— On a des hors-d'œuvre de la mer, des spaghettis au noir de seiche, ou aux clovisses ou aux oursins.

— Les spaghettis aux oursins, il faut savoir les faire, observa Montalbano, dubitatif.

— Le doctorat en oursins, je l'ai obtenu, répondit le garçon.

Montalbano aurait voulu se manger la langue à coups de dents. Deux à zéro.

Deux phrases imbéciles de lui contre deux réponses intelligentes.

— Et ensuite ?

— Poissons.

— Quel genre de poissons ?

— Ce que vous voulez.

— Et comment est-il cuisiné ?

— Ça dépend du poisson que vous choisissez.

Mieux vaudrait se coudre la bouche.

— Apportez-moi ce que vous voulez.

Il comprit avoir pris la bonne décision. Quand il sortit de la trattoria, il s'était mangé trois hors-d'œuvre, un plat de spaghettis aux oursins et six rougets de roche frits au millimètre près, et pourtant, il se sentait *lèggio lèggio*, très léger, envahi d'un bien-être qui lui mettait un sourire hébété sur le visage. Il se convainquit absolument que, une fois à Vigàta, ce serait son restaurant d'élection.

Il était trois heures de l'après-midi. Pendant une heure, il rousina à travers le village, après quoi, il décida de se faire une longue promenade sur le môle du levant. Il se la fit, à pas mesurés. Le silence était rompu seulement par le ressac entre les brise-lames, par les cris de gabians et, de temps en temps, par le diesel marmottant d'un bateau de pêche qui essayait le moteur. Juste sous le phare, il y avait une roche plate. Il s'assit. La journée était d'une clarté à faire presque mal, de temps en temps arrivait une petite brise. Ensuite, il se leva, le moment était venu de remonter en voiture pour rentrer à Mascalippa. Au milieu de la jetée, il s'immobilisa brusquement. Devant ses yeux était apparue une image : une espèce de colline d'une blancheur aveuglante qui d'en haut descendait en gradins jusqu'à disparaître dans la mer. Qu'est-ce que c'était ? Où était-ce ? L'Escalier des Turcs, voilà ce que c'était ! Et ça devait se trouver dans le coin.

Il arriva à toute vitesse au café Castiglione qui se trouvait toujours au même endroit, il l'avait vérifié avant.

— Vous pouvez me dire comment on arrive à l'Escalier des Turcs ?

— Bien sûr.

Le garçon lui expliqua la route.

— Apportez-moi un morceau dur là, aux billards.

— Quel parfum ?

— Cassate.

Il entra dans la deuxième salle. Deux joueurs étaient en train de faire une partie, assistés de deux amis. Il s'assit à une table, se mangea lentement la cassate en savourant chaque cuillerée. Tout à coup éclata une discussion entre les deux joueurs. Les amis intervinrent.

— Faisons juger le monsieur, proposa l'un.

Et un autre, se tournant vers Montalbano :

— Vous savez jouer au billard ?

— Non, dit Montalbano, embarrassé.

Ils le dévisagèrent avec dédain et recommencèrent à discuter. Montalbano finit sa glace, paya à la caisse, sortit, prit la voiture qu'il avait laissée à peu de distance et partit vers l'Escalier des Turcs.

En suivant les instructions du garçon, à un certain moment, il tourna à gauche, fit quelques mètres de route asphaltée en descente et s'arrêta. La rue ne continuait pas, il fallait marcher sur la plage. Il retira chaussures et chaussettes et les laissa dans la voiture, la ferma, se remonta l'ourlet du pantalon et rejoignit le bord de mer. L'eau était fraîche, mais pas froide. Une fois passé le promontoire, l'Escalier des Turcs apparut soudain.

Il se le rappelait plus imposant, quand on est petit, tout paraît plus grand que dans la réalité. Mais même ainsi, redimensionné, l'Escalier conservait sa surprenante beauté. Le profil de la partie la plus haute de la colline de marne blanche se découpait sur l'azur d'un ciel net, sans nuages, et était couronnée de buissons d'un vert intense. Dans la partie la plus basse, la pointe formée par les derniers gradins qui s'enfonçaient dans le bleu clair, cueillie en plein par le soleil, se teignait, étincelante, de nuances qui tendaient au rouge intense. En revanche, la zone la plus en retrait de la côte reposait toute sur le jaune du sable. Montalbano se sentit étourdi par l'excès de couleurs, véritables cris, au point qu'il dut un instant clore les yeux et se boucher les oreilles. Il y avait encore une centaine de mètres avant d'arriver à la base de la colline, mais il préféra l'admirer à distance : il s'effrayait à l'idée de se retrouver dans l'irréalité réelle d'un tableau, d'une peinture, de devenir lui-même une tache — certainement détonante — de couleur.

Il s'assit sur le sable sec, souffle coupé. Et ainsi, il

122

resta, se fumant une cigarette après l'autre, perdu dans la contemplation des variations de teintes que le soleil mettait, au fur et à mesure qu'il descendait, sur les gradins les plus bas de l'Escalier des Turcs. Il se leva à la tombée du jour et prit la décision de revenir dans la nuit à Mascalippa, ça valait la peine de se faire une autre bouffe à la trattoria San Calogero. Il revint lentement à la voiture et de temps en temps se retournait pour regarder, il n'avait pas envie de laisser cet endroit. Il conduisit en direction de Vigàta à dix kilomètres à l'heure, accablé d'insultes et de gros mots par les automobilistes qui devaient le dépasser sur la route étroite. Il ne réagit jamais, il était dans de telles dispositions d'esprit que si quelqu'un lui avait balancé une mornifle, il aurait tendu l'autre joue. Aux abords du bourg, il s'arrêta dans un tabac et se ravitailla en cigarettes pour le voyage de retour. Puis il passa à une station-service, fit le plein, contrôla les pneus et l'huile. Il regarda sa montre, il avait encore une demi-heure à perdre. Il gara la voiture et, à pied, retourna au port. À présent, amarré au quai, il y avait un gros ferry.

Une file d'automobiles et de camions attendait de monter à bord.

— Où il va ? demanda-t-il à un type qui passait.

— C'est la navette de Lampedusa.

Enfin, une heure décente arriva. De fait, quand il entra dans la trattoria, trois tables étaient déjà occupées. Le garçon avait un aide plus minot. Il s'approcha de Montalbano avec un petit sourire.

— Je vous sers comme *a mezzujornu*, à midi ?

— Oui.

Le garçon se pencha sur lui.

— Il vous plut, l'Escalier des Turcs ?

Montalbano lui jeta un regard étonné.

— Qui vous a dit que…

— Ça se sait.

Et si ça se trouvait, ils savaient déjà qu'il était flic !

123

Une semaine plus tard, ils étaient encore au lit quand Mery lui posa une question.

— Tu y es allé, finalement, à Vigàta ?

— Non, mentit Montalbano.

— Pourquoi ?

— Je n'ai pas eu le temps.

— Tu n'es pas curieux de voir comment c'est ? Tu m'as dit que tu y as été quand tu étais gamin, mais ce n'est pas la même chose.

Bouh, quel tracassin ! S'il ne prenait pas une décision instantanée, cette histoire, va savoir combien de temps elle durerait.

— On y va dimanche prochain, ça va ?

Ils se mirent d'accord. Mery partirait avec sa voiture et l'attendrait au bar qui se trouvait à la bifurcation pour Caltanissetta. Là, au parking, elle laisserait son auto et ils continueraient dans celle de Montalbano.

Et ainsi, il lui fallait retourner à Vigàta en faisant semblant de n'y avoir pas été quelques jours auparavant.

Montalbano trimballa Mery d'abord au port et ensuite à l'Escalier des Turcs.

La petite était enchantée. Mais comme elle était femme, c'est-à-dire appartenant à ces créatures qui savent conjuguer les cimes les plus éthérées de la poésie avec les plus rudes réalités concrètes, à un certain moment, elle fixa Montalbano qui, de son côté, ne réussissait pas à détacher les yeux de toute cette beauté et elle dit, en dialecte :

— *Pittito mi vinni*, l'appétit m'est venu.

Et là était le tracassin shakespearien que Montalbano devait affronter. Aller à la trattoria San Calogero, au risque d'être reconnu par le garçon, ou expérimenter un nouveau restaurant avec de bonnes probabilités de manger très mal ?

À l'idée de se faire la route du retour avec l'estomac

alourdi d'un repas qu'auraient peut-être refusé les chiens, il ne douta plus. De retour dans le village, il fit en sorte que, comme par hasard, Mery et lui échouent sous l'enseigne de la trattoria.

— On essaie ici ?

Dès leur entrée, il chercha et trouva le regard du garçon.

Il leur suffit de se fixer une demi-seconde.

« Toi, tu me connais pas », dirent les yeux de Montalbano.

« Moi, je ne vous connais pas », répondirent les yeux du garçon.

Après avoir mangé de céleste manière, Montalbano emmena Mery au Castiglione, où il lui conseilla de prendre un « morceau dur ».

La glace finie, Mery dit qu'elle avait besoin d'aller aux toilettes.

— Je t'attends dehors, répondit Montalbano.

Il sortit sur le trottoir. Le cours était pratiquement désert. Devant lui, il y avait l'hôtel de ville avec sa petite colonnade. Appuyé à une colonne, un policier municipal parlait à deux chiens errants. De la gauche, arrivait lentement une voiture. Tout à coup, surgit à grande vitesse une auto sportive. Juste devant Montalbano, cette dernière fit une légère embardée et se frotta, en le dépassant, contre le premier véhicule. Les deux conducteurs s'arrêtèrent et descendirent. Le chauffeur de la voiture lente était un monsieur âgé portant lunettes. L'autre, un jeune cacou grand et moustachu. Comme l'homme âgé se penchait pour voir les dégâts sur sa carrosserie, le cacou lui posa une main sur l'épaule et comme l'autre se redressait, il lui balança un grand coup de poing en plein visage. La chose fut foudroyante. Tandis que le vieux tombait à terre, de l'auto sportive sortit un gros homme, avec une tache de vin sur le visage, qui agrippa le cacou et le fit remonter de force dans la voiture qui, un instant plus tard, partit sur les chapeaux de roues.

Montalbano rejoignit le vieux qui avait le visage ensanglanté et n'arrivait même pas à parler. En plus du nez, le sang lui sortait aussi de la bouche. Le policier municipal arrivait sans se presser. Montalbano fit asseoir l'agressé sur le siège du passager, il n'était visiblement pas en condition de conduire.

— Accompagnez-le aux urgences, dit-il au municipal.

Celui-ci semblait bouger au ralenti.

— Vous vous souvenez du numéro de la plaque de l'autre voiture ? lui demanda Montalbano.

— Oui, dit le municipal en tirant de sa poche un stylo et un bloc-notes.

Il nota le numéro. Montalbano qui, de son côté, l'avait mémorisé, s'aperçut qu'il était écrit de manière erronée.

— Attention, les deux derniers chiffres sont faux. Moi, je les ai bien vus. C'est 58 et pas 63.

Le vigile corrigea de mauvais gré le numéro minéralogique et passa la première.

— Attendez. Vous ne relevez pas mon identité ? demanda-t-il.

— Et pourquoi ?

— Comment, pourquoi ? Je suis un témoin.

— Bon, bon, si vous y tenez.

Il écrivit les nom, prénom et adresse de Montalbano comme s'il s'agissait de propos blessants. Puis il referma son carnet, jeta un regard mauvais à Montalbano et partit sans même dire au revoir.

Quand Mery à son tour apparut sur le trottoir, le municipal était en train de partir avec la voiture, emmenant le vieux à l'hôpital.

— Je suis rafraîchie, dit Mery qui ne s'était aperçue de rien. On y va ?

Un mois et demi passa sans que rien ne bouge. Des sphères suprêmes n'arrivait aucun message, ni de promotion, ni de transfert. Montalbano commença à se mettre en tête qu'il s'était agi d'une galéjade, que quelqu'un avait voulu se foutre de lui. Et son caractère devint mauvais, il donnait des coups de pied métaphoriques à droite et à gauche, comme un cheval attaqué par les mouches.

— Essaie de réfléchir, lui disait Mery, devenue la cible principale des accès d'aigreur de son ami, mais pourquoi est-ce qu'ils auraient dû te faire une blague de ce genre ?

— Et qu'est-ce que j'en sais, moi ? Peut-être que c'est toi et ton oncle Giovanni qui le savez !

Et ça se terminait immanquablement en engueulade.

Puis, un beau matin, le commissaire Sanfilippo l'appela dans son bureau et, avec un sourire qui lui fendait le visage, il lui remit enfin la réponse des Dieux. Commissaire à Vigàta.

La face de Montalbano d'abord blêmit puis passa au rouge poivron avant de virer au vert. Sanfilippo eut peur qu'il lui vienne une attaque.

— Montalbano, vous vous sentez mal ? Asseyez-vous !

Il remplit un verre à la bouteille d'eau minérale qu'il gardait toujours sur son bureau et le lui tendit.

— Buvez !

Montalbano obéit. À cause de cette réaction, Sanfilippo s'était fait une fausse idée.

— Qu'est-ce qu'il y a ? Ça ne vous va pas, Vigàta ? Moi, je connais, vous savez. C'est une ville délicieuse, vous verrez qu'on s'y trouve très bien.

La ville délicieuse — comme l'avait définie le commissaire —, Montalbano y retourna quatre jours plus tard. Et cette fois, de manière officielle, pour se présenter à son collègue Locascio qu'il devait remplacer. Le commissariat était installé dans un bâtiment récent, une maisonnette à trois étages placée à l'entrée du cours pour qui venait de Montereale et à la fin pour qui arrivait de Montelusa, le chef-lieu où se trouvaient Préfecture, Questure et Tribunal. Locascio, qui habitait au troisième étage avec sa femme dans le logement de fonction, lui dit tout de suite qu'avant de le laisser il ferait repeindre l'appartement.

— Pourquoi ?

— Comment, pourquoi ? Tu n'as pas l'intention d'utiliser le logement de fonction ?

— Moi, non.

Locascio se méprit.

— T'as pas envie d'être contrôlé, hein ? Heureux homme qui la nuit peut avoir des allées et venues ! dit-il avec un coup de coude dans le flanc.

Le jour du passage des consignes, Locascio lui présenta, un à un, tous les hommes du commissariat. Il y avait un inspecteur un peu plus vieux qui plut tout de suite à Montalbano, il s'appelait Fazio.

L'appartement où il irait habiter, il le chercherait tranquillement.

En attendant, il prit un bungalow dans un hôtel à deux kilomètres hors du bourg. Les livres et les quelques objets qui lui appartenaient, il les avait fait ranger dans un dépôt à Mascalippa, où ils pouvaient attendre.

Trois

Le deuxième jour après son arrivée à Vigàta, il prit la voiture pour se rendre à Montelusa et se présenter au Questeur qui s'appelait Alabìso. De lui, les devins prédisaient que, au premier mouvement décidé par le ministère, il recevrait sa feuille de route : il avait été longtemps à la tête de la police politique (qui a toujours existé même si, de temps en temps, elle prend un nom différent) et désormais, il savait trop de choses. La goutte d'eau qui fait déborder le vase étant un caractère certes peu flexible et très éloigné des compromis. En bref, il existe des hommes de qualité qui, placés à certains postes, apparaissent inadaptés justement à cause de leurs qualités, aux yeux des gens qui n'en ont pas mais qui, en compensation, font de la politique. Et Alabìso était désormais considéré comme inadapté parce qu'il ne se laissait impressionner par personne.

Le Questeur le reçut tout de suite, lui tendit la main, le fit asseoir. Mais il était distrait, de temps en temps il se figeait tandis qu'il parlait et fixait Montalbano. Tout à coup, il n'y tint plus :

— Dites-moi, par curiosité, nous nous sommes déjà rencontrés ?

— Oui, dit Montalbano.

— Ah, voilà ! Il me semblait bien vous avoir déjà vu ! Nous nous sommes rencontrés pour des raisons de service ?

— En un certain sens, oui.

— Et c'était quand ?

— Il y a environ dix-sept ans.

Le Questeur le dévisagea, ahuri.

— Mais à l'époque, vous étiez un gamin !

— Pas exactement. J'avais dix-huit ans.

Le Questeur, visiblement, se mit sur la défensive. Il commençait à nourrir quelques soupçons.

— En 68 ? hasarda-t-il.

— Oui.

— À Palerme ?

— Oui.

— Moi, à l'époque, j'étais commissaire.

— Et moi étudiant à l'université.

Ils se regardèrent en silence.

— Qu'est-ce que j'ai fait ? demanda le Questeur.

— Vous m'avez donné un coup de pied au derrière. Si fort que ça a déchiré le fond de mon pantalon.

— Ah. Et vous ?

— J'ai réussi à vous donner un coup de poing.

— Je vous ai arrêté ?

— Vous n'avez pas réussi. Nous avons eu une brève échauffourée, mais j'ai réussi à m'échapper.

Et là, le Questeur dit une chose incroyable, à voix si basse que Montalbano pensa n'avoir pas bien compris.

— Quelle belle époque ! soupira-t-il.

Ce fut Montalbano qui éclata le premier de rire, puis le Questeur le suivit aussitôt. Ils se retrouvèrent embrassés au milieu de la pièce.

Ensuite, ils parlèrent sérieusement. Surtout de la guerre entre la famille Cuffaro et la famille Sinagra pour le contrôle du territoire, guerre qui faisait au moins deux morts par clan chaque année. D'après le Questeur, les deux familles avaient chacune un saint au paradis.

— Quel paradis, si vous permettez ?

— Un paradis parlementaire.

— Et ce sont deux députés de partis différents.

— Non, du même parti de la majorité et du même courant. Vous voyez, Montalbano, il s'agit d'une idée à moi. Mais il est très difficile de la vérifier.

« Et c'est à cause de cette idée qu'ils veulent te baiser », pensa Montalbano.

— Peut-être est-ce une hypothèse en l'air. Qui sait ? continua le Questeur. Mais il y a certaines coïncidences qui… peut-être que cela vaudrait la peine.

— Excusez-moi, mais vous en avez parlé avec mon prédécesseur ?

— Non.

Sans explications.

— Et pourquoi, alors, vous en parlez avec moi ?

— Le commissaire Sanfilippo est un ami fraternel. Il m'a dit de vous ce qu'il y avait à dire.

Chaque matin, quand il partait pour le commissariat, il devait suivre en voiture, après une série de virages, une ligne droite parallèle à la plage, qui était très longue et profonde. C'était une zone qui s'appelait Marinella. Construites directement sur le sable, il y avait en tout trois ou quatre petites villas, très éloignées l'une de l'autre. Rien de prétentieux : aucune n'avait d'étage, elles s'étendaient seulement à l'horizontale, les pièces devaient s'aligner l'une derrière l'autre. Et toutes avec les inévitables et gigantesques réservoirs d'eau sur le toit. Pour deux d'entre elles, les réservoirs étaient placés en fait au bord d'une sorte de terrasse qui servait de toit et de solarium et à laquelle on accédait par un escalier externe en maçonnerie. Chaque petite villa avait en outre, sur le devant, un bout de terrasse où le soir on pouvait dîner en regardant la mer. Chaque fois qu'il passait devant, son cœur se brisait : s'il réussissait à entrer dans une de ces villas, il n'en sortirait jamais plus. Sainte Mère, quel rêve ! Se lever le matin tôt et marcher au bord de la mer ! Et aussi, si le temps le permettait, se faire un long tour à la nage !

Montalbano détestait les salons de coiffure. Quand il était obligé d'y aller parce que les cheveux lui arrivaient sur les épaules, c'était une journée d'humeur noire.

— Où est-ce que je peux me faire couper les cheveux ? demanda-t-il un matin à Fazio, sur le ton de quelqu'un qui s'enquiert du plus proche bureau des pompes funèbres.

— Le mieux pour vous, c'est le salon de Totò Nicotra.

— Qu'est-ce que ça veut dire, le mieux pour moi ? Entendons-nous bien, Fazio. Moi, je ne mettrai jamais les pieds dans un salon avec miroirs et dorures, dans un truc de luxe, je cherche…

— … un salon discret, un peu à l'ancienne, conclut Fazio.

— Exact, confirma Montalbano en le considérant avec une certaine admiration.

— C'est pour ça que je vous indiquai Totò Nicotra.

Ce Fazio était un vrai flic : il lui fallait pas grand-chose pour connaître le dedans et le dehors d'une personne.

Quand il arriva au salon de Nicotra, il n'y avait pas de clients. Le barbier était un plus que sexagénaire taciturne, quelque peu mélancolique. Jusqu'au milieu de son travail, il n'ouvrit pas la bouche. Puis, il se décida à demander :

— Comment vous vous trouvez à Vigàta, commissaire ?

À présent, tout le monde le connaissait. Et comme ça, en parlant, il vint à savoir qu'une des villas de Marinella était vide du fait que le fils de Nicotra, Pippino, s'était marié à la Nouvelle York avec une Américaine qui lui avait aussi procuré une bonne place.

— Mais il va venir l'été passer les vacances !

— Oh que non. Il m'a déjà fait savoir que l'été, il le passera à Miami. Et bien le bonjour, mon fils ! Et moi je la fis peindre et nettoyer *ammàtula*, inutilement !

— Beh, vous pouvez toujours y aller vous.

— À Miami ?

— Non, je disais dans la villa.

— À *mia*, à moi, ça me plaît pas, l'air de la mer. Ma femme est de Vicari, vous connaissez ?

— Oui, c'est haut.

— Voilà, ma femme a une bicoque, là. De temps en temps, on y va.

Montalbano sentit monter dans son cœur l'espérance. Il ferma les yeux et joua le tout pour le tout :

— Votre fils serait disposé à me la louer pour l'année ?

— Et quel rapport, mon fils ? Les clés, il me les donna et il me dit d'en faire ce que je voulais.

— Mery, tu sais quoi ? J'ai trouvé une maison !

— Au village.

— Non, un peu en dehors. Une petite villa de trois pièces, cuisine et salle de bains. Sur la plage de Marinella, à quelques mètres de la mer. Elle a un solarium et une véranda sur le devant, où on peut dîner le soir. Une merveille.

— Tu y habites déjà ?

— Non, mais après-demain.

— J'ai envie de te voir.

— Moi aussi.

— Écoute, samedi prochain, je pourrai venir à Vigàta dans l'après-midi. Et rentrer dimanche soir à Catane. Qu'est-ce que t'en dis ? Tu peux m'héberger ?

Le lendemain était un jeudi. Une belle journée qui le rendit joyeux. Il entra dans son bureau du commissariat, vit sur la table une espèce de carte postale à en-tête « Tribunal de Montelusa » et à lui adressée. La date était de quinze jours auparavant. Elle avait mis deux semaines pour parcourir les six kilomètres entre Vigàta et Montelusa. On le convoquait pour le lundi suivant, à neuf heures. L'allégresse lui passa d'un coup, il n'aimait pas avoir affaire avec les juges et les avocats. Putain, mais qu'est-ce qu'ils lui voulaient ? Sur la carte, il n'y avait rien d'écrit, si ce n'est la chambre à laquelle il devait se présenter, la troisième.

— Fazio !

— À vos ordres, *dottore*.

Il lui tendit la convocation du tribunal. Fazio la lut et, ensuite, fixa le commissaire d'un air interrogateur.

— Tu peux voir de quoi il s'agit ?

— Certainement.

Il se présenta deux heures plus tard.

— *Dottore*, vous, avant de prendre le service ici, vous vous êtes trouvé à passer par ici, pas vrai ?

— Oui, admit Montalbano.

— Et vous fûtes présent à une engueulade entre automobilistes ?

— Oui.

— On vous appelle pour témoigner.

— Bouh, quel tracassin !

— *Dottore*, ça se voit que vous êtes un bon citoyen. Et les bons citoyens qui témoignent, en général, ils vont au-devant de tracassins. Du moins par chez nous.

Est-ce que par hasard Fazio se foutait de sa gueule ?

— Alors, il vaudrait mieux ne pas témoigner ?

— *Dottore*, qu'est-ce que c'est que cette question ? Si je dois parler en policier, témoigner est un devoir. Si je dois parler en simple citoyen, je dis que c'est un grand tracassin.

Il marqua une pause.

134

— Et quelquefois, un tracassin en attire un autre, comme les cerises.

— Mais là, tu vois, c'est des conneries ! Pour un incident banal, un type arrogant a cassé le nez d'un...

Fazio leva une main pour l'interrompre.

— L'histoire, je la connais parce que le municipal me l'a racontée.

— Celui qui a pris le numéro de la plaque ?

— Oh que oui, monsieur. Il m'a dit qu'il avait pris un numéro erroné et que vous le lui avez fait corriger.

— Eh bè ?

— Si ça n'avait pas été pour vous, que c'était la deuxième fois que vous veniez à Vigàta et que tout le monde savait que vous étiez commissaire, le numéro erroné aurait été bon, écrit comme ça.

Montalbano le dévisagea, ébahi.

— Mais qu'est-ce que tu racontes, merde ?

— *Dottore*, le municipal dit qu'il était bon que le numéro soit écrit de manière erronée.

Montalbano se sentit venir les nerfs.

— Fazio, tu me tiens des discours sans queue ni tête. Tu peux parler clairement, je te prie ?

Fazio répondit par une question.

— Je peux fermer la porte ?

— Ferme-la, consentit Montalbano, étonné.

Fazio ferma la porte et s'assit sur une des chaises devant le bureau.

— Pendant qu'il accompagnait le vieux aux urgences, le municipal a tenté de le persuader de ne pas porter plainte. Mais le vieux, qui habite à Caltanissetta, s'est entêté.

— Pardon, Fazio, mais ce municipal, c'est un moine franciscain ? Il veut la paix universelle ?

— Il veut la paix, ça oui, mais pas la paix éternelle.

— Fazio, nous deux, on se connaît pas beaucoup. Mais si d'ici trois minutes, tu ne m'as pas tout expliqué clairement, moi je te prends par les épaules et je te balance hors de ce bureau. Et tu feras un rapport à qui tu voudras, au maire, au Questeur, au pape !

Calmement, Fazio glissa une main dans sa poche, en tira un bout de papier plié en quatre, le déplia, le lissa, lut.

— Cusumano Giuseppe né à Vigàta de Salvatore et Maria Cuffaro le 18 octobre…

Montalbano l'interrompit.

— Qui est-ce ?

— Celui qui a donné le coup de poing.

— Et qu'est-ce que j'en ai à foutre de son identité ?

— *Dottore*, sa mère, Cuffaro Maria, est la sœur cadette de don Lillino Cuffaro et Giuseppe est le petit-fils préféré du grand-père, don Sisìno Cuffaro. Je me suis fait comprendre ?

— Parfaitement.

Maintenant, il comprenait tout. Le municipal avait la trouille de se mettre à dos le rejeton d'une famille mafieuse comme celle des Cuffaro et pour cette raison il avait exprès transcrit un faux numéro de plaque. Comme ça, on n'aurait pas pu identifier l'agresseur.

— Très bien, merci, tu peux y aller, dit-il sèchement à Fazio.

Le vendredi, il fit la valise, en fait, elles étaient trois et plutôt grandes, il les mit en voiture, paya l'addition et se rendit dans sa maison de Marinella. Il n'arrivait pas à y croire. Le soir précédent, le barbier Nicotra lui avait remis les clés et il n'avait pas résisté et y était passé avant d'aller dormir, pour la dernière fois, à l'hôtel. La villa était meublée de manière décente, il n'y avait pas de mobilier pesant du genre *Guépard* ou émirs arabes, tout était même d'un certain goût. Le téléphone avait été branché ; visiblement, on l'avait bien traité parce qu'il était commissaire. En cuisine, il y avait le réfrigérateur, vide, il fonctionnait. La bonbonne de gaz était neuve. De la salle à manger, on accédait directement par une porte-fenêtre à la véranda, assez grande pour un banc, deux sièges et une table. Trois marches reliaient la véranda à la plage. Montalbano s'assit sur le banc et resta une heure à savourer l'air marin. Il se serait volontiers endormi là.

Après avoir déposé les valises, il remonta en voiture pour aller au commissariat avertir Fazio qu'il avait à faire et qu'il rentrerait en fin de matinée. Dans une boutique, il acheta des draps, des taies d'oreiller, des serviettes de bain et de table, des nappes ; dans un supermarché, il fit l'emplette de marmites, casseroles et casserolettes, couverts, plats, verres et tout ce qui pouvait lui servir. En plus, il fit quelques provisions à garder au réfrigérateur. Quand il repartit vers Marinella, sa voiture ressemblait à celle d'un vendeur ambulant. Il déchargea et s'aperçut qu'il manquait encore un tas de choses. Il fit un autre voyage. Il arriva au commissariat à midi passé.

— Du neuf ? demanda-t-il à Fazio qui, en attendant l'arrivée d'un commissaire-adjoint, en faisait provisoirement fonction.

— Rien. Ah, le député Torrisi a téléphoné deux fois de Rome. Il vous cherchait.

— Et qu'est-ce qu'il me veut ce député Torrisi ?

— *Dottore*, c'est un des députés qui ont été élus par ici.

— Il y en a combien, de ces députés ?

— En province, beaucoup, mais ceux qui ont ramassé le plus de voix à Vigàta, il y en a deux, Torrisi et Vannicò.

— Ils sont de deux partis différents ?

— Oh que non, *dottore*. Ils sont tous les deux de la même paroisse, chrétiens-démocrates.

Désagréablement, lui revinrent en tête les paroles du Questeur lors de leur seule rencontre.

— Il a dit ce qu'il voulait ?

— Non, *dottore*.

Il passa la soirée et une partie de la nuit à ranger la maison, et déplaça même quelques meubles. Avant de rentrer à Marinella, il était allé manger à la trattoria San Calogero comme il faisait désormais régulièrement. Au début de sa besogne ménagère, il s'était senti en pleine forme mais quand il alla se coucher, il avait les jambes coupées et le dos brisé. Il dormit d'un sommeil de plomb, lourd et dense. Il se réveilla peu après l'aube, se prépara une cafetière, en but la moitié, se mit un maillot de bain, ouvrit la porte-fenêtre, passa sur la véranda. Il fut à deux doigts de pleurer : pendant des mois et des mois, à Mascalippa, il avait rêvé d'une vue pareille. Et maintenant, il pouvait en jouir à volonté ! Il sortit sur la plage, se mit à marcher au bord de la mer.

L'eau était froide, ce n'était pas encore le moment de prendre un bain. Mais il se réjouit le corps et l'esprit. Enfin, il se décida à rentrer à la villa et à se préparer pour la journée.

Il arriva au commissariat assez tard, avant de sortir de la villa il avait fait une espèce de reconnaissance générale et avait noté tout ce dont il avait besoin. Ensuite, il était passé chez un menuisier, naturellement indiqué par Fazio, et était convenu avec lui d'un rendez-vous pour se faire couvrir un mur entier d'étagères pour les livres qui allaient arriver de Mascalippa et pour ceux qu'il avait l'intention d'acheter.

Il était assis derrière le bureau depuis une heure quand Fazio se présenta en disant qu'il y avait le député Torrisi.

— Passe-le-moi, dit Montalbano en soulevant le combiné du téléphone.

— Non, *dottore*. Il est par là. Il dit qu'il est arrivé hier soir de Rome.

Alors, il se donnait du mal, le député, pour venir lui casser les roubignoles !

Il n'y avait pas d'autre échappatoire, la seule étant de fuir par la fenêtre du rez-de-chaussée. Un instant, il fut tenté puis se dit que ce n'était pas digne. Et puis pourquoi cette antipathie alors qu'il ne connaissait même pas le député et qu'il ne savait pas ce qu'il voulait de lui ?

— Bon d'accord, fais-le entrer.

Le député était un quinquagénaire petit et gros, négligé, une grosse tête crispée par un sourire qui ne réussissait pas à effacer le regard glacé et reptilien. Montalbano se leva et vint à sa rencontre.

— Très cher monsieur ! Très cher monsieur ! dit le député en lui agrippant la main et en agitant le bras vers le haut et vers le bas avec tant de force que le commissaire pensa se retrouver avec une épaule disloquée pour le reste de sa vie.

Il le fit asseoir dans un des deux fauteuils d'une espèce de salon disposé dans un coin de la pièce.

— Vous prenez quelque chose ?

— Rien ! Rien ! Je ne peux rien prendre pendant encore deux mois : j'ai fait un vœu à la Madone. Je ne suis passé vous voir que pour faire connaissance et échanger quelques mots avec vous. Vous savez, ici, à Vigàta, j'ai recueilli une vaste moisson de votes et je sens comme un devoir moral…

— Le député Vannicò aussi a bien marché par ici, l'interrompit méchamment Montalbano, mais en faisant une tête d'inguérissable imbécile de naissance.

L'atmosphère changea, on eût dit qu'au plafond s'était formée une couche de glace.

— Bah, oui, Vannicò aussi, admit Torrisi à mi-voix.

Et puis, soudain inquiet :

— Vous avez déjà fait sa connaissance ?

— Je n'ai pas encore eu le plaisir.

Torrisi parut un peu soulagé.

— Vous savez, commissaire, je m'occupe beaucoup des problèmes, du malaise des jeunes d'aujourd'hui. Et je dois constater avec déplaisir, avec regret, qu'ici aussi, à Vigàta, les choses, à cet égard, ne vont pas bien. Vous savez ce qui manque ?

— Non. Qu'est-ce qui manque ? demanda le commissaire avec la tête de qui attend une révélation qui va lui changer la vie.

— Ça, dit le député en se touchant le lobe de l'oreille droite du bout de l'index.

Montalbano s'étonna. Qu'est-ce que ça voulait dire ? Qu'il fallait devenir pédé pour comprendre les jeunes[1] ?

— Excusez-moi, monsieur le député, mais je ne saisis pas ce qui manque.

— De l'oreille, très cher. Nous n'écoutons pas, nous ne tendons pas l'oreille à la voix des jeunes. Par exemple, nous sommes portés à les juger hâtivement et irrévocablement pour quelque geste peut-être erroné qu'ils exécutent...

Fiat lux et la lumière fut ! En un éclair, Montalbano comprit le but de la visite du député, où il voulait en venir.

— Et ça, c'est une erreur, dit-il en prenant un air sévère tandis qu'en lui-même il se régalait.

— Une très grave erreur ! insista le député, tombant dans le piège tout habillé. Je vois que vous, commissaire, vous êtes quelqu'un qui comprend ! C'est certainement le Seigneur qui vous envoie ici !

Le député parla une demi-heure, en restant toujours dans les généralités. Mais *'u sucu*, le suc de son discours fut : dans le témoignage que vous allez faire au tribunal, essayez de ne pas trop insister. Essayez de comprendre le malaise d'un jeune homme, même quand il est riche, même quand il appartient à une famille puissante, même quand il casse la gueule à un vieux. La famille

1. En Italie, se toucher l'oreille en parlant de quelqu'un indique qu'il s'agit d'un homosexuel. *(N.d.T.)*

Cuffaro avait envoyé son ambassadeur plénipotentiaire. Visiblement, l'autre député, Vannicò, était le plénipotentiaire de la famille Sinagra. Le Questeur avait vu juste.

La mauvaise humeur que lui avait procurée la visite du député lui passa à quatre heures de l'après-midi, quand Mery arriva. Malheureusement, le dimanche soir, elle dut s'en retourner à Catane, mais elle avait eu suffisamment de temps pour mettre de la joie dans la maison et dans l'âme (et dans le corps) du commissaire.

Quatre

Naturellement, la mauvaise humeur lui revint le lundi matin, dès qu'il se réveilla, à l'idée de devoir se présenter au tribunal. Une fois, il avait connu une personne qui faisait le surintendant aux antiquités : eh bien, cette personne souffrait d'un mal inconnu, à savoir que les musées lui faisaient peur, seule elle n'arrivait pas à y rester, à la vue d'une statue grecque ou romaine, elle était à deux doigts de s'évanouir. Il n'en était pas là, mais avoir affaire avec juges et avocats lui donnait les nerfs. Même la promenade au bord de l'eau ne les lui fit pas passer.

Il se rendit à Montelusa dans sa voiture et pour deux raisons. La première était qu'il se présentait au tribunal en qualité non de commissaire mais comme citoyen privé et donc se faire conduire par la voiture de service était un abus. La deuxième était que le chauffeur du commissariat préposé à la conduite de la voiture était un agent sympathique qui s'appelait Gallo, mais qui roulait sur n'importe quelle route, même la draille de campagne la plus perdue, comme s'il se trouvait sur la piste d'Indianapolis.

Au tribunal de Montelusa, il n'avait jamais eu l'occasion d'aller. C'était un bâtiment de quatre étages, disgracieux et énorme, où on entrait par un grand porche. Celui-ci franchi, il y avait une espèce de court couloir au très haut plafond, grouillant de gens qui hurlaient comme dans un marché. À main gauche, se trouvait le poste de garde des carabiniers, à main droite, une pièce plutôt petite à l'entrée de laquelle était écrit « Bureau d'informations ». Là, à poser des questions confuses et à recevoir des réponses tout aussi confuses de l'unique employé, il y avait cinq hommes avant lui. Montalbano attendit son tour et puis montra la convocation au préposé. Celui-ci la prit, la regarda, consulta un registre, regarda de nouveau la carte, reconsulta le registre, leva les yeux sur le commissaire et dit enfin :

— Ça devrait être au troisième étage, salle 5.

Pourquoi « devrait » ? Est-ce que par hasard, dans ce tribunal, les audiences étaient mobiles, peut-être sur des patins à roulettes ? À moins que l'employé ne fût persuadé qu'en ce bas monde, rien ne fût assuré ?

Et ce fut alors, en sortant du bureau des informations, qu'il la vit pour la première fois. Une fille de seize ans, une adolescente qui portait une petite robe de coton de quatre sous et tenait à la main un gros sac à main consumé par l'usage.

Elle était appuyée au mur à côté du poste des carabiniers. Et on ne pouvait manquer de la regarder, à cause de ses très grands yeux noirs, écarquillés et fixant le vide, et du contraste entre le visage de minote et les formes du corps déjà pleines et agressives. Elle ne bougeait pas, on eût dit une statue. Le couloir d'entrée conduisait à une vaste cour-jardin très soignée. Mais comment arrivait-on au troisième étage ? Montalbano vit un groupe de personnes sur le côté gauche et s'approcha. Il y avait un ascenseur. Mais à côté, écrit au feutre sur une feuille de papier collée au mur, il y avait un avertissement : « Réservé à messieurs les juges et avocats ». Montalbano se demanda combien il y avait de juges et d'avocats parmi la quarantaine de personnes qui attendaient l'arrivée de l'ascenseur. Et combien de malins qui feignaient d'être juges ou avocats. Il décida de s'inscrire dans la deuxième catégorie. Mais l'ascenseur n'arrivait pas et les gens commençaient à murmurer. Ensuite, un individu se mit à une fenêtre du deuxième étage.

— L'ascenseur se cassa.

Jurant, se lamentant, blasphémant, tout le monde se dirigea vers une haute arcade à travers laquelle on voyait le début d'un escalier large et commode. Le commissaire se le tapa jusqu'au troisième étage. La porte de la salle 5 était ouverte et, à l'intérieur, il n'y avait personne. Montalbano regarda la montre, il était déjà neuf heures dix. Était-il possible que tout le monde soit en retard ? Il lui vint un soupçon, à savoir que le préposé aux informations eût raison d'être dubitatif et que l'audience se tînt peut-être dans une autre salle. Le couloir grouillait de gens, les portes s'ouvraient et se refermaient sans arrêt, des bouffées d'éloquence avocassière arrivaient. Au bout d'un quart d'heure, il se décida à demander à un type qui passait en poussant une carriole surchargée de dossiers et de chemises.

— Excusez-moi, pouvez-vous me dire…

Et il lui tendit la carte. L'autre la regarda, la rendit à Montalbano et recommença à avancer.

— Vous l'avez pas vu, l'avis ? demanda-t-il.

— Non. Où ça ? demanda le commissaire en le suivant à petits pas.

— Sur le tableau. L'audience est renvoyée.

— À quand ?

— À demain. Peut-être.

Dans ce bâtiment régnaient, à l'évidence, des certitudes peu assurées. Il descendit l'escalier, refit la queue au bureau des informations.

— Vous ne le saviez pas que l'audience de la salle 5 a été renvoyée ?

— Ah oui ? Et à quand ? s'informa l'employé du bureau des informations.

144

Et il la revit pour la deuxième fois. Presque une heure était passée et la minote était exactement dans la même position qu'auparavant. Elle devait attendre quelqu'un, bien sûr, mais cette immobilité n'avait rien de naturel, elle mettait mal à l'aise. Un instant, Montalbano fut tenté de l'aborder et de lui demander si elle avait besoin de quelque chose. Mais il se ravisa et sortit du tribunal.

À peine arrivé du tribunal, on l'avisa qu'on avait téléphoné de Mascalippa que la fourgonnette qui transportait ses affaires arriverait à Marinella à cinq heures et demie de l'après-midi. Naturellement, il s'arrangea pour être à Marinella à cinq heures et quart, mais la fourgonnette eut deux heures de retard, elle arriva qu'il faisait déjà nuit. En plus, le chauffeur s'était fait mal à un bras et donc n'était pas en condition de décharger les caisses. En jurant comme un Turc, Montalbano se les trimbala l'une après l'autre et se retrouva à la fin avec une épaule abîmée et des élancements d'hernie bilatérale. En compensation, le chauffeur prétendit obtenir dix mille lires de pourboire, on ne sait trop bien à quel titre, peut-être comme dédommagement moral pour avoir été dans l'impossibilité de décharger. Montalbano n'ouvrit qu'une caisse, celle qui contenait le téléviseur. Dans l'appartement, il y avait déjà la prise de l'antenne qui était installée sur le toit-solarium, il la brancha et l'alluma, en se réglant sur le premier canal. Rien, des paillettes blanches et un bruit de friture. Il essaya sur les autres canaux, seule variait la quantité de paillettes et certaines fois, la friture qui devenait ressac ou hauts-fourneaux. Alors, il monta sur le toit-solarium et s'aperçut que l'antenne avait été déplacée, peut-être par quelque coup de vent. À grand-peine, il réussit à la tourner un peu. Puis il redescendit en courant regarder le téléviseur : cette fois, les paillettes s'étaient changées en ectoplasmes, en fantômes dans une friterie. En zappant désespérément, il finit par voir clairement le visage d'un présentateur. Il parlait arabe. Montalbano éteignit la télévision et alla s'asseoir sur la véranda pour se faire passer les nerfs. Puis il décida de manger quelque chose, il mit le pain congelé au four pour le réchauffer puis se mangea une boîte de thon de Favignana avec huile et citron.

Il pensa qu'il devait absolument trouver une femme pour lui tenir la maison en ordre, laver le linge et lui faire à manger. Maintenant qu'il avait une maison, il ne pouvait pas toujours ranger seul. Quand il fut couché, il s'aperçut qu'il n'avait rien à lire. Tous ses livres se trouvaient dans deux caisses encore fermées, les plus lourdes. Il se leva, ouvrit la première caisse et, naturellement, ne trouva pas ce qu'il cherchait, le polar d'un Français qui s'appelait Magnan, *Le Sang des Atrides*. Il l'avait déjà lu, mais il aimait la manière dont il était écrit. Il ouvrit aussi la deuxième caisse. Le livre était justement tout au fond. Il regarda la couverture et la posa au sommet de la dernière pile : une grande envie de dormir l'avait pris.

Il arriva un peu en retard, à neuf heures dix, parce qu'il avait eu du mal à trouver où se garer. Elle était là, dans la même robe de coton, avec le même sac, le même regard perdu dans les grands yeux noirs. Exactement là où il l'avait déjà vue deux fois, pas un centimètre plus à droite ni un centimètre plus à gauche. Comme quelqu'un qui demande l'aumône, qui se choisit une place et reste là jusqu'à ce qu'il meure ou que quelqu'un l'emmène à l'hôpital. Été comme hiver, on les voit toujours là. Et elle aussi, elle demandait quelque chose, l'aumône non, mais quoi ? Sur la porte de l'ascenseur, on avait collé une feuille avec l'inscription au feutre : « cassé ». Il monta les trois étages et quand il entra dans la salle numéro 5, qui était une pièce plutôt petite, il la trouva remplie de monde. Personne ne lui demanda ce qu'il venait faire.

Il s'assit au dernier rang, à côté d'un type aux cheveux

roux qui tenait en main un carnet et un stylo et qui de temps en temps prenait des notes.

— Ça fait longtemps que c'est commencé ? lui demanda-t-il.

— Le rideau s'est levé depuis dix minutes. L'accusation est en train de jouer.

Quelle manière rhétorique de s'exprimer ! Rideau ! Jouer ! Et pourtant, à le voir, l'homme paraissait un type concret et direct.

— Excusez-moi, pourquoi avez-vous dit que le rideau s'est levé ? On n'est pas au théâtre.

— On l'est pas ? Mais si, tout ça, c'est de la comédie ! D'où est-ce que vous tombez, vous, de la lune ?

— Montalbano, je m'appelle. Je suis le nouveau commissaire de Vigàta.

— Enchanté. Je m'appelle Zito et je suis journaliste. Écoutez l'accusation, je vous prie, et puis vous me direz si c'est de la comédie ou pas.

Au bout d'une dizaine de minutes que ce monsieur en robe parlait, le commissaire fut pris d'un doute.

— Mais vous êtes sûr que c'est le ministère public ?

— Qu'est-ce que je vous disais ? rétorqua, triomphant, le journaliste Zito.

L'accusation avait parlé tout pareil que si elle avait été la défense. Elle avait soutenu qu'une agression, de la part de Cusumano Giuseppe, il y avait bien eu, c'est vrai, mais qu'il fallait considérer l'état émotif particulier du jeune homme et le fait que l'agressé, M. Melluso Gaspare, en descendant de sa voiture, avait traité Cusumano de cornard. Le procureur demanda le minimum de la peine avec une marée de circonstances atténuantes. À ce point, le garde communal fut appelé.

Mais comment se déroulait ce procès ? Dans quel ordre ? Le municipal dit qu'il avait pratiquement rien vu parce qu'il était occupé à parler avec deux chiens errants qui lui étaient sympathiques. Il s'était aperçu de quelque chose quand Melluso était tombé à terre. Il avait pris le numéro de la voiture qui s'était avérée appartenir à Cusumano et ensuite, il avait accompagné Melluso aux urgences. Sur la demande du défenseur, il admit avoir entendu distinctement le mot « cornard » voltiger de ce côté, mais en conscience, il ne pouvait dire qui l'avait prononcé. À sa grande surprise, Montalbano s'entendit appeler. Après le rituel de l'identité et de l'assurance de dire la vérité, il s'assit mais, avant de pouvoir ouvrir la bouche, il s'entendit adresser une question par le député Torrisi.

— Naturellement, vous avez entendu Melluso traiter Cusumano de cornard ?

— Non.

— Non ? Comment ça, non ? Mais si, ce mot, le garde communal qui se trouvait beaucoup plus loin que vous l'a entendu !

— Le garde l'a entendu et pas moi.

— Vous avez l'ouïe faible, *dottor* Montalbano ? Vous avez souffert d'otites quand vous étiez petit ?

Le commissaire ne répondit pas et fut immédiatement congédié. Il pouvait s'en aller mais il voulait écouter la plaidoirie du député. Et il fit bien, parce qu'il eut l'explication de l'« état émotif particulier » du garçon. Donc, trois ans auparavant, Cusumano s'était marié avec sa fiancée bien-aimée Lo Cascio Mariannina. Eh bien, à la sortie de l'église, sur les marches précisément, il avait été menotté par deux carabiniers en raison d'une condamnation devenue définitive. En somme, ce jour fatal de la dispute avec Melluso, Cusumano venait juste de sortir de prison et il volait littéralement vers les bras de sa jeune épouse pour consommer ce mariage jusqu'alors resté « à crédit ». En s'entendant traiter de cornard, le jeune homme, qui n'avait pas encore cueilli la fleur que Lo Cascio Mariannina réservait à lui seul…

Et là, Montalbano, qui n'en pouvait plus et se retenait à grand-peine de vomir, dit au revoir au journaliste Zito et sortit. De toute façon, il était sûr que Cusumano s'en sortirait et que ce serait déjà beau si, à sa place, Melluso ne se retrouvait pas en prison.

À l'entrée du couloir qui conduisait à la sortie, il s'immobilisa. La gamine s'était déplacée de deux pas en avant et parlait avec un quadragénaire sec, au chef coiffé d'un chapeau, vêtu à la *sanfasò*, sans façons, portant le genre de petites cravates qu'utilisent certains avocats. Le quadragénaire secoua négativement la tête et se dirigea vers le jardin. La gamine revint à sa place et à son immobilité habituelles. Montalbano passa devant elle, se trouva hors du bâtiment. Inutile de se poser des questions, de se creuser la cervelle sur le pourquoi et le comment, il n'aurait sûrement plus l'occasion de rencontrer cette petite. Et donc, mieux valait se l'oublier.

Ammàtula, vainement, il tenta de démarrer la voiture pour rentrer à Vigàta. Il essaya et réessaya, mais il n'y eut pas moyen. Que faire ? Appeler le commissariat et faire venir quelqu'un pour le prendre ? Non, l'histoire pour laquelle Montalbano se trouvait à Montelusa était d'ordre privé. Il se rappela que dans la rue du tribunal, il avait vu un garage. Il s'y rendit à pied et expliqua la situation au patron qui eut l'amabilité d'envoyer un mécanicien. Après examen du moteur, ce dernier diagnostiqua une panne du circuit électrique. Vers la fin de l'après-midi, mais pas avant, il pouvait passer au garage reprendre son véhicule réparé. Montalbano lui remit les clés.

— Il y a un autobus pour Vigàta ?

— Oui. Il part de la place de la gare.

Il marcha longtemps, heureusement tout en descente, sur le cours et arrivé sur la place, il apprit sur le tableau horaire que l'autobus était parti et que le prochain serait dans une heure.

Il traîna le long d'une allée bordée d'arbres, d'où l'on voyait dans son entier la Vallée des temples et, sur le fond, la ligne de la mer. Autre chose que les paysages quasi suisses de Mascalippa ! Quand il revint sur la place de la gare, il vit qu'il y avait un autobus à l'arrêt, avec une inscription sur le côté : « Montelusa-Vigàta ».

Les portes étaient ouvertes. Il monta par celle de l'avant et sur la première marche, d'où il pouvait voir l'intérieur, s'immobilisa. Ce qui l'arrêta, ce n'était pas le fait que l'autobus fût vide à l'exception d'une passagère, mais que celle-ci fût justement la gamine du tribunal.

Elle s'était assise à l'une des deux places derrière le chauffeur, la plus proche de la fenêtre, mais ne regardait pas dehors, elle fixait le vide et ne parut même pas s'apercevoir de la présence d'un passager immobile sur les marches. En fait Montalbano était en train de se demander si ce n'était pas le moment de recourir à une provocation pour changer en présence effective la présence-absence de la petite, c'est-à-dire d'aller s'asseoir à côté d'elle, alors qu'il y avait quarante-neuf places libres dans l'autobus.

Mais quel motif avait-il d'agir ainsi ? Qu'est-ce qu'elle faisait de mal ? Rien, elle faisait. Et alors ?

Il monta et alla s'asseoir sur l'un des sièges dans la même file que celle derrière le chauffeur : même si c'était de profil, il pouvait continuer à voir le visage de la gamine. Immobile, elle tenait à deux mains son sac posé sur les genoux.

Le chauffeur s'installa à sa place, mit en route le moteur. Et juste à cet instant, on entendit un cri :

— Attendez ! Attendez !

Une bonne quarantaine de Japonais, tous munis de lunettes, de sourires et d'appareils photo en bandoulière, précédés d'un guide essoufflé, se lancèrent à l'abordage de l'autobus et occupèrent presque toutes les places vides.

Mais aucun ne s'assit ni à côté de Montalbano ni à côté de la petite. L'autobus partit.

Au premier arrêt, il n'y eut ni descente ni montée. Pour prendre des photos, les Japonais se disputaient les fenêtres dans une guerre sans exclusion de coups, avec les armes d'une courtoisie létale. Au deuxième arrêt, le chauffeur dut se lever de son siège pour aider un couple de presque centenaires à monter.

— Asseyez-vous là, intima le chauffeur à Montalbano en lui montrant la place à côté de la jeune fille.

Le commissaire obéit et les deux vieux purent ainsi s'asseoir l'un à côté de l'autre et se soutenir mutuellement.

La gamine n'avait pas bronché. En prenant place, Montalbano dut lui effleurer la jambe mais elle ne réagit pas au contact, elle la laissa simplement où elle était. Mal à l'aise, le commissaire orienta son corps vers le couloir central.

Du coin de l'œil, il observait les seins fermes qui s'élevaient et s'abaissaient sous la robe de coton au rythme de la respiration et, sur ce mouvement, il régla son ouïe. C'était un truc que lui avait enseigné le commissaire Sanfilippo : il réussissait à percevoir un bruit en accordant l'ouïe avec la vue. Et de fait, lentement, par-dessus le bavardage des Japonais, il commença à percevoir, toujours plus nettement, sa respiration à elle. Longue et régulière, c'était presque une respiration de sommeil. Mais comment l'accorder avec la question désespérée, oui, désespérée, qu'on lisait dans son œil ? Les mains qui tenaient fermement le sac avaient des doigts longs, fuselés, élégants, mais avaient la peau martyrisée par de durs travaux de campagne ; les ongles çà et là cassés avaient encore des traces de rouge. À l'évidence, la jeune fille se négligeait depuis quelque temps. Le commissaire nota autre chose, une autre contradiction avec l'apparente sérénité de la demoiselle : de temps en temps, le pouce de la main droite se mettait à trembler sans qu'elle s'en rende compte.

À l'arrêt des temples, le groupe de Japonais descendit bruyamment. Le commissaire aurait pu changer de place, se mettre plus à l'aise, mais il ne bougea pas. À peine passé le panneau routier qui annonçait la commune de Vigàta, la petite se leva.

Elle restait un peu courbée en avant pour ne pas cogner de la tête contre le filet porte-bagages. Manifestement, elle devait sortir, mais resta à fixer Montalbano sans lui demander pardon, sans ouvrir la bouche. Le commissaire eut la sensation que la jeune fille le regardait non comme un homme, mais comme un objet, un obstacle indéfini. Mais où avait-elle la tête ?

— Vous voulez passer ?

Elle ne dit ni oui ni non. Alors Montalbano se leva et se mit dans le couloir pour la laisser passer. Elle arriva à la hauteur des marches et s'arrêta, une main sur le sac, l'autre agrippée à la barre métallique devant les places où étaient assis les deux vieux.

Quelques mètres plus loin, le chauffeur s'arrêta, actionna la porte automatique, la jeune fille descendit.

— Un moment, cria Montalbano, d'une voix si forte que le chauffeur se retourna pour le regarder, étonné. Ne fermez pas, je dois descendre.

Cette décision, il l'avait prise soudain. Mais quelle connerie était-il en train de faire ? Pourquoi s'était-il mis cette idée en tête ? Il regarda autour de lui, il se trouvait dans les faubourgs de Vigàta, où ne se dressaient ni immeubles neufs ni gratte-ciel nains, il n'y avait que des maisons délabrées ou qui ne tenaient encore debout que soutenues par des poutres, des maisons habitées par des gens qui vivaient pauvrement, non pas du port ou des activités urbaines, mais en cultivant encore la campagne épuisée de l'arrière-pays du bourg.

La petite était devant lui. Elle marchait lentement, comme si elle n'avait pas envie de rentrer. Maintenant, elle gardait la tête baissée, elle semblait scruter attentivement la terre sur laquelle elle posait les pieds. Mais est-ce qu'elle la voyait, la terre qu'elle fixait ? Que voyaient réellement ses yeux ?

La jeune fille tourna à main droite, prenant une espèce de ruelle qui, la nuit, devait constituer un décor idéal pour un film de fantômes. D'un côté, une rangée de magasins sans portes, aux toits effondrés ; de l'autre, une série de bicoques inhabitées et agonisantes. Littéralement, il n'y avait pas âme qui vive.

— Mais qu'est-ce que je fous là? se demanda le commissaire comme s'il se réveillait d'un mauvais rêve.

Et il voulut retourner en arrière. Mais à cet instant précis, la petite vacilla, perdit l'équilibre, laissa tomber son sac à main, fut contrainte de s'appuyer au mur d'une maison. D'abord, le commissaire ne sut que faire. Mais aussitôt après, il lui parut clair que la jeune fille avait dû avoir un étourdissement ou quelque chose de semblable, elle n'avait pas trébuché ni buté contre une pierre. En tout cas, elle avait besoin d'aide et son intervention était maintenant plus que justifiée. Il s'approcha.

— Vous vous sentez mal?

Le hurlement très fort que poussa la jeune fille en entendant sa voix fut si soudain et déchirant que Montalbano, pris au dépourvu, fit un saut en arrière, effrayé. La gamine ne l'avait pas entendu arriver et ses mots l'avaient d'un coup ramenée à la réalité. Maintenant, elle fixait Montalbano avec des yeux écarquillés et le voyait pour ce qu'il était, un homme, un inconnu qui venait juste de lui dire quelque chose.

— Vous vous sentez mal? répéta le commissaire.

Elle ne répondit pas, commença à se pencher en avant, comme au ralenti, le bras tendu, la main ouverte pour reprendre le sac.

Montalbano, plus rapide qu'elle, agrippa le premier le sac. Son intention était de faire un geste de courtoisie, il fut donc ébahi par la réaction de la jeune fille qui, s'aidant cette fois des deux mains, essaya de le lui arracher.

Instinctivement, Montalbano le retint avec force. La gamine croisa son regard et il y vit un désespoir vraiment sauvage. Pendant quelques instants, ils se livrèrent à un absurde jeu de tir à la corde sans paroles. Puis, comme il était prévisible, la couture latérale du sac se déchira et tout ce qui se trouvait à l'intérieur tomba à terre. Un objet très lourd frappa le gros orteil du commissaire qui baissa la tête. Il entrevit un gros revolver, mais la petite, devenue très rapide dans ses mouvements, fut la première à s'en saisir. Montalbano lui agrippa le poignet, le lui tordit mais le revolver restait solidement dans la main de la jeune fille. Alors le commissaire, de tout le poids de son corps, la poussa contre le mur, l'y colla, de manière que la main de la gamine qui serrait le revolver et sa propre main qui lui serrait le poignet se retrouvent serrées entre le mur et le dos de la jeune fille. Celle-ci se défendit de sa main libre, griffant le visage de Montalbano. Le commissaire réussit à agripper aussi cette main par le poignet et la tint de force contre le mur. Tous deux haletaient comme des amants pendant l'amour, Montalbano avec le bas du corps entre les jambes écartées de la petite pressait fort contre son ventre à elle, sa poitrine à elle et l'odeur un peu âpre de sa sueur n'avait rien de désagréable, malgré la situation. Qui paraissait sans issue. Tout à coup, le commissaire entendit dans son dos un bruit de freins et une voix qui criait :

— Arrête-toi, *porcu*! Police! Lâche la petite!

Et il se rendit compte que ce policier croyait être en train d'assister à des violences sexuelles, à un viol. C'était un malentendu plus que justifié. Il tourna à peine la tête et reconnut un de ses hommes, l'agent Galluzzo. Ce dernier, à son tour, le reconnut et se pétrifia.

— Co… co… co…

Il voulait dire « commissaire » et ne parvenait qu'à produire un gloussement de poule.

— Aide-moi, elle est armée ! haleta Montalbano.

Galluzzo était un homme de promptes décisions. Sans barguigner, il balança un coup de poing sur le menton de la petite. Laquelle ferma les yeux et glissa, évanouie, le long du mur. Le commissaire la déplaça avec délicatesse mais eut du mal à s'emparer du revolver. Les doigts de la jeune fille se refusaient à lâcher l'arme.

Cinq

La carte d'identité, tombée à terre avec le reste des objets se trouvant dans le sac, déclarait sans l'ombre d'un doute que Rosanna Monaco, née de Gerlando et de Marullo Concetta, habitant à Vigàta, 37, via Fornace, était majeure depuis quelques mois. La carte était flambant neuve, signe que la petite se l'était fait faire à sa majorité. Devant la loi, elle était donc pleinement responsable de ses actions. Elle était assise sur le siège devant le bureau du commissaire, tête baissée à fixer le sol, les bras ballants, et depuis deux heures, il n'y avait pas moyen de lui faire ouvrir la bouche.

— Tu me dis à qui appartient le revolver ?
— Tu l'avais pour te défendre ?
— De qui voulais-tu te défendre ?
— Tu l'avais pour tirer sur quelqu'un ?
— Sur qui tu voulais tirer ?
— Pourquoi tu te postais à l'entrée du tribunal ?
— Tu attendais quelqu'un ?

Rien. Après la force, l'agilité, la souplesse soudain retrouvées durant cette bagarre silencieuse qui, par instants, avait semblé à Montalbano un intense rapport amoureux, elle était retombée maintenant dans cette espèce d'impassibilité tourmentée qui avait éveillé la

155

curiosité du commissaire la première fois qu'il l'avait vue. Oui, Montalbano le savait très bien que « impassibilité tourmentée » était un paradoxe crétin, mais il ne trouvait pas d'autres mots pour définir l'attitude de Rosanna.

Il se décida, on ne pouvait pas continuer comme ça.

— Mets-la en cellule, ordonna-t-il à Galluzzo qui était à la machine à écrire pour le procès-verbal et qui n'avait réussi à taper que la date. Et amène-lui à manger et à boire.

Puis, élevant la voix, il ajouta :

— Moi, je vais parler à ses parents.

Il avait fait exprès de communiquer ses intentions, mais la petite n'eut pas même l'air de l'avoir entendu. Avant de quitter le commissariat, il se fit expliquer par Fazio où était la via Fornace, lui donna quelques consignes, sortit, monta en voiture et partit.

La rue était la deuxième à droite après celle où était arrivée l'histoire du revolver. Elle n'était pas goudronnée, elle se présentait déjà comme une draille. Le numéro 37, une maison d'un étage avec à côté une remise à peine plus grande qu'un chenil, était quand même moins délabrée que les autres. La porte n'était pas fermée, au fur et à mesure que Montalbano approchait, il entendait des cris désordonnés. Du seuil, il lui parut se retrouver devant quelque chose à mi-chemin entre la crèche et l'école élémentaire. À l'intérieur, il y avait une demi-douzaine de minots, d'un à sept ans.

Une femme d'un âge indéfini, qui tenait au bras un nouveau-né, était aux fourneaux d'une cuisinière à bois. Pas trace d'un téléphone, d'un réfrigérateur, d'un téléviseur. Mais il ne s'agissait pas de pauvreté, puisque les minots étaient bien vêtus et qu'au plafond pendaient fromages et charcuteries, il devait s'agir d'arriération, d'une mentalité qui se retranchait dans l'ignorance.

— Qu'esse vous voulez ? demanda la femme.

— Montalbano je suis, commissaire de sécurité publique. Votre mari est là ?

— *Chi voli da me' maritu ?* Qu'est-ce que vous voulez de mon mari ?

— Il est là ou pas ?

— Oh que non, il est pas là. L'est à la campagne à besogner, avec les grands fils.

— Et quand est-ce qu'il revient ?

— Ce soir, quand y fera nuit.

— Vous êtes Mme Concetta Marullo ?

— Oh que oui, monsieur.

— Vous avez une fille qui s'appelle Rosanna ?

— J'ai ce malheur.

— Écoutez, nous avons arrêté votre fille parce que…

— *Minni futtu.*

— Je n'ai pas compris.

— Et moi je vous le répète : *minni futtu*, je m'en fous. *Pi mia*, pour moi, vous pouvez l'arrêter, l'égorger, l'envoyer au gibet…

— Elle habite avec vous ?

— Oh que non, y a trois ans qu'elle quitta la maison.

— Pourquoi ?

— Parce que c'est une *svirgugnata*.

— Pourquoi dites-vous que c'est une dévergondée ? Qu'est-ce qu'elle a fait ?

— *Chiddru* ça fici, fici, ce qu'elle fit, elle le fit.

— Et vous savez où elle habite, maintenant ?

— *Ccà allatu*, là à côté. Mon mari, qui a bon cœur, il lui donna la porcherie pour y dormir. Et elle s'y trouve bien, parce que la porcherie, c'est sa vraie maison.

— Je peux la voir ?

— La porcherie ? Bien sûr. La porte est pas fermée.

— Écoutez, vous savez si votre fille a des motifs d'en vouloir à quelqu'un ?

— Et merde, qu'esse j'en sais, moi ? Je vous dis que ça fait des années que je la pratique plus. Je sais rien.

157

— Une dernière question : votre mari possède une arme ?

— Qué arme ?

— Un revolver.

— Vous galéjez ? Mon mari a *sulu u cuteddru pi tagliarisi u' pani*, seulement le couteau pour se couper le pain.

— Dès qu'il rentre, dites-lui de venir au commissariat.

— Vous savez, y rentre tard et fatigué.

— Désolé, je l'attendrai.

Il sortit avec un début de mal de tête, tout le dialogue s'était déroulé à voix haute pour passer par-dessus le bordel que faisait la crèche.

La porcherie, Rosanna l'avait bien nettoyée et quelqu'un avait passé une couche de chaux sur les parois. Tant bien que mal, elle contenait une couchette, une petite table, deux sièges. À la regarder d'un autre point de vue, ça pouvait aussi bien être la cellule d'un moine franciscain. La cuisine consistait en un fourneau en briques percées. Pour se laver, Rosanna utilisait une petite bassine posée sur la table, elle devait prendre l'eau dans un puits que Montalbano avait entrevu non loin de là. Une ficelle tendue d'un mur à l'autre faisait office d'armoire : deux robes et un manteau retourné y étaient suspendus. Les sous-vêtements étaient sur une chaise. Tout était d'une pauvreté extrême, mais très propre. Pas une photo, pas un journal, pas un livre. Il chercha, longtemps et vainement, une lettre, un billet, quelque chose d'écrit.

Il rentra au commissariat plutôt perplexe.

— J'ai fait ce que vous m'avez demandé, dit Fazio en le voyant entrer et en le suivant dans son bureau.

— Eh bè ?

— Donc, attaqua Fazio en tirant de sa poche un bout de papier sur lequel, de temps en temps, il jetait un coup d'œil, le père, Monaco Gerlando, né à Vigàta, de feu Giacomo et feu Elvira La Stella, le…

— Pardon, Fazio, l'interrompit Montalbano, mais pourquoi tu me racontes tout ça ?

— Quoi, ça ? demanda, étonné, Fazio.

— Paternité, maternité, qu'est-ce que j'en ai à foutre ? Moi, je t'avais demandé de voir si le père de Rosanna n'a pas de casier et ce qu'on raconte en ville. Un point, c'est tout.

— Il n'a pas de casier, répondit Fazio, l'air mécontent, et en ville, les rares qui le connaissent disent que c'est un brave homme.

— Il a d'autres grands enfants ?

Fazio esquissa le geste de ressortir le bout de papier, mais fut foudroyé par un regard noir du commissaire.

— Deux. Giacomo, vingt et un ans et Filippo, vingt. Ils travaillent avec lui à la campagne. Eux aussi considérés comme des braves jeunes.

— En somme, la seule qui a fauté, apparemment, c'est Rosanna.

Et il lui raconta que la mère la jugeait comme une dévergondée et qu'ils la faisaient dormir dans une ancienne porcherie.

— En tout cas, ce soir, son père va passer par ici et on essaiera d'en savoir plus. Tu sais si elle a mangé ?

— Galluzzo lui a acheté un sandwich. Elle ne l'a pas touché. Et elle n'a même pas bu une goutte d'eau.

— Tôt ou tard, dit Montalbano, elle va craquer et se décider à manger et à boire. Et ensuite à parler.

— À propos du revolver... commença Fazio.

— Tu as découvert quelque chose ?

— *Dottore*, il n'y a pas grand-chose à découvrir. C'est un Cobra, c'est pas une arme pour rigoler. Américaine. En plus, le numéro de série a été limé.

— Bref, tu es en train de me dire que c'est une arme de criminel.

— Exact, *dottore*.

— Et donc, quelqu'un l'a donnée à Rosanna pour qu'elle tire sur quelqu'un.

— Exact, *dottore*.

— Mais qui est ce quelqu'un ?

— Ma foi…

— Et sur qui devait-elle tirer ?

— Ma foi…

— Fazio, tu devrais essayer de savoir tout ce qu'il est possible de savoir sur cette petite.

— Ça ne sera pas facile, *dottore*. D'après ce que j'ai compris, il s'agit d'une famille isolée du reste du bourg. Ils ont pas d'amis, pas de connaissances.

— Essaie quand même. Ah, autre chose. Envoie un de nos hommes dire à la mère de la petite qu'elle fasse porter un peu de linge de rechange à sa fille. Qu'elle la donne à son mari quand il vient ici.

Il alla regarder dans l'œilleton de la cellule. Rosanna se tenait droite, le front appuyé au mur. Le sandwich était intact, le verre d'eau aussi. C'était un problème. Il appela Galluzzo.

— Écoute, elle t'a demandé à aller aux cabinets ?

— Non, *dottore*. C'est moi qui lui ai demandé si elle voulait y aller et elle m'a même pas répondu. *Dottore*, d'après moi…

— D'après toi ?

— D'après moi, elle fait un caprice…

— Un caprice ?

— Oh que oui, *dottore*. Elle a un corps de femme, sur le papier, elle est majeure, mais elle doit avoir la tête d'une minote.

— Une demeurée ?

— Oh que non, *dottore*. Une minote. Elle est en colère parce que vous l'avez empêchée de faire ce qu'elle avait en tête.

Une idée de fou à lier traversa l'esprit de Montalbano.

— Fais-moi entrer dans la cellule. Ensuite, ouvre la porte des cabinets et garde-la ouverte.

Il entra dans la cellule. Elle avait toujours le front appuyé au mur. Il se mit à côté d'elle et de toute la force de ses poumons, qu'on aurait dit un de ces sergents de marines qu'on voit dans les films méricains, il hurla :

— Aux cabinets ! Tout de suite !

Rosanna sursauta, se tourna, atterrée. Le commissaire lui donna une claque sur la nuque. La petite se porta une main à l'endroit frappé tandis que ses yeux se remplissaient de larmes. Elle gardait un avant-bras devant le visage, comme si elle attendait d'autres coups. Galluzzo avait vu juste : une minote. Mais le commissaire ne se laissa pas attendrir :

— Aux cabinets !

Pendant ce temps, la moitié du commissariat s'était précipitée pour voir ce qui se passait.

— Qu'est-ce qu'il fut ? Qui est-ce ?

— Allez-vous-en !   Allez-vous-en   tous !   hurla Montalbano qui se sentait les veines du cou au bord d'une explosion. Et toi, avance !

Comme une somnambule, la gamine bougea, passa le seuil de la cellule.

— Par là, dit vivement Galluzzo.

Rosanna entra dans le cabinet, ferma la porte. Le commissaire, qui n'y était jamais entré, jeta un coup d'œil interrogateur à Galluzzo.

— Pas de danger, dit l'agent. On peut pas s'enfermer de l'intérieur.

Au bout d'un moment, ils entendirent la chasse, la porte se rouvrit, Rosanna passa devant eux comme s'ils n'étaient pas là, entra dans la cellule, se remit face au mur. Face au mur. Une punition. Rosanna s'autopunissait.

— Beh, heureusement que vous avez réussi, commenta Galluzzo.

— Gallù, je peux quand même pas faire tout ce

ramdam chaque fois qu'elle doit aller aux toilettes, dit Montalbano, furieux.

Il avait répandu sur la table le contenu du sac à main de Rosanna et l'examinait. Une bourse de faux cuir qui contenait, replié plusieurs fois, un billet de dix mille lires, et puis trois billets de mille, cinq pièces de cinq cents, quatre de cent, une de cinquante.

Mais dans la bourse, il y avait aussi une chose qui n'avait rien à voir avec l'argent : un petit bout, de dix centimètres environ, d'élastique rose. Peut-être un échantillon à montrer à la mercerie.

Rosanna conservait les billets d'aller-retour de l'autobus Vigàta/Montelusa. Il y en avait six, ce qui signifiait qu'au minimum, la petite s'était postée six fois à l'entrée du tribunal.

La carte d'identité. Un flacon, vide, de vernis à ongles : des traces de liquide figé restaient encore à l'intérieur du bouchon.

Et une chose étrange : une enveloppe vierge servait à contenir le squelette d'une rose dont les pétales étaient tombés. Mais à y bien repenser, cette rose n'avait rien d'étrange, elle était dans une enveloppe mais aurait aussi bien pu se trouver entre les pages d'un livre, comme le font la plupart des gens. Sauf que Rosanna, ne possédant pas de livres, cette rose, certainement souvenir sentimental, elle l'avait glissée dans une enveloppe. Et elle l'emportait toujours avec elle. En conclusion, rien qui ne soit à sa place dans le sac d'une femme. Mais un instant, rien qu'un instant, un détail passa dans l'esprit de Montalbano, quelque chose qui rendait ces objets moins évidents. Il ne réussit pas, néanmoins, à comprendre ce qui l'avait frappé pendant la durée d'un éclair.

Il en fut mal à l'aise et nerveux.

Il était en train de ramasser les affaires de Rosanna

pour les mettre dans un tiroir, quand le standardiste apparut.

— Excusez-moi si je vous dérange, mais il y a là un monsieur qui dit être votre père.

— Bon, passe-le-moi.

— Il est là, en personne.

Son père? D'un coup, avec un sentiment de honte, il se rappela qu'il ne lui avait pas écrit pour lui raconter sa promotion et son transfert.

— Fais-le entrer.

Ils s'embrassèrent au milieu de la pièce avec une certaine émotion et un certain embarras. Son père était comme d'habitude élégamment vêtu et sa manière de bouger aussi était élégante. Tout le contraire de lui, souvent négligé. Ils ne s'étaient pas vus depuis au moins quatre mois.

— Comment t'as fait pour me trouver?

— J'ai lu dans le journal un article où on te souhaitait une espèce de bienvenue à Vigàta. Et alors, vu que je devais passer par ici, j'ai décidé de venir te dire bonjour. Je vais filer tout de suite.

— Je peux t'offrir quelque chose?

— Non, rien, merci.

— Comment ça va, papa?

— Je ne me plains pas. Dans quelques années, je pars à la retraite.

— Qu'est-ce que tu penses faire, après?

— Je m'associe avec un type qui a une petite exploitation agricole qui produit du vin.

— Et qu'est-ce que tu faisais dans le coin?

— Ce matin, je suis allé voir ta mère, faire nettoyer sa tombe. Aujourd'hui, c'est l'anniversaire, tu as oublié?

Oui, il avait oublié. De sa mère, il ne gardait qu'un souvenir de couleur, comme une brassée d'épis de blé mûr.

— Qu'est-ce que tu te rappelles de ta mère?

Montalbano hésita un instant.

— La couleur de ses cheveux.

— C'était une très belle couleur. Et rien d'autre ?

— Rien de rien.

— Tant mieux.

Montalbano s'étonna.

— Qu'est-ce que tu veux dire ?

Cette fois, ce fut son père qui hésita.

— Il y a eu, entre ta mère et moi… des incompréhensions, des discussions, des disputes… Tout par ma faute. Ta mère ne le méritait pas.

Montalbano se sentit embarrassé. Avec son père, il n'avait jamais eu beaucoup d'intimité.

— *Mi piacivanu assà i fimmini.*

« J'aimais les femmes », en dialecte. Le commissaire ne sut que dire.

— Tu t'occupes de quelque chose d'important ? demanda son père, dans l'intention évidente de changer de sujet.

Le commissaire lui en fut reconnaissant.

— Non, rien d'important. Mais il m'est arrivé une affaire curieuse…

Et il lui raconta l'histoire de Rosanna, en insistant surtout sur le caractère indéchiffrable de la petite.

— Je peux la voir ?

Cette demande, Montalbano, vraiment, ne s'y attendait pas.

— Mais tu sais pas, papa, je sais pas si c'est permis… bon, viens.

Il le précéda, jeta un coup d'œil d'abord par l'œilleton. La jeune fille était debout, dos au mur, le regard tourné vers la porte. Le commissaire laissa sa place à son père. Celui-ci la regarda longuement, puis il se tourna vers lui et dit :

— Pour moi, l'heure tourne, tu m'accompagnes à la voiture ?

Montalbano l'accompagna. Ils s'embrassèrent de bon cœur, sans plus d'embarras.

— Reviens vite, papa.

— Oui. Ah, Salvù, une chose : ne t'y fie pas.

— À qui ?

— À cette petite. Méfie-toi.

Il le regarda partir tandis que, par traîtrise, une vague de mélancolie le submergeait.

Gerlando Monaco, le père, se présenta au commissariat que le soir était déjà tombé, avec en main un sac de plastique contenant le rechange de Rosanna. À lui non plus on ne réussissait pas à donner un âge, il était tordu par la besogne, desséché, cuit comme une brique sortie du four mais, contrairement à sa femme, il semblait nerveux et inquiet.

— Pourquoi vous l'arrêtâtes, eh ? fut sa première question.

— Elle avait un revolver.

Gerlando Monaco blêmit, vacilla, le souffle coupé, il chercha d'une main un siège sur lequel il se laissa tomber lourdement.

— Madone bénie ! La ruine de ma maison, c'est, cette fille ! Un revolver ! Et *cu ci lu desi*, qui le lui donna ?

— C'est ce que nous voudrions savoir. Vous avez une idée ?

— Une idée ? Moi ?!

Son ébahissement était certainement sincère.

— Écoutez, vous m'expliquez pourquoi vous faites dormir votre fille dans une porcherie ?

Gerlando Monaco le prit mal, il prit une expression entre l'humiliation et la vexation, baissa les yeux vers le sol.

— Ça, murmura-t-il en dialecte, ce sont des affaires de famille qui ne vous regardent pas.

— Regarde-moi, dit fermement le commissaire, si tu ne me dis pas tout de suite ce que je veux, cette nuit, tu iras tenir compagnie à ta fille.

— Bon d'accord. Ma femme la veut plus à la maison.

— Pourquoi ?

165

— Elle s'était fait mettre pleine.

— Enceinte ? À quinze ans ? Et par qui ?

— *Nun lu sacciu*, je le sais pas. Et ma femme non plus. Elle l'a bourrée de coups, mais *iddra nun ci lu volli dire cu era statu*, elle a pas voulu nous le dire qui c'était.

— Et tu n'as pas quelques soupçons ?

— Mon cher *dottore*, répondit l'homme en dialecte, moi, je me lève le matin qu'il fait encore nuit et je rentre à la nuit, ma femme est toujours après les enfants les plus petits, celle-là, Rosanna, depuis qu'elle a dix ans, elle s'est mis à faire la bonne…

— Donc, elle n'est jamais allée à l'école ?

— Jamais. Elle sait ni lire ni écrire.

— Quel est le nom de la famille où votre fille travaille ?

— Comment ça, le nom ! répondit l'homme, toujours en dialecte. Elle a changé cent fois de famille ! Et il y a trois ans, la famille où elle faisait la bonne quand elle s'est fait mettre pleine, c'étaient deux vieux.

— Comment elle gagne sa vie, Rosanna ?

— Elle continue à faire la bonne quand elle peut. Souvent l'été quand les étrangers arrivent.

— Qui garde l'enfant de Rosanna ?

Gerlando Monaco lui lança un regard perplexe.

— Quel enfant ?

— Tu viens pas de me dire que Rosanna était enceinte ?

— Ah. Ma femme l'emmena chez une femme qui faisait la sage-femme. Mais il lui vint la chose… la comment ça s'appelle quand on perd le sang ?

— Une hémorragie.

— Oh que oui. On aurait dit qu'elle allait mourir. Et peut-être que c'était mieux, si elle était morte.

— Pourquoi vous l'avez fait avorter ?

— Mon cher *dottore*, réfléchissez. Ça suffisait pas une pute pour fille, il nous fallait en plus un bâtard comme petit-fils ?

Quand Gerlando Monaco sortit de la pièce, Montalbano ne parvint pas à se lever. Il éprouvait une douleur sourde au creux de l'estomac, comme si une main lui agrippait les viscères et les lui tordait. Domestique dès dix ans, analphabète, probablement violée à quinze ans, tabassée, avortée maladroitement, à moitié tuée par la violence subie, de nouveau domestique vivant dans une ancienne porcherie. Même la cellule devait lui paraître une chambre de grand hôtel. Alors, la demande était la suivante : est-ce qu'il pourrait passer par la tête d'un commissaire de libérer la jeune fille, de lui redonner le revolver et de lui dire de tirer sur qui elle voulait ?

Six

Il n'allait pas rester une journée entière sans manger simplement parce que le problème de Rosanna l'obsédait. À la trattoria de San Calogero, pour commencer, il s'envoya une quinzaine de différents hors-d'œuvre de la mer. Il n'aurait pas voulu, mais ils étaient tellement légers et exquis qu'ils semblaient se glisser dans sa bouche sans se faire voir. Comment résister, surtout si, à midi, il n'avait rien avalé ? Et là, il eut un coup de génie. Il fit signe à Calogero de s'approcher.

— Écoute, Calù. Maintenant, tu m'apportes un beau lieu. Mais en même temps, tu me fais préparer trois rougets à la livournaise. La sauce doit être abondante et très parfumée. J'insiste, hein ? Tu me les fais porter au commissariat une demi-heure après que je suis sorti d'ici. Envoie-moi aussi un peu de pain et une bouteille d'eau minérale. Couteau, fourchette, verre, assiette, tout en plastique.

— Jamais, monsieur.

— Pourquoi ?

— Les rougets à la livournaise, dans une assiette de plastique, ils perdent leur saveur.

De retour au commissariat semi-désert, il alla observer Rosanna par l'œilleton. Elle était assise sur la couchette,

168

les mains sur les genoux. Mais les yeux avaient perdu leur fixité, maintenant, la jeune fille était un peu plus détendue. Le sandwich était encore intact. L'eau du verre était imperceptiblement descendue, peut-être s'était-elle mouillé les lèvres qu'elle devait avoir desséchées.

Quand arriva le plat avec les rougets, le commissaire le fit poser sur la table de son bureau. Il se fit donner par le planton la clé de la cellule, prit un siège, ouvrit la porte, mit le siège juste devant la petite, sortit, laissant la porte ouverte. Elle ne bougeait pas.

Il revint avec l'assiette de rougets et la posa sur la chaise. Il sortit et revint avec le sac de plastique qu'il jeta sur la couchette :

— Ton père t'a apporté du linge de rechange.

Il sortit et revint avec un autre siège qu'il disposa à côté du premier. Maintenant, dans la cellule, il y avait un léger parfum de rougets à la livournaise. Il sortit et revint au bout de quelques instants avec l'eau, le pain et les couverts. L'odeur s'était intensifiée, une vraie provocation. Montalbano s'assit sur la chaise et dévisagea la petite. Puis il commença à préparer les rougets, mettant les têtes et les arêtes dans l'assiette qui avait servi de couvercle.

— Mange, dit-il à la fin.

La jeune fille ne bougea pas. Alors, le commissaire prit un petit bout de rouget avec la fourchette et, délicatement, l'appuya contre les lèvres fermées de Rosanna.

— *Ti civo io ?*

Ti civo io ? Je te nourris, moi ? Comme on fait avec les petits minots, parfois en accompagnant le geste d'une chansonnette.

— Maintenant, Rosanna qui est une fille sage, va manger tout le rouget à la nage.

Mais putain, comment lui étaient venues en tête ces paroles ? Heureusement que dans les parages, il n'y avait aucun de ses hommes, autrement ils auraient pensé qu'il avait perdu la boule.

Les lèvres de la petite s'ouvrirent juste ce qu'il fallait. Elle mastiqua, déglutit. Montalbano lui appuya sur les lèvres refermées un bout de pain trempé dans la sauce.

« Maintenant, Rosanna va manger le pain, et se fera passer la faim. »

Des vers ignobles, il en eut honte mais il n'était pas poète et en tout cas, ils atteignirent leur but. La petite mastiqua le pain et l'avala.

— Eau, dit-elle.

Le commissaire lui remplit un verre en plastique, le lui tendit.

— Tu te sens de manger seule ?

— Oui.

Montalbano lui fit une légère caresse sur les cheveux et sortit, laissant encore la porte ouverte.

Il avait eu la bonne idée ! La petite avait repris contact avec la vie. Et tôt ou tard, si on déployait beaucoup de patience et de délicatesse, elle se déciderait à raconter ce qu'elle voulait faire du revolver et surtout qui le lui avait donné. Il laissa passer une demi-heure puis revint dans la cellule. Rosanna avait tout mangé, l'assiette avait l'air lavée.

— Sers-toi du sac.

La jeune fille vida le sac de linge, y glissa les assiettes et les couverts. Elle garda la bouteille, à moitié vide, et le verre.

— Mets-y aussi le sandwich.

— *Pozzu iri 'o gabinettu ?* Je peux aller aux cabinets ?

— Vas-y.

Montalbano prit le sac, sortit du commissariat, alla le jeter dans une poubelle non loin de là. Il perdit encore du temps à se fumer une cigarette dans la nuit sereine. Il retrouva Rosanna de nouveau sagement assise sur la paillasse. Elle devait s'être bien lavée, elle sentait le savon. Elle avait aussi nettoyé ses sous-vêtements, et les avait étendus sur le dossier d'un des sièges. Maintenant,

elle avait un regard étrange, presque malicieux. Montalbano s'assit sur la chaise.

— Rosanna est un très beau nom.

— *Sulu 'a prima parti.*

— Seulement la première partie ? Tu n'aimes que la
première partie de ton nom ? Rosa ? Parce que c'est une
fleur ?

Il se rappela la rose effeuillée glissée dans une enveloppe et gardée dans le sac à main.

— Oh que non. Parce que c'est une couleur.

— Tu aimes les couleurs ?

— Oh que oui.

— Pourquoi ?

— Je sais pas pourquoi. Les couleurs me rappellent les
choses.

Il décida de changer de sujet, peut-être le bon moment
était-il arrivé.

— Tu veux dire où tu as pris le revolver ?

D'un coup, la petite se ferma. Elle releva les genoux
à la hauteur du menton, serra ses jambes entre ses bras.
Ses yeux recommencèrent à fixer le vide. Montalbano
comprit qu'il avait perdu. Perdu en partie, parce qu'un
premier contact, il avait réussi à l'établir.

— Bonne nuit.

Elle ne lui rendit pas son salut. Il prit la chaise libre
et la porta au-dehors. Ensuite, il ferma la porte à clé, en
faisant exprès beaucoup de bruit.

Il regarda par l'œilleton et eut une surprise : des yeux
de Rosanna tombaient de grosses larmes. Des larmes
silencieuses, sans sanglots, et pour cela encore plus déses-
pérées.

Il resta une heure sur la véranda, à se fumer cigarette
sur cigarette, ses pensées fixées sur Rosanna. Il allait se
coucher quand le téléphone sonna. C'était Mery.

— Qu'est-ce que t'en dirais que je vienne te voir vendredi ?

— Quel dommage ! Je suis convoqué à Palerme !

La menterie lui était venue toute seule, avant que la coucourde ait pu l'en empêcher. Le fait était qu'il voulait se vouer entièrement, sans distraction, à Rosanna. Mery parut déçue. Montalbano la consola en lui disant que peut-être, dans la semaine à venir, il pourrait faire un saut à Catane. Il dormit mal, vira et tourna.

Le lendemain matin, il venait juste de fermer la douche que, pour la première fois de sa vie, il lui arriva une chose étrange. Il eut l'impression que quelqu'un, caché quelque part, l'avait photographié au flash. Un éclair. Et juste comme il était en train de penser à une phrase de la petite : « Les couleurs me rappellent les choses », il fut pris d'une espèce de fièvre. Nu comme il était, il courut au téléphone. Il était sept heures du matin.

— Montalbano, je suis.

— Qu'est-ce qui fut, commissaire ?

La voix de Fazio était préoccupée.

— Tu connais des gens au tribunal de Montelusa ?

— Oui.

— Dès qu'il y ouvre, trouve-toi là-bas. Je veux la liste de tous les juges et de tous les magistrats du parquet. Tout de suite. Rien que les noms et les prénoms. Aussi bien du pénal que du civil. Dans un premier temps.

— Et dans un deuxième ?

— Si je me suis trompé, demain, tu y retournes et tu te fais donner la liste de tous ceux qui besognent au tribunal, même ceux qui nettoient les chiottes.

Et il se mit à traîner chez lui. Exprès. Il n'y serait pas arrivé, à attendre au commissariat que Fazio lui apporte la liste. Vers neuf heures et demie, il se décida à téléphoner.

— Oui, commissaire, Fazio vient d'arriver.

Il se précipita.

Il le trouva, le nom. Emanuele Rosato, « rosé » en italien… juge au tribunal civil. Il ouvrit le tiroir, en tira trois objets qui s'étaient trouvés dans le sac de Rosanna et les empocha. Puis il appela Fazio.

— Fais-toi donner la clé de la cellule et viens avec moi.

La petite était assise comme d'habitude. Elle semblait tranquille et reposée. Manifestement, d'être en prison lui faisait du bien. Elle les regarda d'abord sans curiosité, mais dut deviner tout de suite, d'après l'expression du commissaire, qu'il y avait du nouveau. Alors, elle fut prise d'une tension visible. Montalbano tira de sa poche le flacon de vernis à ongles rose et le jeta sur la paillasse. Puis le bout d'élastique rose. Ensuite, encore, la rose desséchée. Fazio n'y comprenait rien et regardait tantôt le commissaire, tantôt la gamine.

— Les couleurs me rappellent les choses, dit Montalbano.

Rosanna était tendue comme un arc.

— La première partie de ton prénom, ça te suffisait pas, pour te rappeler que tu devais tuer le juge Rosato ?

Prenant les deux hommes par surprise, la gamine bondit. Montalbano devina son intention et se protégea le visage avec les mains. Mais il tomba sur le dos, Rosanna sur lui. Et tandis que Fazio essayait de l'en débarrasser en agrippant la jeune fille aux épaules, le commissaire jouissait de cette fureur déchaînée, comme la terre desséchée jouit sous une violente averse, parce qu'il avait mis en plein dans le mille.

Comme c'eût été du temps perdu que de demander à Rosanna pourquoi elle en voulait à mort au juge Rosato, Montalbano décida tout de suite d'aller le trouver à Montelusa. Arrivé au tribunal, il fit la queue habituelle et quand il se retrouva devant le préposé aux informations, il lui demanda :

— Pardon, vous pouvez me dire où je pourrai trouver le juge Rosato ?

— Et vous venez me le demander à moi ? fut l'ahurissante réponse.

Montalbano sentit aussitôt les nerfs lui venir.

— Vous voulez faire le malin ? Je suis…

— Je ne veux pas faire le malin et peu m'importe qui vous êtes. Le juge Rosato, il me semble qu'il est au tribunal civil, ou non ?

— Oui.

— Et alors, allez le demander au tribunal civil.

— C'est pas ici ?

— C'est pas ici.

— Et où est-ce ?

— À la vieille caserne.

S'il lui demandait où était la vieille caserne, et que l'autre lui répondait encore avec cet air de se foutre de sa gueule, ça risquait de tourner vinaigre, à la castagne.

Il sortit et aperçut un garde municipal. La vieille caserne était près de la gare. Il s'y rendit à pied. À travers l'énorme porte, entraient et sortaient des centaines de personnes, on aurait dit une station de métro anglaise. Était-il possible que la moitié de ces gens fassent procès à l'autre moitié ? L'explication, le commissaire l'eut en lisant les plaques étincelantes sur les deux côtés de la porte : Tribunal civil, Office national des forêts, Société Dante Alighieri, Bureau des impôts locaux, Centre de conscription territoriale, Lycée Giosuè Carducci, Œuvre pie Francesco Rondolino, Administration des biens archéologiques, Bureau des réclamations et un très mystérieux Remboursements. Qui remboursait qui ? Et pourquoi ? Il entra, désespérant de jamais pouvoir rencontrer le juge Rosato. Mais il vit tout de suite un panneau disant que le tribunal, en prenant l'escalier A, était au deuxième étage. À la première personne qu'il rencontra, alors qu'il était encore dans l'escalier, il demanda où il pouvait trouver le juge.

— Deuxième porte à droite.

Il s'ouvrit un chemin dans la foule à coups de coude et se mit sur le seuil de la deuxième porte à droite, qui était ouverte. Il se vit perdu. Autrefois, ça avait dû être le réfectoire de la caserne ou une salle de va savoir quel exercice. Gigantesque. Tous les trois-quatre pas, il y avait une table sur laquelle s'entassaient des papiers et entourée de personnes hurlantes, on ne comprenait pas bien s'il s'agissait d'avocats, de plaideurs ou des damnés dans un des cercles de l'enfer dantesque. Les juges, on ne les voyait pas, ils étaient derrière les papiers ; au grand maximum, la moitié de la tête dépassait. Des dizaines, il y en avait, des tables comme ça. Que faire ? Montalbano se dirigea d'un pas militaire, vu qu'on était dans une caserne, vers le plus proche et, à voix assez haute pour se faire entendre dans ce tohu-bohu de marché aux poissons, il intima :

— Halte ! Police !

La seule chose à faire. Tout le monde se paralysa en le fixant et en se transformant en une espèce de groupe de statues hyperréaliste qu'on pouvait intituler « Au tribunal civil ».

— Je veux savoir où est le juge Rosato !

— Je suis là, dit une voix, pratiquement entre ses jambes.

Il avait eu un coup de chance.

— Vous désirez ? demanda le juge invisible derrière les papiers.

— Le commissaire Montalbano, je suis. Je voudrais vous parler.

— Maintenant ?

— Si possible.

— L'audience est renvoyée à une date ultérieure, dit la voix du juge.

Un chœur de blasphèmes, injures, jurons, prières s'éleva.

— Huit ans que ça dure comme ça !

— *Chista nun è giustizia !* C'est pas la justice, ça !

Mais le juge fut inébranlable, avocats et clients s'éloignèrent, hors d'eux.

Le magistrat, qui s'était à demi relevé, se rassit et, en conséquence, disparut définitivement de la vue de Montalbano.

— Je vous écoute.

— Écoutez, monsieur le Juge, je ne me sens pas de parler à des dossiers. On peut pas se voir ailleurs ?

— Et où ça ?

— Peut-être dans un bar à côté.

— Ils sont tous pleins d'avocats. Attendez, j'ai une idée.

Montalbano vit les mains du juge agripper chemises, formulaires, dossiers, paquets de feuilles ficelés et ranger le tout sur la table de manière à former une espèce de barricade, de tranchée.

— Prenez une chaise et venez derrière avec moi.

Le commissaire s'exécuta. En effet, personne n'aurait pu remarquer les deux hommes ainsi cachés. Leurs genoux se touchaient. Le juge Rosato déçut Montalbano. En venant, il s'était fabriqué une histoire dans laquelle le juge Rosato (grand, maigre, élégant, les tempes grisonnantes, long fume-cigarettes, un séducteur de roman-photos) avait, trois ans plus tôt, profité de la domestique Rosanna en la mettant pleine et celle-ci avait décidé de se venger. Oui, mais pourquoi attendre trois ans ? Le vrai juge Rosato, pas celui de la fantasmagorie commissarienne, était un plus que sexagénaire négligé, petit de taille, totalement chauve et avec des lunettes épaisses de deux doigts. Montalbano pensa que la seule chose, pour gagner du temps, était de recourir à la technique du bélier, de l'entrée en force.

— Nous avons arrêté une jeune fille qui vous cherchait pour vous tuer.

— Sainte Mère ! *A mia*, moi ?

Le juge sursauta sur son siège, provoquant un petit mais bruyant éboulement de dossiers du côté ouest de la tranchée. D'un coup, il s'était trempé de sueur. En tremblant, il retira ses lunettes embuées. Il voulait poser des questions, mais n'y parvenait pas. Sa bouche tremblait. Ce n'était pas un héros fait pour tenir la tranchée, le juge Rosato.

— Vous avez des fils ? lui demanda le commissaire.

Ça pouvait être une solution.

— Non. Deux fi… filles. Mi… lena est à Sondrio, elle est avocate. Giu… Giuliana, elle, elle est pédiatre à Turin.

— Depuis combien de temps êtes-vous au tribunal civil de Montelusa ?

— Depuis toujours, pratiquement.

— Où habitez-vous ?

— À Vigàta. Je viens avec ma voiture.

— Une certaine Rosanna Monaco a-t-elle jamais été bonne chez vous ?

— Jamais, dit promptement le juge.

— Comment faites-vous pour l'exclure sans y voir…

— Nous n'avons jamais eu de bonne. Ma femme les déteste sans raison.

Le juge s'était un peu repris, au point de se permettre une question.

— Cette… Rosanna Monaco est la jeune fille qui voulait me tuer ?

— Oui.

— Mais, Dieu du Ciel, elle en a donné la raison ?

— Non.

— Mais… elle me connaît.

— Je ne crois pas qu'elle vous ait jamais vu.

— Alors, quelqu'un a dû le lui dire !

— C'est ce que je pense aussi.

— Mais qui ?

Et le juge Rosato attaqua une litanie, espèce de résumé de son existence.

— Je n'ai jamais eu une dispute, une discussion, comme homme, j'aime être d'accord avec tout le monde, ma femme est une sainte femme à part quelques petites manies, mes filles m'aiment, mes gendres me respectent comme juge, j'ai toujours traité de petites causes civiles, j'ai essayé d'user d'équité et de bon sens, je n'ai jamais envoyé personne en prison, je suis sur le point de partir à la retraite après une vie de travail… et maintenant quelqu'un, je ne sais pourquoi, veut ma mort…

Montalbano le laissa en train de pleurer, désolé.

— *Dottore*, dit Fazio après que le commissaire lui eut raconté sa discussion avec le juge. Il y a du neuf. D'abord, la petite, après votre départ, comme elle s'était libérée de sa colère, elle se calma. À ma question de savoir pourquoi elle en avait tant après le juge Rosato, elle me répondit que le juge est un homme dégueulasse qui a envoyé quelqu'un en prison.

— Rosato n'a jamais envoyé personne en prison.

— Je le sais, *dottore*, vous venez de me le dire. Mais à Rosanna, quelqu'un a voulu le faire croire.

— Celui qui lui a donné le revolver.

Fazio tordit le nez.

— Et là est le tracassin, *dottore*.

— Explique-toi.

— Pendant que vous vous trouviez à Montelusa, on a téléphoné de la Questure. L'expert balistique dit, avec une certitude absolue, que l'arme qu'on lui a envoyée, c'est-à-dire le revolver de Rosanna, ne peut pas tirer. En apparence, elle peut tuer, en réalité, c'est une ferraille.

— Mais Rosanna ne le savait pas.

— Mais, d'après moi, celui qui lui a donné l'arme, en revanche, le savait. Rappelez-vous que le numéro de série est limé.

— Attends, que je comprenne, Fazio. Moi, je prends une petite, je la convaincs de tuer quelqu'un qui n'y est pour rien, quelqu'un pris au hasard et je lui mets en main un revolver qui ne tire pas ?

— Vous pensez que c'est la même personne qui a commandé le meurtre et qui lui a donné l'arme ?

— Admettons-le pour le moment. Pourquoi je fais ça ? Pour m'amuser aux dépens de Rosanna ? Ce n'est pas possible, c'est une plaisanterie trop dangereuse. Pour faire du ramdam ? Beaucoup de bruit pour rien ? Et à qui ça rapporterait quelque chose ? Un point, au moins, est certain : que pour comprendre quelque chose, nous avons besoin de savoir qui est la personne derrière la fille. Absolument. Si ce matin, elle t'a dit quelque chose, essaie d'en savoir davantage. Moi, je vais pas me montrer, mais toi, va la voir, mets-la en confiance, parle-lui.

— *Dottore*, vous savez qui c'est, Rosanna ? Une chatte. Une de celles que si t'es là à lui gratter la tête, elle ronronne et tout à coup, sans raison, elle te griffe la main.

— Je ne peux que te souhaiter bonne chance. Et il faut faire vite. Le temps passe et nous, on peut pas tenir en état d'arrestation la petite au-delà du délai autorisé par la loi. Ou on la libère, ou on prévient le procureur.

Vers cinq heures de l'après-midi, il reçut un coup de fil auquel il ne s'attendait pas.

— *Dottor* Montalbano ? Je suis le juge Emanuele Rosato.

— Juge, comment allez-vous ?

— Comment voulez-vous que j'aille ? Je me sens pris par les Turcs. En tous les cas, je voulais vous dire que je tiens un cahier où je note les procédures que j'ai diligentées et leur résultat. Je suis allé le regarder et ça m'a pris un peu de temps. Je crois avoir découvert quelque chose. Le nom de famille de la jeune fille est Monaco, n'est-ce pas ?

— Oui.

— Le père s'appelle Gerlando ?

— Oui.

— Il habite à Vigàta, au 37, via Fornace ?

— Oui.

Le juge poussa un long soupir.

— J'y comprends rien, merde, murmura-t-il.

Il s'aperçut qu'il avait dit un gros mot et commença à demander pardon. Puis il se décida à dire ce qu'il avait découvert.

— Un certain Tamburello Filippo qui possédait un bout de terre voisin de celui de Monaco Gerlando, en refaisant un mur à sec, l'a déplacé de quelques centimètres, pas grand-chose, mais vous savez comment sont ces paysans. Après des disputes interminables, Monaco lui a fait un procès. Et vous savez quoi ? J'ai résolu l'affaire en faveur de Monaco Gerlando. Et alors, vous m'expliquez pourquoi sa fille à lui a manifesté l'intention de me tuer ?

— Écoutez, monsieur le Juge, cette sentence favorable à Gerlando Monaco, elle remonte à quand ?

— À plus de quatre ans…

Le soir, tandis qu'il regardait la télévision, il lui arriva de voir le visage de ce journaliste qu'il avait rencontré au tribunal, Zito. Il disait des choses sensées et intelligentes. La station s'appelait Retelibera. Et alors, il lui vint à l'esprit de lui demander un coup de main. Il ne perdit pas de temps. Il chercha le numéro et, dès la fin du journal, l'appela.

— Le commissaire Montalbano, je suis. Je voudrais parler au journaliste Nicolò Zito.

On le lui passa tout de suite.

— Nous nous sommes connus au tribunal, commissaire, dit Zito. Je peux vous êtes utile ?

— Oui, dit Montalbano.

Sept

Le lendemain matin, qui était une journée de carte postale, il se leva tôt, se fit une très longue promenade au bord de la mer, se lava, se vêtit et à huit heures, il était déjà au commissariat.

— Comment elle a passé la nuit, Rosanna? demanda-t-il à Galluzzo.

— En compagnie, *dottore*.

— Qu'est-ce que ça veut dire, en compagnie? Elle a dormi avec quelqu'un?

— Elle a bavardé, *dottore*. Avec Fazio. Maintenant, elle dort dans la cellule et Fazio dans la pièce où il y a un lit de camp. Fazio a laissé la consigne qu'on le réveille dès que vous arriverez.

— Laisse-le dormir. Je te le dirai moi, quand il faudra le réveiller.

Le journaliste Nicolò Zito se présenta ponctuellement à huit heures et demie. Montalbano lui raconta l'affaire de Rosanna et Zito, qui était un limier de race, flaira la nouvelle.

— Qu'est-ce que je peux faire pour vous, commissaire?

Montalbano lui tendit la carte d'identité de la gamine.

— Vous devriez... on peut se tutoyer?

— Ça me ferait très plaisir.

— Tu devrais faire agrandir cette photo et la montrer aujourd'hui dans ton journal.

— Et qu'est-ce que je dis ?

— Tu devrais dire qu'il serait utile que les familles auprès desquelles Rosanna Monaco a travaillé ces quatre dernières années prennent contact avec nous pour information. Ajoute que nous serons extrêmement reconnaissants et extrêmement discrets.

— Bien. J'espère te faire ça dans le journal de midi.

Zito sorti, il dit à un agent d'aller réveiller Fazio. Lequel se précipita sans avoir seulement pris le temps de se coiffer.

— *Dottore*, cette histoire est compliquée.

Fazio paraissait troublé, il ne savait comment commencer.

— Écoute, Fazio, dis-moi tout de suite ce que tu ne sais pas comment me dire : c'est la meilleure façon.

— *Dottore*, ce matin à sept heures, après une nuit passée à bavarder, Rosanna a fondu en larmes en disant qu'elle n'en pouvait plus.

— Excuse-moi, juste pour la précision : pourquoi es-tu resté avec elle ?

— Elle me faisait peine.

— Bon, continue.

— Elle a eu une espèce de crise de nerfs. Elle s'est même évanouie. Et à un certain moment, elle m'a donné le nom de celui qui lui a ordonné de tuer le juge Rosato en lui remettant aussi l'arme.

— Et qui est-ce ?

— Son amant, *dottore*. Cusumano Giuseppe.

— Et qui est-ce ? répéta Montalbano, paumé.

— *Comu cu è*, comment ça, qui est-ce ? *Dottore*, mais vous avez été témoin de l'accident !

D'un coup, il se rappela. Le cacou qui avait donné un

coup de poing dans la figure du vieil automobiliste ! Le petit-fils adoré de don Sisìno Cuffaro.

Maintenant, il allait falloir marcher sur des œufs !

— Qu'est-ce qu'on fait, *dottore* ?

— Toi, qu'est-ce que tu aurais fait si Rosanna t'avait dit un nom quelconque et pas celui du petit-fils d'un mafieux du calibre de don Sisìno Cuffaro ?

— Je serais allé l'interpeller discrètement, je l'aurais emmené ici et je lui aurais posé quelques questions.

— Et alors, pourquoi tu perds ton temps ? Va le chercher. Attends. Tu penses que ça vaut la peine que j'aille parler avec la petite ?

— Bof. À vous de voir.

Il n'était absolument pas sûr que Rosanna serait aussi bien disposée envers lui qu'envers Fazio. Mais maintenant, avec le nom de Cusumano sur la table, la partie changeait, Montalbano ne pouvait se permettre la moindre erreur. Il sortit du commissariat, entra dans une boutique, acheta une robe de femme de coton, se la fit empaqueter, revint au commissariat, entra dans la cellule.

— Bonjour.

— Bonjour.

Elle avait répondu, elle était sortie de son mutisme. Bon signe ! Le commissaire la trouva d'une intense beauté, les yeux étaient maintenant pleins de vie, les lèvres d'un rouge feu n'avaient nul besoin de fard. Montalbano jeta le paquet sur la paillasse.

— C'est pour toi.

Elle essaya de défaire le nœud du ruban et, n'y parvenant pas, le coupa de ses dents tranchantes et très blanches comme celles d'un animal sauvage.

Elle ouvrit le paquet et vit la robe. Ses mouvements, d'abord presque fébriles, ralentirent beaucoup. Elle prit le vêtement, se leva, le colla sur son corps. Le commissaire eut un sursaut d'orgueil : il avait parfaitement deviné les mesures.

— Tu veux la mettre ? Je sors.

Il n'avait jamais connu de femme capable de ne pas se mettre tout de suite ce qu'on venait de lui offrir, d'une paire de boucles d'oreilles à une culotte.

— Oui.

Quand il revint, elle était debout au milieu de la pièce et se lissait la robe sur les flancs. Le voir, courir vers lui, l'embrasser en lui jetant les bras autour du cou, ce fut tout un.

« Elle se conduit vraiment comme une minote », pensa le commissaire en un éclair.

Juste un instant, parce que tout de suite après, il sentit le bassin de la jeune fille presser, adhérer, onduler très légèrement, tandis que l'étreinte autour de son cou se faisait plus forte et que la joue de Rosanna se collait à la sienne.

« Et ça, c'est pas un truc de minote », constata Montalbano, en se libérant à contrecœur de l'étreinte.

Il avait commencé à comprendre, ce bref contact physique avait été plus efficace que mille paroles. Elle était retournée s'asseoir sur la paillasse, penchée un peu en avant, elle contrôlait l'ourlet de la robe.

— Je dois te poser quelques questions.

— Allez-y.

— Quand est-ce que Cusumano... toi, comment tu l'appelles ?

— Pinu.

— Quand est-ce que Pino t'a dit de tuer le juge Rosato ?

— Il me l'a écrit une quinzaine de jours avant de sortir de prison.

— Tu es allée quelquefois le voir en prison ?

— Une seule fois. Avant non, on me laissait pas entrer

parce que j'étais mineure. Mais Pinu m'envoyait quand même des mots.

— Mais si tu sais pas lire !

— *Veru è*, c'est vrai. Mais celui qui m'amenait les billets me les lisait.

— Comment s'appelait celui qui te les amenait ?

— Je sais pas.

— Où sont-ils, ces billets ?

— Pinu voulait que je les brûle. Et moi, je les brûlais.

— Le revolver, quand est-ce qu'il te l'a donné ?

— Il me le fit porter par la même personne.

— Après que Pino est sorti de prison, vous vous êtes vus ?

— Pas encore.

— Et pourquoi ?

— Parce que d'abord, je devais tuer le juge.

— Pardon : si tu tuais le juge, toi, à Pino, tu l'aurais plus revu.

— Et pourquoi ?

— Parce qu'on t'aurait arrêtée. Et pour un meurtre, tu sais combien d'années de prison on prend ?

Elle rit d'un rire de gorge, en rejetant la tête en arrière.

— Moi, on m'arrêtait pas. Il y avait deux hommes de Pinu prêts à me sortir du tribunal dès que je tirais.

— Tu veux dire que pendant que tu tirais, deux hommes de Cusumano auraient fait diversion pour te permettre de t'enfuir ?

— Oh que oui, un truc comme ça.

— Tu sais quoi ?

Rosanna eut une très légère hésitation.

— *Ittavanu 'na bumma.*

Pas mal, une bombe dans la foule comme diversion.

— Et naturellement, toi, ces hommes, tu ne les connais pas.

— Oh que non…

Montalbano réfléchit quelques instants.

— Qu'est-ce que vous avez ? Vous êtes bloqué ? demanda la petite.

Elle avait pris goût au jeu des questions-réponses.

— Non, dit le commissaire, je ne me suis pas bloqué. Je réfléchissais. Admettons que tout ce que tu as raconté à Fazio et à moi soit vrai…

D'un coup, elle se redressa, tendue, les poings serrés le long de ses flancs.

— *Veru è ! Veru !* C'est vrai ! Vrai !

— Calme-toi. Je voulais savoir pourquoi tu es décidée à tout nous dire, et à mettre en cause ton amant.

— C'est un qui tient pas parole.

— Explique-toi.

— Il m'avait dit que si les flics me prenaient avant que je tire, je ferais même pas un jour de prison. Et en fait…

— Et en fait, il t'a oubliée.

Elle ne répondit pas, ses yeux étaient devenus très noirs.

— Il est trop occupé, ajouta Montalbano.

Elle dirigea la flamme noire de ses yeux vers les yeux du commissaire. Mais n'ouvrit pas la bouche.

— Trop occupé à profiter de l'épouse toute neuve dont il n'a pas pu profiter pendant trois ans.

Rosanna serrait si fort les poings qu'ils avaient blanchi.

— Et toi, il s'est arrangé pour que tu l'emmerdes plus grâce à cette connerie du meurtre du juge Rosato.

La petite était maintenant arrivée au point de rupture. Encore un demi-mot et quelque chose allait certainement arriver.

— Et la preuve qu'il voulait se foutre de toi est dans le fait que le revolver qu'il t'a fait porter ne pouvait pas tirer, il était cassé.

Il la vit expirer, ou plutôt l'entendit, car elle chassa hors d'elle une rumeur étrange, exactement comme quelqu'un qui reçoit un coup de poing dans le ventre. Elle ne savait pas que le revolver n'aurait jamais pu fonctionner. Et ce qui devait arriver arriva, mais ce n'était pas ce à quoi s'attendait le commissaire. Rosanna se leva, se pencha en avant, agrippa l'ourlet de la robe, l'enleva en la faisant passer par-dessus sa tête, la jeta aux pieds de Montalbano, et resta, très belle, une lame de lumière, en culotte et soutien-gorge.

— Reprends-toi *'u vistitu*, la robe. De toi, je ne veux rien.

Et elle commença à marcher sur lui. Lentement. Montalbano, littéralement, s'enfuit vers la porte, sortit, la ferma derrière lui. Une fois, au cirque, il avait vu un dompteur agir ainsi, avec un tigre qui s'était rebellé.

Peu après midi, Fazio se pointa.

— *Dottore*, information fiable. Cusumano Giuseppe n'est pas en ville. Il rentre ce soir tard ou demain matin tôt. Ne doutez pas que tôt ou tard, je le chope et je vous l'amène.

— J'en doute pas. J'ai besoin de faire un contrôle mais pas par la voie bureaucratique. Sinon, on va perdre un mois au strict minimum.

— Si je peux.

— Il s'agit de déterminer si une chose que m'a dite la petite est vraie. À savoir qu'une semaine avant que Cusumano soit remis en liberté, elle est allée le trouver en prison à Montelusa.

— *Dottore*, si elle y est allée, ça devrait apparaître sur le registre. Je vais passer un coup de fil.

Dix minutes n'étaient pas passées qu'il était de retour devant le commissaire.

— D'ici une heure, on me le dit.

— Écoute, on a un téléviseur ?

— Au commissariat ? Non. Mais le bar à côté en a un. On se le fait allumer, si vous voulez.

— Allons-y prendre un café.

Dans le bar il n'y avait absolument personne. Fazio, qui était là chez lui, comme du reste tous les hommes du commissariat, dit au barman d'allumer l'appareil et de le régler sur Retelibera. Le journal était en cours.

La routine : deux braquages dans des banques de la province, une maison de campagne brûlée, un *catàfero*, un cadavre, découvert dans un puits. Ensuite, il y eut l'interview d'un sous-secrétaire qui réussit à parler dix minutes sans qu'on comprenne de quoi il parlait. Après quoi surgit le visage de Rosanna Monaco et Fazio, qui n'était pas au courant, manqua faire tomber le café de sa tasse. Hors champ, Nicolò Zito répéta diligemment ce que lui avait dit le commissaire, à savoir que toute personne appartenant aux familles qui, ces quatre dernières années, avaient eu cette jeune fille pour bonne, etc., etc.

— Bonne idée, dit Fazio. Mais vous croyez que quelqu'un va se présenter ?

— J'en suis certain. Ceux qui n'ont rien à cacher le feront. Pour nous montrer combien ils sont respectueux de la loi. Ceux, en revanche, qui n'ont pas la conscience tranquille, feront semblant de ne pas avoir été au courant de notre demande. Mais nous réussirons quand même à connaître les noms de ceux qui n'ont pas voulu se manifester. Avec un peu de chance.

Avant d'aller manger, il donna des consignes précises à l'agent chargé du standard : si quelqu'un téléphonait pour la petite, il devait être invité à venir au commissariat à partir de quatre heures de l'après-midi. Mais si ce quelqu'un ne pouvait pas, qu'il laisse son numéro de téléphone.

Tandis que la saveur de la mer s'attardait dans sa bouche — les rougets étaient un miracle de fraîcheur —, il se fit une longue promenade sur le môle, jusqu'à ce qu'il arrive sous le phare.

Il avait la sensation déplaisante de se tromper sur toute la ligne mais ne réussissait pas à comprendre où était l'erreur.

À moins que l'erreur fût justement dans sa manière de conduire l'enquête : il se sentait comme quelqu'un qui fait la planche dans la mer et sent qu'un léger courant l'emporte. Et alors, inerte, à ce courant, il s'abandonna.

Quand il mit les pieds au commissariat, Fazio n'était pas là. En revanche, le standardiste l'informa que cinq personnes avaient téléphoné à propos de Monaco Rosanna. Sur les cinq, quatre allaient venir au bureau à partir de seize heures, toutes les demi-heures. La cinquième, en revanche, M. Trupiano Francesco, était empêchée par la grippe, il ne se sentait pas de sortir de chez lui mais M. le Commissaire, s'il le souhaitait, pouvait passer chez lui à n'importe quelle heure. Étant donné que le premier rendez-vous n'était prévu que dans une heure, et comme M. Trupiano n'habitait pas loin, Montalbano se décida à aller le trouver. M. Trupiano en personne vint lui ouvrir, un vieux sec comme un coup de trique, la casquette sur la tête, des gants de laine aux mains et un mantelet sur les épaules.

— Rentrez, rentrez.

Et tout en disant cela, il s'enfuit comme un lièvre vers une autre pièce.

— Les courants d'air ! Fermez la porte ! Les courants !

Il criait comme s'il allait être emporté par les courants du Golfe, ceux qu'on apprend à l'école. Montalbano ferma et le suivit dans un salon aux meubles noirs et lourds. Mais propre. M. Trupiano avait couru s'asseoir sur un fauteuil placé devant un téléviseur et s'était mis une couverture sur les jambes. Près de ses pieds, il y avait un brasero allumé, qui fumait. Le commissaire commença à transpirer, il espéra presque que ce type n'ait que dalle à lui raconter.

— Vous pouvez me dire quelque chose à propos de cette Rosanna Monaco ?

— Qu'est-ce que vous voulez savoir ?

— Tout ce que vous pouvez me dire.

— Vous, qu'est-ce que vous voulez savoir ?

— Tout ce que vous pouvez me dire.

— Et qu'est-ce je peux vous dire, moi ?

— Je ne sais pas ce que vous pouvez me dire, monsieur Trupiano. J'essaie de vous poser quelques questions, d'accord ?

— Très bien, mais moi, ça me concerne tout juste.

— Je n'ai pas compris.

— Vous voulez savoir chez qui Rosanna a fait la bonne depuis quatre ans, c'est ça ?

— Exactement.

— Donc, moi, ça me concerne pour les cinq premiers mois de ces quatre ans.

— Rosanna a travaillé chez vous seulement cinq mois, il y a quatre ans.

— Oh que non, Rosanna a besogné chez nous un an et cinq mois. Mais cette année-là, vous devez pas la compter, parce que sinon les années qui vous intéressent deviennent cinq. Je me trompe ?

— Vous faisiez quoi, le comptable, monsieur Trupiano ?

— L'horloger.

Ça expliquait bien des choses.

— Bon, parlons seulement de ces cinq mois qui entrent dans les quatre ans. Comment était-elle, Rosanna ?

— Gracieuse.

— Je ne veux pas savoir comment elle était physiquement, mais de caractère.

— *Che fici, morsi ?* Qu'est-ce qu'elle a fait, elle est morte ?

— Qui ?

— Rosanna.

— Non, elle est tout à fait vivante.

— Et alors, pourquoi vous dites « était, était » ?

— Vous voulez bien me répondre, s'il vous plaît ?

— Sage. De caractère sage. Elle besognait. Elle était

190

pas répondeuse. Ma femme, Dieu ait son âme, elle pouvait pas se plaindre.

— Vous êtes veuf ?

— Depuis deux ans.

— Quels horaires faisait Rosanna ?

— Elle venait à huit heures du matin et s'en allait à six heures du soir.

— Donc, en résumé, une excellente jeune fille.

— Pendant un an et quatre mois.

Montalbano, qui s'assoupissait à cause de la chaleur qui l'envahissait rien qu'à voir Trupiano couvert de cette manière ou peut-être à cause d'un début d'asphyxie dû aux exhalaisons du brasero, ne releva pas d'abord que ça ne faisait pas le compte.

— Merci, dit-il en commençant à se lever.

Mais il s'immobilisa, les fesses en l'air.

— Pardon, vous avez dit quoi ?

— Je dis que c'était une brave petite pendant un an et quatre mois.

— Et le dernier mois, en revanche ? demanda le commissaire en tendant l'oreille et en se rasseyant.

— Pendant le dernier mois, elle changea.

— En quel sens ?

— Dans le sens qu'elle devint nerveuse, répondeuse, le matin, elle arrivait tard et n'avait pas envie de besogner. Puis, un jour, elle ne vint plus. Au bout de quelque temps, se présenta sa mère qui voulait savoir des choses sur sa fille, mais moi j'y dis rien.

— Pourquoi ne lui avez-vous rien dit ?

— Parce qu'elle était grossière et gueularde.

— Vous pouvez me dire à moi ce que vous n'avez pas dit à la mère de Rosanna ?

— Bien sûr. Des coups de fil, il y eut.

— Des coups de fil passés d'ici ?

— Par moi ?

— Non, par elle, Rosanna.

191

— Oh que non, la petite les faisait pas, elle les recevait. Chaque jour, vers cinq heures et demie, c'est-à-dire une demi-heure avant que Rosanna finisse de besogner, on l'appelait au téléphone. Et elle se précipitait à répondre comme si elle avait eu le feu, sauf votre respect, au cul.

— Donc, vous n'avez pas eu l'occasion de savoir qui était…

— Vous voyez, quelquefois, Rosanna n'a pas réussi à répondre à temps et alors, ce fut ma femme ou moi qui répondit. C'était la voix d'un jeune, toujours le même.

— Il n'a jamais dit son nom ?

— Il le disait toujours : je suis Pinu…

— Cusumano ! cria le commissaire tandis qu'il entendait éclater en lui une espèce de marche triomphale du genre *Aïda*.

M. Trupiano fit un saut sur son fauteuil, s'effraya.

— Sainte Mère ! Qu'est-ce qui fut ? Pourquoi vous criez ?

— Rien, rien, dit Montalbano. Calmez-vous.

— Calmez-vous, vous, vosseigneurie, rétorqua le vieux, irrité.

— Donc, ce Pinu Cusumano téléphonait…

— Mais quoi Cusumano, où vous allez chercher ça ! Mon cul, Cusumano ! Pinu Dibetta, il s'appelait !

Rapidement, le grand orchestre qui jouait à l'intérieur du commissaire changea de répertoire et attaqua un requiem.

— Vous êtes tout à fait sûr ?

— Mais sûr que je suis sûr ! J'ai presque quatre-vingts ans mais j'ai encore la tête qui fonctionne !

— Une dernière question, monsieur Trupiano. Vous possédez des armes ?

— Blanches ou à feu ?

La précision de l'horloger.

— À feu.

— Un fusil de chasse. Avant, j'aimais ça, la chasse.

192

— M. Corso, le premier de la liste, est arrivé depuis une dizaine de minutes, l'avertit le planton.

— Fazio est là ?

— On l'a pas encore vu.

— Appelle-moi Gallo.

Gallo se présenta en hâte.

— Tu es de Vigàta, pas vrai ?

— Oui.

— Tu connais un certain Pino Dibetta ?

Gallo sourit.

— Bien sûr.

— Pourquoi tu souris ?

— Parce que c'est un ami de mon petit frère. Il est chez moi. Ils besognent tous les deux chez Montecatini.

— Alors, écoute : dis-lui que d'ici deux heures, je voudrais le voir. Et maintenant, faites entrer M. Corso.

Huit

M. Corso avait un magasin d'alimentation. Rosanna,
d'après ce que lui rapportait son épouse, étant donné
que lui, y se crevait le cul dans sa boutique du matin au
soir, était une brave petite. Ils l'avaient toujours déclarée.
Non, sa femme ne lui avait parlé de personne qui appelait
Rosanna au téléphone. La jeune fille n'était pas partie
d'elle-même, c'était sa femme qui lui avait dit de plus
venir vu qu'il y avait une de leurs nièces qui était dans
le besoin et eux avaient décidé de l'aider en la prenant
comme bonne. Non, à la nièce, ils lui donnaient pas de
paye, juste à manger et à dormir. Oh que non, monsieur,
il n'avait pas d'armes à la maison. On pouvait savoir
pourquoi il demandait des informations sur la petite ? Ah
non ? Bien le bonjour et merci quand même.

Mme Pimpigallo Concetta née Currò, sexagénaire et
veuve d'Arturo Concetta, ex-comptable de la Coopérative
horto-fruticole, se présenta accompagnée de sa fille
Sarina, quinquagénaire et apparemment muette puis-
qu'elle n'ouvrit pas la bouche. Elle déclara que sur
Rosanna, elle n'avait vraiment rien à dire. S'il fallait
vraiment chercher la petite bête, quelquefois, elle arrivait
un peu en retard, mais une histoire de rien, au maximum
cinq minutes. Elle le lui faisait noter en lui montrant

194

la pendule du salon — « une horloge suisse, mon cher commissaire, que comme ça, on n'en fabrique plus, elle marque les secondes ! » — et elle lui retirait les cinq minutes de la paie. Pourquoi Rosanna était partie ? La petite a raconté qu'elle avait rencontré au marché cette grosse bordille de Mme Siracusa, laquelle lui avait proposé de passer à son service en la payant plus. Voilà tout. Pourquoi Mme Siracusa était une grosse bordille ? M. le Commissaire ne l'avait pas rencontrée ? Non ? Quand il la rencontrerait, il était prié de donner un coup de fil à la veuve Pimpigallo et alors, ils pourraient en parler. Non, pour Rosanna, personne téléphonait. Des armes ?! À la maison ? Jamais de la vie, Seigneur ! On pouvait savoir pour quel motif la police… Non ? Tant pis.

M. Nicolosi Giacomo était un quadragénaire nerveux et grossier. Il déclara qu'étant donné qu'il besognait en Allemagne, lui, il n'avait pas eu l'occasion de connaître personnellement la petite. Elle avait été à leur service huit mois durant lesquels il n'avait pas pu mettre les pieds en Italie, sa femme l'avait voulue parce qu'à la maison elle gardait deux enfants petits et les beaux-parents septuagénaires. Sa femme lui avait dit de déclarer que Rosanna Monaco avait toujours bien besogné et qu'elle avait voulu s'en aller de sa propre volonté. Ils n'avaient pas d'armes à la maison. Pourquoi c'était lui qui était venu au commissariat et pas sa femme qui en savait beaucoup plus que lui ? Parce que jamais au grand jamais, il aurait permis que sa dame se présentasse au commissariat comme une putasse quelconque.

Mme Filippazzo Concita monologua à contre-courant.

— Que Rosanna était une grande radasse, moi, je m'en aperçus tout de suite. J'ai l'œil, moi. Oh que non, les affaires de la maison, nettoyer, laver par terre, faire la cuisine, repasser, rien à dire. Mais une radasse, c'était. D'abord, le dimanche elle allait pas à la messe et elle communiait pas non plus. Ensuite, suffisait de voir comme elle se faisait regarder par mon mari et mon fils. Sûr, c'étaient eux qui la regardaient mais celle-là, Rosanna, elle se faisait regarder. Une fois, monsieur le Commissaire, j'entrai dans la cuisine que mon mari s'était fait faire un café. Vous savez quoi ? *Me' maritu*, mon mari, d'une main, il tenait la tasse, et de l'autre, il caressait le cul de la petite. Oh que non, moi, je fis pas de bordel, mon mari il est fait comme ça, il caresserait même le cul à une rascasse. Mais l'histoire, quelques mois plus tard, elle devint plus grave. Moi j'ai un fils, Gasparinu, qui à l'époque avait dix-huit ans. Une fois que Rosanna était en train de refaire le lit dans la chambre de Gasparinu, moi, je vis la petite penchée en avant et derrière elle mon fils qui lui caressait le cul. Alors, là, moi je pose la question : la petite, elle avait le cul fait de miel pour que toutes les mains, elles y restent collées ? Après ça, je la jetai dehors comme une grande radasse. Oh que non, quand elle était chez nous autres, personne lui téléphona. Des armes ?! Mais ça va pas !

— Pourquoi avez-vous demandé s'ils avaient des armes chez eux ? demanda Fazio qui était arrivé un peu après que M. Nicolosi avait commencé sa déposition et qui était resté jusqu'à la fin.

— Rosanna m'a dit que l'arme, c'était Cusumano qui la lui avait fait porter par le type dont elle n'a pas voulu me donner le nom. Et si ça ne s'était pas passé comme ça ? Si ça avait été elle qui avait volé l'arme dans une des maisons où elle a été en service ? Et puis qu'elle l'ait dit à Pino ensuite pour lui montrer sa disponibilité ? Au fond, ça ne change rien mais sa position s'aggraverait.

— Tout le monde s'est présenté ?

— Il manque une famille.

— Vous m'expliquez comment vous avez fait pour le savoir ?

— En mettant les dates les unes à la suite des autres. Rosanna, ces derniers quatre ans, a besogné, dans l'ordre, chez Trupiano, Filippazzo, Nicolosi, Corso et Pimpigallo.

Entre l'une et l'autre de ces familles, il y a de petits laps de temps, le plus long est entre Trupiano et Filippazzo. Et ça s'explique par l'avortement et ses conséquences. Manquent les onze derniers mois, ils ne sont pas couverts. Mais Mme Pimpigallo a déclaré que Rosanna lui avait dit qu'elle irait au service de Mme Siracusa parce qu'elle lui offrait plus. Mais aucune Siracusa ne s'est présentée. Tu connais ces gens ?

— Oh que non, *dottore*. Mais je peux m'informer.

— Fais-le tout de suite. Où as-tu été cet après-midi ?

— Moi, cette histoire que Pinu Cusumano est introuvable me pue au nez. J'ai demandé. J'ai réussi à avoir la confirmation qu'il n'est vraiment pas dans le coin. Plus que ça, je sais pas. Ah, *dottore*, j'ai failli l'oublier. De la prison de Montelusa, j'ai eu la confirmation que Rosanna est allée trouver Cusumano trois jours avant sa remise en liberté.

— Mais il ne faut pas faire une demande écrite ?

— Bien sûr, elle l'avait faite un mois plus tôt.

— Mais elle ne sait pas écrire ! Comment elle l'a signée ?

— Un type a signé par garantie.

— Et comment s'appelle ce type ?

— Signature illisible, *dottò*.

Fazio sorti, au bout de quelques instants, Gallo entra.

— *Dottore*, je vous ai amené Pino Dibetta. Je dois assister moi aussi à l'interrogatoire ?

— Si tu veux.

— Je préfère pas. On est trop amis, je veux pas l'embarrasser.

Pino Dibetta avait à peine plus de vingt ans. Un jeune plutôt grand, élégant de nature et un peu inquiet d'avoir été convoqué au commissariat.

— À votre disposition, dit-il en obéissant à l'invitation de Montalbano de s'asseoir.

— Écoute, attaqua Montalbano, tu ne sais rien de…

— Non, rien, rétorqua promptement l'autre.

Et il se mordit les lèvres, conscient d'avoir fait une bêtise. Il continua, pour se justifier :

— Moi, j'ai rien à voir avec l'histoire des pneus crevés de la voiture du chef d'atelier.

— Mais moi, je m'en contrefous de la voiture du chef d'atelier !

— Vraiment ?

— Vraiment.

— Et alors, pourquoi vous m'avez fait venir ?

— Pour une histoire d'il y a quelques années. Qui te concerne toi, et une petite qui s'appelle Rosanna Monaco.

— Qu'est-ce qui s'est passé ?

— Non, c'est moi qui te demande ce qui s'est passé.

— Commissaire, je l'ai connue au marché, à l'époque j'aidais un de mes oncles qui avait un étal de fruits et légumes. Elle me plut. Et moi aussi, à elle. Elle m'a dit qu'elle besognait dans une famille… là, je me rappelle pas…

— Trupiano.

— Voilà, oui. Elle m'a donné son numéro de téléphone qu'elle avait appris par cœur, elle savait ni lire ni écrire. Et comme ça, j'ai commencé à l'appeler.

— Et quand elle avait fini de travailler, vous vous voyiez.

— Oh que oui.

— Où alliez-vous ?

— En pleine campagne. Mais on pouvait pas rester longtemps, elle voulait rentrer vite chez elle.

— Qu'est-ce qui s'est passé entre vous ?

— En quel sens ?

— Dans le sens que tu as très bien compris.

— Des trucs de gamins, des bises, des tripotages… rien de plus.

— Elle ne voulait pas ?

Pino Dibetta rougit.

— Commissaire, Rosanna avait pas quinze ans mais c'était une femme faite, une belle femme, mais...

— Mais ?

— Elle avait la tête... elle raisonnait comme une minote de cinq ans. Moi j'avais peur des conséquences, elle était capable de raconter à tout le monde que nous deux, on ait fait la chose...

— Et tu l'as quittée.

— Oh que non, commissaire, moi, je voulais pas la quitter.

— Et alors ?

— Une nuit, comme je rentrais chez moi, j'ai été pris en traître par deux types que j'ai pas pu voir, ils étaient masqués. Ils m'ont mis la tête dans un sac et y m'ont massacré de coups. Ils m'ont cassé trois côtes et deux dents. *Taliasse ccà*, regardez là, cette cicatrice sur le front : sept points, j'ai eu. Avant de me laisser à terre, un des types me dit : « Et oublie-toi Rosanna Monaco. »

— Et toi ?

— Quand je fus en état de ressortir, je téléphonai au numéro des Trupiano. Mais quelqu'un me répondit que Rosanna ne besognait plus chez eux et qu'ils ne savaient pas où elle était allée. Rosanna, je la revis par hasard sept mois plus tard. Mais elle avait beaucoup changé, elle était toute maigre...

— Qui tu crois qui t'a agressé ?

— D'abord, j'ai pensé que c'étaient les deux frères de Rosanna. Mais ensuite, je me demandai quelle raison ils avaient... et y z'avaient pas non plus besoin de se masquer pour que je les reconnaisse pas... et j'ai pensé aussi que les deux frères, c'était pas le genre de chose qu'ils auraient fait... ils pouvaient me parler, s'ils avaient quelque chose contre le fait qu'on se fréquente...

— Alors, si ce n'étaient pas les deux frères, d'après toi, qui était-ce ?

— Bah !

— Était-il possible que Rosanna, pendant qu'elle sortait avec toi, avait un autre homme ? Peut-être un amant, un homme marié qui…

— Rosanna, vierge, elle était. À me demander qui c'est qui m'a démoli de coups, j'y ai passé des nuits blanches. Mais j'ai abouti à rien.

Il n'y avait rien d'autre à dire. Le commissaire se leva, le jeune aussi.

Montalbano lui tendit la main, l'autre fit de même. Mais quand les deux mains se serrèrent, le commissaire ne lâcha pas la prise.

— C'est toi qui as crevé les pneus du chef d'atelier, pas vrai ?

L'autre le fixa. Ils se sourirent.

— *Dottore*, dit Fazio, la mine inquiète, à propos de la petite il faut peut-être prendre une décision.

— Pourquoi ?

— Comment, pourquoi ? Ça va pas tarder à être de la séquestration de personne ! Personne, ni un juge, ni le Questeur, ne sait que nous la gardons au commissariat.

— Personne ne va venir la demander.

— Avec tout le respect qui vous est dû, *dottore*, c'est pas une bonne raison.

— D'après toi, qu'est-ce qu'il faut faire ?

— *Dottore*, elle en avait un de revolver, dans son sac, oui ou non ? Elle nous a dit qu'elle avait l'intention de tuer un juge, oui ou non ? Oui. Et alors ? Procédons selon les règles et…

— … et on coincera jamais Cusumano. Et même, on lui rend service, on fait en sorte que Rosanna lui lâche la grappe. Il n'y a pas de point de contact entre eux. Cusumano a très bien joué.

— Et la visite qu'elle a faite en prison ?

— Tu le sais, toi, ce qu'ils se sont dit ?

— Non.

— Quoi que Rosanna dise de cette rencontre, Cusumano le démentira. Et il n'y aura pas moyen de démontrer qu'il ment. Bref, Fazio, j'ai besoin de garder la petite sous mon contrôle pour quelques jours encore.

— *Dottore*, faites attention, vous jouez votre carrière.

— Je sais. Et c'est pour ça qu'il m'est venu une pensée. Tu es marié, pas vrai ?

— Oh que oui.

— Tu n'as pas besoin d'une bonne chez toi ? Je la paierai de ma poche.

Fazio écarquilla les yeux.

— Mais tu dois pas la laisser sortir. Personne ne doit le savoir. Emmène-la ce soir même.

On lui avait dit que du côté de Racalmuto, il y avait un restaurant presque caché dans un coin perdu, mais où on mangeait suivant les commandements du *Signuruzzu*, du Petit Seigneur, et on lui avait même expliqué comment y arriver. Mais il ne se rappelait pas le nom du bon Samaritain. Il se décida. Il prit sa voiture et partit. De Vigàta à Racalmuto, il y avait trois quarts d'heure de route, en prenant celle qui passait sous les temples et allait vers Caltanissetta. Mais le commissaire mit une heure et demie parce qu'il se trompa deux fois de route. Le restaurant s'appelait Chez Peppino et était situé dans un endroit complètement retiré au milieu des amandiers. C'était une vaste pièce avec une bonne dizaine de tables presque toutes occupées. Le commissaire choisit celle près de l'entrée.

Tandis qu'il s'envoyait le premier plat, *cavatuna*[1] à la sauce de cochon au pecorino, deux hommes, qui étaient assis non loin de là, payèrent, se levèrent et sortirent. Quand ils lui passèrent devant, Montalbano eut l'im-

1. En italien, *cavatoni* : genre de macaronis. *(N.d.T.)*

pression de reconnaître l'un d'eux, le plus gros. L'œil du flic est ainsi fait : il photographie et archive dans la coucourde. Mais cette fois, il ne vint à l'esprit du commissaire que l'idée d'avoir déjà vu ce type quelque part. Comme second plat, il mangea des saucisses grillées. Mais ce qui le fit délirer, ce furent les biscuits de l'endroit, simples, très légers et recouverts de sucre. Des *taralli*. Il s'en mangea à en avoir honte. Puis il sortit et remonta en voiture pour rentrer à Vigàta. La nuit était sombre. Avant de quitter le chemin de terre pour entrer sur la nationale, il marqua un arrêt, à cause de la circulation. À un moment, il aperçut un espace étroit où s'insérer et repartit brusquement, accélérant. À cet instant précis, il entendit une espèce de détonation et tout de suite après, la voiture fit une embardée, se mit à tourner sur elle-même.

Montalbano se vit perdu, aveuglé par les phares des voitures qui venaient en sens inverse et tout de suite après par celles qui allaient dans son sens. Tête-à-queue. Complètement trempé de sueur, il leva les bras, laissant sa voiture faire ce qu'elle avait en tête de faire, tandis que devant et derrière lui se déchaînait un barouf de coups de freins, klaxons, cris, hurlements, jurons. La voiture eut envie de tourner à gauche et elle alla s'enfoncer dans un fossé au bord de la route. Fin de la course. À Montalbano, les *taralli* étaient remontés du ventre à la gorge et maintenant, ils restaient là, en attente de redescendre ou d'être rejetés au-dehors. Deux ou trois personnes coururent vers la voiture, ouvrirent la portière.

— Vous vous êtes fait mal ?

— Sainte Marie, quelle frousse vous nous avez flanquée !

— Mais qu'est-ce qui fut, hein ?

— Merci, merci, dit le commissaire. J'ai dû crever un pneu.

Il profita de la courtoisie d'un type qui, avec son épouse et cinq minots très bruyants, se dirigeait vers

Vigàta. Au commissariat, il fit téléphoner à Fazio et à Gallo pour qu'ils viennent immédiatement. Avec la voiture de service conduite par Gallo, il revint sur les lieux de l'accident. Fazio se baissa, observa une roue à la lueur d'une torche.

— D'après moi, on vous a tiré dessus, dit-il, le visage sombre.

— D'après moi aussi, dit Montalbano.

— Qui le savait, que vous alliez manger à Racalmuto ?

— Personne.

Ils changèrent la roue, poussèrent la voiture hors du fossé et rentrèrent à Vigàta. Ils examinèrent le pneu éclaté. Il ne fut pas nécessaire de l'étudier longuement. Ils récupérèrent tout de suite un projectile de calibre 7.65. Et tandis que Fazio besognait à le récupérer, le commissaire revit mentalement le restaurant. Et dans sa tête commença une espèce de cinématographe, la projection d'un film. La scène représentait la grande salle. C'était un plan-séquence. Les clients qui mangeaient. Le patron qui apportait une bouteille de vin. Il avait à peine fini de commander le premier plat et pendant que le garçon s'éloignait vers la cuisine, d'une table où étaient assises plusieurs personnes se levait le plus gros, il allait au téléphone accroché au mur, glissait un jeton, faisait un numéro, parlait peu et à voix basse, riait, raccrochait, retournait s'asseoir. Fondu-enchaîné, la même scène revient, mais le patron est absent, le garçon apporte quatre assiettes, il manque un jeune couple qui était assis auparavant à la table près de la porte de la cuisine. Lui, il est en train de finir les *cavatuna*, les deux hommes se lèvent et se dirigent vers la porte, lui passent devant. Et là, il note que le gros, il lui semble l'avoir déjà vu. La caméra zoome sur son visage, met en évidence une tache de vin bleuâtre qui va du nez à l'oreille. Maintenant, la scène change d'un coup. La place de Vigàta devant la mairie.

Un garde municipal parle à deux chiens errants. Arrive une voiture très lente qui est dépassée par une puissante auto sportive. Les deux autos s'éraflent, s'arrêtent. Un vieux descend de la voiture lente, de l'autre un cacou qui lui donne un coup de poing. De l'auto sportive sort un homme gros, qui agrippe le jeune marlou, le tire vers son auto. La caméra zoome de nouveau sur le visage : une tache de vin bleuâtre lui part du nez et lui arrive à l'oreille. Lumière dans la salle et lumière sous le crâne du commissaire.

— Écoute, Fazio, tu le connais, un gros qui a une tache de vin sur le visage et qui doit être dans le racket de Pino Cusumano ?

— Pour sûr, *dottore* ! Ninì Brucculeri, un repris de justice, une espèce d'homme de confiance.

— Tu sais où il habite ?

— Ici à Vigàta.

— Bien. Prends-toi les hommes dont tu as besoin et amène-le-moi. Il doit avoir une arme. C'est important, saisis-la.

— *Dottore*, je vous ferai remarquer que nous n'avons aucun mandat.

— Je m'en contrefous. Si on le bat sur les délais, il va rester tellement surpris d'avoir été identifié en moins de deux qu'il craquera.

— Mais pourquoi Brucculeri aurait voulu vous tuer ?

— Tu te trompes, il n'a pas voulu me tuer. Il voulait me donner un avertissement. C'est un hasard. Je suis entré au restaurant où il était déjà. Alors, il a téléphoné à Cusumano pour l'informer. Et l'autre a dû lui dire de me flanquer une belle frousse.

— Oui, mais quel est le but de Cusumano ?

— Pardon, Fazio, mais toi, tu es pas en train de le chercher ? Il a dû être averti de notre intérêt et il a voulu prendre les devants.

— Mais vous êtes sûr, *dottore* ? Parce que moi, j'ai agi

avec prudence, j'ai demandé, oui, mais à des personnes que je considérais…

— Crois-moi. Il n'y a pas d'autres explications. Réfléchis. Cusumano, à cette heure, sait sûrement que nous avons arrêté Rosanna. Tu es d'accord ?

— Oh que oui.

— Après tu t'en vas poser des questions sur Cusumano à droite et à gauche. Et ça, qu'est-ce que ça signifie ? Ça signifie que Rosanna a parlé, qu'elle nous a dit que Cusumano voulait qu'elle tue le juge Rosato. Et donc, il file aux abris. C'est comme s'il m'avait envoyé une lettre : « Fais attention à ce que tu vas faire, maintenant. » Tu sais quoi ?

— Oh que non.

— Cusumano est peut-être bien fils et petit-fils de mafieux, mafieux lui-même, mais c'est surtout une vraie tête de nœud.

La tache de vin sur le visage de Ninì Brucculeri virait maintenant au vert. Le gros homme tremblait de fureur contenue.

— Je peux savoir, demanda-t-il en dialecte, pourquoi on m'a réveillé à quatre heures du matin comme un délinquant ? Ma femme a failli avoir une attaque.

— Parce que vous en êtes un, de délinquant, dit Fazio qui se tenait à son côté.

Montalbano, assis derrière le bureau, leva une main en signe de paix.

Il avait décidé de déconner un peu, ça lui arrivait parfois quand il était confronté à des personnes arrogantes.

— Monsieur Brucculeri, je voulais avoir de vous deux informations très simples. La première est celle-ci : vous, hier soir, vous avez dîné au restaurant Da Peppino à Racalmuto ?

— Oh que oui, monsieur. Pourquoi, c'est un délit ?

— Non. D'autant moins que j'y ai dîné moi aussi.

— Ah, vous y étiez aussi ?

L'intonation sonna faux. Très mauvais comédien, Ninì Brucculeri.

— Oui. Voilà, je voulais vous demander ce que vous avez mangé en premier.

Brucculeri s'attendait à tout sauf à cette question. Un instant, il en perdit la mémoire. Se pouvait-il qu'on l'arrête et le conduise au commissariat pour répondre à une connerie pareille ?

— Des... des *cavatuna* à la sauce au cochon.

— Moi aussi. La question est la suivante : c'était trop salé, ou pas ?

— À moi, elle m'a parue bonne.

— Bien. Je vous remercie. La deuxième question est la suivante : vous êtes pour l'Inter ou pour la Juve ?

Brucculeri se vit perdu. « Gaffe », pensa-t-il, « gaffe, ça, c'est un vrai piège, si je réponds d'une manière ou d'une autre, je suis foutu. »

— Je m'intéresse pas au foot.

— Bien. Vous avez tiré un coup de feu, récemment ?

— Non. Oui. Non, non. Oui.

— Il en avait une, d'arme ? demanda Montalbano à Fazio.

— Oh que oui. Un Beretta 7.65. Et il manque une balle au chargeur.

— Ah, fit Montalbano, neutre.

Il fixa Brucculeri et demanda :

— Vous, naturellement, vous avez le port d'arme ?

— Non.

La sueur du gros lui trempait maintenant les chaussures.

— Ah, fit Montalbano, tellement neutre qu'on aurait dit la Suisse.

— Le projectile que nous avons récupéré dans la roue, tu l'as, toi, pas vrai ?

— Oh que oui, répondit Fazio.

206

— Ce matin, envoie pistolet et projectile à Montelusa, à la Scientifique.

— *Nun mi staiu sintenno bono*, je me sens pas bien, dit Brucculeri.

— Celui-là, on le met en cellule ?

— Eh, fit Montalbano, d'un air à l'évidence.

Neuf

Fazio revint après avoir bouclé Brucculeri. Il avait la
mine sombre et Montalbano s'en aperçut.

— Qu'est-ce que tu as ?

— *Dottore*, quelles intentions vous avez avec Brucculeri ? Selon la loi, ce matin même, il devrait être présenté
devant un magistrat, être inculpé de tentative d'homicide
volontaire et tout le reste et se choisir un avocat. Mais du
peu que je sais de vous, je me suis fait une idée.

— À savoir ?

— Que vous voulez le garder en cellule sans le dire à
personne.

— Comment ça, sans le dire à personne ? À cette
heure, la femme de Brucculeri a averti qui elle devait
avertir. Il ne reste plus qu'à attendre.

— Mais quoi, *dottore* ?

— Le prochain coup qu'ils vont jouer.

— Attention, *dottore*, je vous avertis que, chez moi, je
n'ai pas besoin, en plus, d'un majordome.

Montalbano sourit et Fazio décida de renoncer. Il
changea de sujet.

— Ah, *dottore*, pendant que vous êtes allé manger,
hier au soir, je me suis renseigné sur la famille Siracusa.

Il fit mine de sortir.

— Où tu vas ?

— Prendre le papier où j'ai tout écrit.

— Toi, ce complexe de l'état civil, il va falloir t'en débarrasser. Reste ici et dis-moi ce que tu te rappelles.

Fazio se résigna.

— Donc. Lui, il s'appelle Siracusa Antonio, fils de, il me semble…

— Laisse tomber paternité, maternité et conneries de ce genre.

— Excusez-moi, ça me vient tout seul. En tout cas, ce Siracusa est un quadragénaire de Palerme et il se trouve à Vigàta depuis deux ans parce que c'est un chimiste de Montedison. Sa femme, trente-cinq ans, s'appelle Enza et il paraît que c'est une beauté. Ils ont pas d'enfant. Lui, il a déclaré sa collection.

— Ah ? Et qu'est-ce qu'il collectionne ?

— Pistolets et revolvers. Il en a une quarantaine.

— Ah beh dis donc ! Tu les as convoqués ?

— Oh que non, *dottore*. Ils sont partis tous les deux.

— Quand ? Tu le sais ?

— Oh que oui. J'ai parlé avec la voisine. Les Siracusa habitent dans une villa qui a deux appartements sur le même palier. La voisine, une sexagénaire qui barjaque à tort et à travers, elle s'appelle Buffano, m'a dit qu'ils ont décarré fissa, du moins, elle en a eu l'impression, hier après-midi, dans leur voiture.

— Intéressant. M. ou plus probablement Mme Siracusa apprennent par la télévision que nous sommes intéressés par leur bonne et, au lieu de se présenter, ils s'enfuient. Décris-moi exactement où est cette villa. Après on va aller dormir quelques heures.

À huit heures et demie du matin, frais comme s'il n'avait pas dormi quelques heures à peine, tiré à quatre épingles, il chercha sur l'annuaire le numéro de l'établissement Montedison, le composa, se présenta, dit qu'il voulait parler au directeur.

— Franzetti à l'appareil, commissaire. Je vous écoute.

— Vous êtes le directeur ?

— Non, il n'est pas encore arrivé, mais si je puis vous être utile…

— Vous êtes qui, si vous permettez ?

— Le chef du personnel.

— Alors je peux poser la question à vous. J'avais besoin de parler avec le *dottore* Antonio Siracusa pour une formalité, mais on me dit qu'il est parti. Il a pris ses congés ?

— Mais non ! Hier, il est rentré chez lui déjeuner mais peu après, il nous a téléphoné pour nous communiquer qu'on venait de l'appeler pour lui annoncer la mort d'un oncle auquel il était très lié. Et donc, il a dû partir pour quelques jours.

— Vous savez quand il revient ?

— Non.

— Vous savez où il est allé ?

— Non, je suis désolé.

Bref, il était clair que les Siracusa n'avaient pas la conscience tranquille. Si peu tranquille qu'elle les avait contraints à s'éloigner pour quelques jours de Vigàta, dans l'attente que la tempête se calme. Ne restait plus qu'à aller parler avec la voisine.

La maisonnette était bâtie avec deux garages, deux cours au rez-de-chaussée et deux appartements avec terrasses à l'étage. Théoriquement, de celles-ci, on pouvait voir la mer, mais il aurait fallu détruire l'énorme immeuble qu'on leur avait construit devant, de l'autre côté de la rue. Le jardinet qu'on apercevait au-delà du portail de fer forgé était bien tenu. Sur l'interphone, deux noms étaient inscrits : Siracusa et Buffano. Il sonna à ce dernier.

— Qui est-ce ? demanda une voix rauque de vieille femme.

— Le Dr Pecorilla, je suis.

— Et qu'est-ce que vous voulez ?

— En vérité, madame, ce n'est pas avec vous que je voulais parler, mais avec Mme Enza Siracusa. Mais je sonne et personne ne répond.

— Partis, ils sont.

— Oh ! Quel dommage !

Montalbano devina la bataille qui se déroulait dans l'âme de Mme Buffano, entre la curiosité et l'occasion de déparler d'une part et la peur d'ouvrir la porte à un inconnu, de l'autre.

— Attendez un moment, dit la voix rauque.

On entendit ferrailler quelque part, puis la porte-fenêtre s'ouvrit et sur la terrasse à main droite apparut une vieille tenant à la main des jumelles qu'elle pointa sur le commissaire. Ce dernier se laissa mater, il avait un aspect plus que rassurant, même la cravate était de couleur neutre. La femme rentra et, au bout d'un moment, Montalbano entendit le déclenchement de l'ouverture du portail. Il suivit l'allée, franchit la porte de la maison, se trouva devant un escalier qui conduisait à un palier assez large. À main gauche, il y avait la porte fermée de l'appartement des Siracusa, à main droite celle de Mme Buffano. Ouverte. Montalbano passa la tête à l'intérieur.

— On peut entrer ?

— Venez, venez. De ce côté.

Le commissaire, guidé par la voix, arriva dans un salon où Mme Buffano était en train de refermer la fenêtre.

— Je peux vous offrir quelque chose ?

— Ne vous dérangez pas, merci.

— Pourquoi est-ce que vous cherchiez Mme Siracusa, docteur…

— Pecorilla. Je suis médecin-conseil des assurances Trinacria. Je devais rendre visite à la dame pour la stipulation d'une police et elle m'avait donné rendez-vous ce matin. Et je suis venu exprès de Palerme.

— Comme je suis désolée, dit la dame avec une grande allégresse.

— C'est pas sérieux, comme façon de faire, dit Montalbano en manifestant son irritation. Cela ne plaide certes pas en faveur du sérieux de Mme Siracusa. Vous la connaissez ?

— Mais bien sûr !

— Vous êtes amies ?

— Jamais de la vie ! Bonjour-bonsoir ! Mais *haju occhi pi vidiri e orecchi pi sentiri*, j'ai des yeux pour voir et des oreilles pour entendre. Vous m'avez compris ?

— Parfaitement. Vous avez dit qu'ils sont partis. Quand, vous le savez ?

— Hier après déjeuner, vers deux heures. Ils ont chargé deux grosses valises dans leur voiture.

— Vous n'êtes donc pas en mesure de me dire…

— Rien de rien. Mais… C'est une impression… M'a semblé qu'ils s'échappaient.

— Mes compliments, flagorna Montalbano. Vous devez être une observatrice perspicace.

— Eh ! s'exclama Mme Buffano en faisant tournoyer sa main droite pour signifier qu'elle parvenait à voir tout en ce monde et peut-être aussi un peu dans l'autre.

— Vous avez dit que vous aviez des yeux pour voir et des oreilles pour entendre. Vous avez vu et entendu par hasard quelque chose d'anormal ? Vous savez, les assurances…

— Cher *dottore*, je vous donne un exemple. Le mois dernier, le mari a dû aller à Rome pour une semaine, c'est lui qui me l'a dit parce qu'il est plus confiant. Eh bè, toutes les nuits, la dame recevait. Deux hommes différents, une nuit l'un et l'autre nuit l'autre…

— Mais comment vous faites, vous…

— J'entendais le bruit du portail, non ? Alors, je me levais de mon lit et… venez avec moi…

Elle le conduisit jusqu'à l'entrée. À côté de la porte, une fenêtre éclairait le vestibule. Mme Buffano l'entrouvrit.

— Moi je venais là pour regarder la personne qui entrait chez les Siracusa.

À ce moment, Montalbano pensa qu'il serait honnête de sa part de téléphoner à Mme Pimpigallo Concetta pour lui donner raison en ce qui concernait la nature de bordille de Mme Enza Siracusa.

Ils revinrent au salon.

— Et lui, le mari, comment il est ? demanda le commissaire.

— Pire que lui, quand y s'agit des bonnes femmes.

À présent, Montalbano avait hâte de s'en aller, il lui était venue une idée folle. Il dit au revoir à la dame, la remercia, sortit sur le palier, mata ce qui l'intéressait. À côté de la porte des Siracusa, il y avait une fenêtre identique à celle de Mme Buffano. Elle lui parut pas parfaitement fermée, juste repoussée. Il devait absolument essayer. Il descendit l'escalier, ouvrit la porte et fit semblant de la refermer en la claquant, de façon que Mme Buffano entende le bruit. Ensuite, il la rouvrit de nouveau et, après être sorti, la repoussa délicatement, sans fermer complètement. Il remonta l'allée, ouvrit le portail et le repoussa comme il avait fait avec la porte de la villa. Au premier coup d'œil, il avait l'air fermé. En se dirigeant vers la voiture, il vit du coin de l'œil Mme Buffano qui quittait sa terrasse et refermait la fenê- tre. Il démarra, arriva dans la rue voisine, freina, se gara, sortit, revint en arrière vers la villa. Le portail de fer forgé ne grinça pas. La porte ne fit aucun bruit. Il com- mençait à grimper les marches de l'escalier sur la pointe des pieds quand explosa quelque chose qui se situait entre la bombe et le coup de trompette. Montalbano fut atterré. Puis, lentement, il comprit que ce vacarme d'enfer était de la musique. Mme Buffano était en train d'écouter, au maximum du volume, une chanson qui disait « allons couper le blé, le blé, le blé… ». Combien de temps durait une chanson ? Trois minutes ? Trois minutes et demie ? Il grimpa quatre à quatre les marches restantes, poussa la vitre de la fenêtre de chez les Siracusa, cette dernière s'ouvrit, Montalbano s'agrippa solidement des deux mains au rebord inférieur, s'élança dans un saut qui aurait dû être athlétique, mais ses bras le trahirent, il retomba sur le palier en jurant. À la troisième tentative, il réussit à mettre son cul sur le rebord inférieur, la partie supérieure de son corps pliée en arrière avec la tête et le buste à l'intérieur du vestibule, les jambes encore du côté du palier. Il se tourna sur le cul, réussit à virer sur lui-même mais tandis qu'il le faisait, les burettes lui restèrent serrées dans le slip, il supporta la douleur, se mit à cheval sur la fenêtre. Le plus dur était fait. Il rentra l'autre jambe, se laissa tomber et ferma la fenêtre alors que finissaient de résonner les dernières notes de la chanson. Aussitôt après, en démarra une autre qui disait : « Mon amour, mon amour, apporte-moi beaucoup de roses. »

À peine ses pieds eurent-ils touché le carrelage de l'appartement des Siracusa que Montalbano ressentit une espèce de secousse électrique qui lui montait le long des jambes, grimpait à la colonne vertébrale, lui arrivait dans la coucourde. Et il comprit que les sourciers, quand ils sentaient la veine d'eau à des centaines de mètres sous terre, devaient éprouver la même chose. Là, lui disait son corps, il y avait la mine d'or, l'eau, le trésor. Il marcha comme un somnambule, en jetant à peine un coup d'œil aux deux chambres à coucher, celle des maîtres de maison et celle des invités, les deux salles de bains, la cuisine, la salle à manger, le salon, espèce de vestiaire aménagé pour le développement et le tirage des photos et arriva enfin où les jambes le portaient : dans le bureau, ou ce qui en tenait lieu, du docteur ès chimies Antonio Siracusa. En passant, il s'était aperçu que l'appartement semblait avoir été visité par les voleurs, *armùar* ouvertes, vêtements jetés à terre, tiroirs à moitié tirés, désordre partout. Mais c'était le signe manifeste d'une fuite à l'improviste, il le savait. Dans le bureau de Siracusa, en revanche, il n'y avait rien de dérangé. Un grand bureau, quatre sièges, un mur recouvert d'étagères remplies à ras bord de bouteilles, flacons, fioles pleines de poudres de diverses couleurs. Appuyée à un mur, une espèce d'*armùar* étroite et haute, brillante et propre, fermée à clé. Dans un coin, il y avait un classeur métallique, à demi ouvert, plein de fiches. Montalbano s'assit au bureau, au-dessus il y avait une lampe, un appareil photo dans son étui, un grand nombre de papiers à gauche, sur lesquels s'étalaient des formules chimiques. À droite, en revanche, il n'y avait que trois ou quatre feuilles. Une demande pour l'installation d'une seconde ligne téléphonique, des résultats d'examen sanguin, une lettre du commandeur Papuccio, propriétaire de la villa qui disait que la réparation du toit n'entrait pas dans ses obligations et, en dernier, une lettre officielle. Lettre qui fit littéralement bondir Montalbano sur son siège. C'était la copie sommaire d'une demande d'autorisation de visite pour un détenu. Le prisonnier s'appelait Cusumano Giuseppe et la demanderesse Monaco Rosanna. Donc, celui qui avait fait la demande pour le compte de l'analphabète Rosanna et qui s'était porté garant pour elle, ça avait été le *dottor* Siracusa.

Mais cela ne suffisait toujours pas à justifier cette incursion. Il fallait bien qu'il y ait autre chose. Le commissaire ouvrit le tiroir de droite du bureau : formulaires ; correspondance avec la Montedison ; autorisation, délivrée par la Questure de Palerme, de détention d'armes à domicile en qualité de collectionneur ; un autre feuillet semblable mais à en-tête de la Questure de Montelusa ; liste des armes détenues que le commissaire mit à part sur la table. Le tiroir de gauche, lui, était fermé. Le commissaire le força avec un coupe-papier. La première chose qu'il vit fut une clé. Il la prit, se leva, s'approcha de l'*ar-mùar* : la clé tourna, c'était la bonne, mais Montalbano n'ouvrit pas les battants, il s'en retourna au bureau. Dans le tiroir, il y avait deux grosses enveloppes renforcées, une remplie à éclater, l'autre avec si peu à l'intérieur qu'elle pouvait paraître vide. Il ouvrit la première, la renversa et le dessus du bureau se couvrit littéralement de photographies toutes en couleurs. Toutes sur le même sujet : des femmes nues. De quinze à cinquante ans, diversement étendues sur le même lit en désordre. Il ne collectionnait pas que les armes, M. Siracusa. À l'évidence, il avait l'habitude d'immortaliser post-coïtum chacune de ses conquêtes. Et puis, il allait se les dévelop-per et les tirer dans son laboratoire privé. En cachette, à l'abri des regards indiscrets. En emportant une photo, le commissaire se leva et entra dans la chambre des époux : le lit était celui des photos. Un couple très ouvert, les Siracusa. Sans doute que, pendant que l'ingénieur utilisait le lit matrimonial, sa femme occupait celui de la chambre des invités. Il regagna le bureau, remit les photos dans la première enveloppe, prit l'autre en main, la retourna. Elle contenait trois photographies. Sur le même sujet : une femme nue qui se montrait d'abord couchée sur le dos, puis sur le ventre, et ensuite les jambes écartées. La femme était une petite que le commissaire connaissait : Rosanna. Mais une relation entre une bonne et son patron ne suffisait pas à justifier l'incursion. L'histoire devait être bien plus compliquée. Le commissaire glissa dans sa poche la photo de Rosanna sur le dos, remit les autres photos dans l'enveloppe et l'enveloppe dans le tiroir. Il prit la liste des armes et ouvrit l'*armùar*. Le meuble, construit sur mesure, était, à l'intérieur, entièrement recouvert de velours bleu clair. Rien que des pistolets et des revolvers de tous types, dimensions et époques. Pas de carabine. Pas de fusil. Les armes de poing étaient dis-posées sur quatre rangées de dix, trois à l'intérieur de la porte gauche, quatre sur la paroi du fond, les trois autres à l'intérieur de la porte de droite. Chacune était soutenue par des clous à tête dorée. Une véritable exposition. Il y en avait quarante, et quarante avaient été déclarées. Il n'en manquait pas une. Dans l'*armùar*, il y avait encore place pour une autre quarantaine. Dans la partie basse, se trouvait un tiroir que le commissaire ouvrit. Pas de munitions d'aucune sorte, rien que des étuis, écouvillons, huiles spéciales. Il referma le tiroir et l'*armùar* et allait remettre le bureau en ordre quand il aperçut quelque chose qui le troubla, quelque chose qui se rapportait à l'armoire des armes. Il revint l'ouvrir, ainsi que le tiroir. Alors, il s'aperçut qu'entre le bas du meuble et le tiroir, il y avait trop de distance, au moins une vingtaine de centimètres. Là devait sûrement se trouver un tiroir secret. Mais où était caché le dispositif d'ouverture ? Des volets filtrait assez de lumière. Il prit une chaise, s'assit devant l'*armùar* grande ouverte, s'alluma une cigarette. Il se força à la fixer, ses yeux commençaient à lui piquer. Et s'il s'agissait simplement d'un défaut de construction ? Non, impossible. Et tout à coup, il comprit qu'il était venu à bout de ce tracassin. Chaque arme était maintenue à l'horizontale par trois clous. Pourquoi la dernière, sur la paroi du fond, l'était-elle par quatre ? Il se leva, poussa du doigt les trois premières têtes dorées. Rien ne se passa. À la quatrième, il entendit un déclic et un tiroir plat, caché entre le bas du meuble et le grand tiroir, là précisément où Montalbano avait deviné sa présence, jaillit. Le commissaire acheva de l'ouvrir. Il y avait un pistolet et un revolver maintenus par le système des clous pour qu'ils ne bougent pas quand le tiroir s'ouvrait ou se fermait. À côté des deux armes, il y avait trois autres clous disposés comme s'ils devaient retenir une troisième, absente. Il en restait l'empreinte sur le velours. Montalbano se saisit du pistolet, américain, à l'apparence meurtrière. Ce n'était qu'une apparence, car il s'aperçut tout de suite qu'il avait été rendu inutilisable, le ressort du percuteur était détendu. La même opération que celle qui avait été menée sur le revolver de Rosanna. Et le pistolet aussi avait son numéro de série limé. Il le remit en place. En outre, il y avait trois boîtes de cartouches. L'une était ouverte et il en manquait six.

Il remit tout en ordre. Gagna l'entrée. Mme Buffano était en train de s'assommer avec « Regarde comme je balance, regarde comme je balance, regarde comme je twiste ». Il y avait un providentiel escabeau, il le mit sous la fenêtre, ouvrit, grimpa, sauta, referma, descendit, sortit. Olé ! Mesdames et messieurs, voici le commissaire Montalbano, pour les amis, l'acrobate !

Les premiers mots du standardiste furent pour lui annoncer que depuis la fin de la matinée, le député Torrisi téléphonait. Il avait un urgent, et même très urgent besoin de lui parler.

— Quand il rappelle, passe-le-moi.

Fazio se présenta juste après.

— Comment ça s'est passé avec Rosanna ?

— Bien, *dottore*. Avec ma femme, on dirait qu'elle s'entend. Mais elle m'a demandé au moins quatre fois quand est-ce qu'on va se décider à arrêter Pino Cusumano. Elle est obsédée, elle n'en peut plus d'envie de le voir en taule. Bizarre, hein, *dottore* ?

— Qu'est-ce qu'il y a de bizarre ?

— Mais comment ça, *dottore* ? Cette petite, d'abord, elle est prête à tuer quelqu'un rien que pour faire plaisir à son amoureux et au bout de quelques jours, elle veut le voir pourrir en taule ?

— Elle se sent trahie, elle nous a dit que Cusumano allait la tirer de ce guêpier et en fait, il l'a laissée tomber.

— Bah. Vous savez quoi ? À moi, il me vient plutôt un air d'opéra.

— *La donna è mobile qual piuma al vento ?* La femme est changeante comme la plume au vent ?

— Voilà, *dottore*.

Sans crier gare, Montalbano plongea la main dans sa poche, en tira la photo de Rosanna nue couchée sur le dos et la tendit à Fazio. Lequel la prit, la fixa, la laissa retomber sur la table comme une chose vénéneuse.

— Sainte Mère !

Il s'assit, abasourdi.

— Comment vous l'avez eu, *dottore* ?

— Je me la suis prise. Il y en avait deux autres, j'ai choisi celle-là parce que c'est la plus présentable.

— Et où est-ce que vous l'avez prise ?

— J'ai perquisitionné l'appartement de M. Siracusa.

— Comment vous avez fait pour entrer ?

— Par une fenêtre.

— Comme un voleur, *dottore* ?

— Comme un voleur, Fazio.

— Alors, vous vous trompez, perquisitionner n'est pas le bon mot.

Fazio s'essuya la transpiration de son front avec un mouchoir à carreaux.

— *Dottore*, moi, je vous le dis sans passion : un jour ou l'autre, vous allez finir en taule. Et si ça se trouve, c'est moi qui devrai vous mettre les menottes. Vous avez couru un grand danger, vous le savez ?

— Je le sais, mais ça en valait la peine.

Fazio, sbire-né et fait, tendit les esgourdes.

— Racontez-moi.

Et le commissaire lui raconta tout.

— Qu'est-ce que t'en penses ? demanda-t-il à la fin.

— *Dottore*, d'abord une question. Pourquoi Siracusa tenait-il cachées des armes interdites ?

— Ça fait partie de la mentalité de certains collectionneurs. Tu vois, ces armes avaient certainement appartenu au milieu, peut-être avaient-elles servi à quelques meurtres.

219

Lui, il les a achetées à prix d'or. Et chaque fois qu'il ouvrait le tiroir secret, il éprouvait comme un frisson de plaisir. Et alors, qu'est-ce que tu penses de cette nouveauté ?

— *Dottore*, qu'est-ce que je dois penser ? Siracusa, qui perd la tête dès qu'il voit un jupon, la perd pour Rosanna. Il se vante de ses armes, si ça se trouve, il les lui montre et lui explique comment elles fonctionnent. Rosanna couche avec lui, mais commence à exiger des choses. Comme, par exemple, que Siracusa écrive la demande de visite de Cusumano. Et il le fait. Et elle lui demande aussi le revolver.

— Non. Le revolver, elle le lui a pas demandé. Elle se l'est pris et n'est plus retournée chez les Siracusa. Quand notre annonce est apparue sur Retelibera, Siracusa est allé vérifier, il a vu que son revolver manquait, il a compris, c'était pas bien difficile, que Rosanna le lui avait piqué et il s'est enfui, pris de panique.

— Ensuite Rosanna est allée rendre visite à Pino et elle lui a dit qu'elle détenait une arme, dit Fazio. Mais pourquoi elle nous a raconté que le revolver lui avait été remis par l'homme qui lui apportait les petits mots ?

Montalbano allait répondre quand le téléphone sonna.

— Je vous passe le député Torrisi, annonça le standardiste.

Avant de répondre, le commissaire dit à Fazio :

— C'est le député Torrisi. Qu'est-ce que je te disais ? Qui de droit a été mis au courant de l'arrestation de Brucculeri et maintenant, ils essaient de parer le coup. Ils se rendent très bien compte que Cusumano a fait une grosse connerie.

— Montalbano je suis, dit-il en soulevant le combiné.

— Très cher commissaire ! Je suis vraiment heureux de pouvoir vous entendre à nouveau, croyez-moi.

— Je vous écoute, monsieur le Député.

— Je viens juste d'arriver de Rome, je me trouve à l'aéroport. D'ici une heure et demie au maximum, je serai à Vigàta. Trop tard pour aller déjeuner ensemble ?

— En fait, je suis déjà pris.

— Alors, pour dîner ?

— Désolé, mais j'ai un ami qui arrive.

Même après un mois de jeûne sur une île déserte, il n'irait pas manger un quignon de pain avec cet homme.

— Alors, je passe vous voir vers cinq heures de l'après-midi ?

— Si vous voulez, je viens moi, à votre bureau.

Un silence. Le commissaire comprit ce qui passait dans la tête de l'autre : Torrisi pesait le pour et le contre. Pour sa dignité de député, il valait mieux que Montalbano vienne le trouver. Mais qu'allaient penser les gens ? Si en fait, c'était lui qui allait au commissariat, il pourrait toujours dire qu'il avait voulu s'informer sur la situation de l'ordre public. Montalbano se régalait en pensant à l'embarras du personnage. Il décida d'en rajouter une louche.

— De toute façon, il s'agit d'un bavardage amical, non ?

L'autre hésita encore un instant puis conclut :

— Je vous remercie de votre exquise courtoisie, commissaire. Mais il m'est plus commode de venir chez vous.

— D'accord, monsieur le Député, comme vous voulez. À plus tard.

Il raccrocha.

— Il y aurait des papiers à signer, dit Fazio.

— Signe-les, qui t'en empêche ?

— Mais, *dottore*, c'est vous qui devez les signer.

— Ah oui ? Alors, sache une chose. Comme ça, on va s'entendre. Toi, tu dois me l'annoncer au moins vingt-quatre heures à l'avance.

— Quoi, *dottore* ?

— Qu'il y a des papiers à signer. Je m'habitue lentement à l'idée, tu comprends ? Si tu me le dis tout d'un coup, c'est un traumatisme.

Dix

En hors-d'œuvre, un petit poulpe, très tendre, au sel, suivi par un peu de friture de *neonato*[1], pour premier plat des pâtes au noir de seiche, en deuxième plat, deux sars de taille respectable, rôtis. Une promenade digestive-méditative au môle s'imposait d'urgence. Il l'entama d'humeur joyeuse. Le député et avocat Torrisi s'était précipité de Rome, appelé au service de la famille Cuffaro, alarmée surtout par la connerie de l'adorable rejeton Pino, et à cinq heures, y aurait de quoi se régaler. Mais quand il s'assit sur le rocher plat sous le phare, lentement, son humeur changea. Peut-être fut-ce à cause de la rumeur de fond régulière et monotone du clapotis entre les écueils, mais le fait est qu'il lui revint cette sensation désagréable d'être une marionnette aux mains d'un marionnettiste. D'être quelqu'un qui croyait marcher sur ses deux jambes, librement, sans savoir que des fils invisibles le portaient en avant. « Des marionnettes, nous sommes… » Qui l'avait écrit ? Ah, Pirandello. À propos, il devait acheter le dernier livre de Borges. Mystérieusement, le nom de l'écrivain, une fois passé par

1. Plat typique : alevins « nouveau-nés », dont la pêche est en principe interdite. *(N.d.T.)*

sa tête, ne voulut plus en sortir. « Borges, Borges », continuait-il à répéter. Et tout à coup, il lui revint en mémoire une demi-page, ou moins encore, de l'Argentin, qu'il avait lu quelque temps avant. Borges racontait la trame d'un roman policier où tout naissait de la rencontre absolument fortuite, en train, de deux joueurs d'échecs qui ne se connaissaient pas avant. Ils organisaient un crime, le menaient à bien quasiment avec pédanterie, réussissaient à n'être pas soupçonnés. Borges écrivait, en somme, une intrigue très plausible, qui tenait le coup logiquement, sans une faille. Sauf qu'à la fin, l'écrivain mettait en post-scriptum une question : et si la rencontre entre les deux joueurs n'avait pas été le fruit du hasard ? Voilà, dans l'enquête qu'il faisait, une question comme ça ne lui était même pas passée par la coucourde. Ces quelques lignes de Borges étaient une très grande leçon sur la manière de mener une enquête. Et donc dans cette affaire aussi, il fallait se poser une question susceptible de remettre tout cul par-dessus tête, tout en discussion. Par exemple : pourquoi Cusumano voulait-il faire tuer le juge Rosato ? Lequel, le pauvre, avait déjà téléphoné deux ou trois fois pour savoir où en était le dossier. Ce fut un éclair, très rapide. Il comprit que le juge Rosato, justement, était le point faible de toute cette histoire. Ou mieux, le point qu'il n'avait pas compris. Ou mieux encore, le point qu'il avait tout de suite considéré comme acceptable. Il poussa un soupir profond, d'un coup l'air de la mer lui entra dans la coucourde, la lui nettoya de la moindre poussière, toile d'araignée, saleté. Maintenant, la tête libérée et lucide, il pouvait commencer à bien raisonner.

Il était quatre heures moins le quart quand il se leva de son rocher et revint en courant au bourg. Il savait où habitait Fazio qui, sûrement, était déjà au commissariat. Devait-il l'avertir ? Ç'aurait été une perte de temps, il lui raconterait tout après. Fazio logeait dans la partie haute de la cité, dans un horrible gros immeuble de construction récente. Il sonna à l'interphone. Une voix de femme lui répondit.

— Montalbano, je suis.

— Monsieur le Commissaire, mon mari est…

— Au bureau, je sais. Mais moi, je dois parler avec… votre amie.

— J'ai compris. Quatrième étage.

Quadragénaire, sympathique, elle l'attendait sur le seuil.

— Rentrez, rentrez.

Elle le conduisit dans une pièce qui servait à la fois de salle à manger et à recevoir.

— Dès qu'elle a su que c'était vous, Rosanna est allée se changer.

— Comment s'est-elle comportée ?

— Très bien. C'est une brave petite. Qui s'est perdue après un salopard.

Rosanna entra, un peu embarrassée, et s'arrêta sur le seuil.

— Bonjour.

Elle s'était mis la robe que lui avait offerte le commissaire.

— Viens là, je dois te parler. Assieds-toi.

Rosanna obéit. Mme Fazio, elle, se leva.

— Vous prendrez un café ?

— Non merci.

— Je vais à côté. Si vous avez besoin de moi, appelez-moi.

La petite paraissait très tendue, une corde tirée au maximum, les lèvres retroussées tendaient à lui découvrir dents et gencives. Les quelques heures passées chez Fazio ne lui avaient évidemment pas réussi.

— Vous me l'apportez, la bonne nouvelle ? fut sa première question.

— Laquelle ?

224

— Vous l'avez arrêté, Cusumanu ?

Ce n'était plus Pinu, maintenant, elle l'appelait par son nom de famille.

— Une question d'heures. On va l'arrêter, c'est sûr, mais pas pour la raison que tu nous as dite, toi.

— Et qu'est-ce que je vous ai dit, moi ?

— Qu'il voulait que tu tues le juge Rosato.

— Pourquoi, d'après vosseigneurie, c'est pas vrai ?

— Non, ce n'est pas vrai. Cusumano ne t'a jamais donné ce nom. Tu te l'es rappelé parce que tu l'avais entendu prononcé il y a quelques années chez toi, étant donné que le juge s'était occupé d'un procès que ton père avait fait à un voisin. Procès, d'ailleurs, gagné par ton père. Et pour ne pas oublier comment il s'appelait, tu t'es remplie le sac de choses qui te le faisaient rappeler. Tu vois, Rosanna, si Pino t'avait donné le nom de ce juge, toi, amoureuse comme tu nous as dit que tu étais de Cusumano, tu l'aurais jamais oublié, il se serait imprimé en caractères de feu dans ta tête, tu n'aurais pas eu besoin de recourir à la rose ou au bout d'élastique.

— Et qui je voulais tuer, alors ?

— Pino Cusumano.

Il entendit un imperceptible cling, le bruit de quelque chose qui se cassait ou se détendait d'un coup, peut-être un ressort du fauteuil sur lequel la petite était assise, parce qu'il était impossible, absolument impossible que ce claquement vienne de l'intérieur du corps de Rosanna, du faisceau de ses nerfs étirés jusqu'au spasme. Montalbano continua.

— Mais lui, il a trouvé le moyen de ne pas se faire voir de toi quand il allait au tribunal. Il avait la frousse. Parce que tu es allée le trouver en prison, grâce à cet imbécile de Siracusa, et tu lui as dit que tu allais le tuer. Là, tu as fait une grosse erreur.

— Ce ne fut pas une erreur.

Montalbano n'avait pas envie de se mettre à discuter. Il poursuivit.

— Une erreur parce que Cusumano s'est inquiété, il a compris que tu en avais vraiment l'intention. Sauf que si tu avais tiré, le revolver n'aurait pas fonctionné. Et ça, tu ne pouvais pas le savoir. Mais, comme t'es une fille intelligente, tu as prévu que ton projet n'allait pas aboutir, et alors tu t'es inventé l'histoire que Cusumano voulait de toi une preuve d'amour, c'est-à-dire le meurtre du juge Rosato. Ce que tu m'as raconté. Donc, si ce que tu avais en main se réalisait, le destin de Cusumano était en tout cas scellé : ou il mourait de ta main ou il allait en taule pour incitation au meurtre. Sauf que les choses ont tourné différemment. Et maintenant, c'est à toi de parler.

Rosanna, avant de pouvoir articuler un mot, ouvrit et ferma la bouche deux ou trois fois.

— Expliquez-moi pourquoi j'en voulais à mort à Cusumano ?

— Parce que c'est lui qui t'a violée.

Rosanna cria et bondit. Montalbano ne réussit pas à se lever. Cette fois, la petite n'avait pas l'intention de lui faire du mal. Elle était agenouillée, en lui tenant les jambes serrées, la tête sur les genoux du commissaire et se balançait d'avant en arrière, gémissait. Une bête blessée. Mme Fazio apparut, elle avait entendu le cri. Montalbano dit, du bout des lèvres :

— De l'eau.

La dame revint avec une carafe et un verre et ressortit aussitôt. Lentement, le commissaire posa une main sur les cheveux de Rosanna et commença à les lui caresser légèrement. Alors le gémissement se transforma en pleurs, des pleurs non pas désespérés mais libératoires. Alors seulement, le commissaire lui demanda si elle voulait un peu d'eau. Rosanna fit signe que oui avec la tête. Mais ses mains tremblaient trop, elle réussit à boire

226

seulement quand Montalbano lui tint le verre à la hauteur de la bouche, comme à une petite fille.

— Lève-toi.

Mais Rosanna secoua la tête, elle voulait rester comme ça, peut-être sans regarder Montalbano dans les yeux. Avait-elle honte de ce qu'elle allait devoir raconter ?

— *Non fu pi chiddru ça mi fici Cusumano*, dit-elle : ce n'est pas à cause de ce que m'a fait Cusumano.

Le commissaire se sentit un instant perdu. Tu veux voir qu'il s'était trompé sur toute la ligne, que ses raisonnements allaient partir en quenouille et en eau de boudin ?

— Et pourquoi alors ?

— *Ma pi chiddru ça mi fici fari*, répondit-elle : mais pour ce qu'il m'a fait faire.

Qu'est-ce que ça pouvait bien signifier, cette phrase ? Pour ce que Cusumano l'avait obligée à faire pendant qu'il la séquestrait ? Ou pour ce qu'elle avait été obligée de subir d'autres personnes avec l'accord de Cusumano ? Il préféra ne pas poser de questions, attendre.

— Ils m'ont prise un soir, poursuivit-elle en dialecte, après qu'ils m'ont vue avec le jeune qui sortait avec moi et qui s'appelait…

— Pino Dibetta.

La petite, surprise, leva un instant la tête, le fixa, la rabaissa.

— … une voiture arriva, reprit-elle, toujours en dialecte, il en descendit un type, c'était Cusumano, il m'agrippa par un bras, me le tordit, me fit monter, la voiture partit, elle était conduite par un gros homme avec une tache sur le visage…

— Ninì Brucculeri, dit le commissaire. Pour ta gouverne, je l'ai arrêté. Il a tenté de me tuer hier au soir. Continue.

— … ils me conduisirent dans une maison à la campagne, puis Brucculeri s'en alla et Cusumano, à coups de poing dans le ventre et dans le visage, me fit déshabiller, se mit nu et prit son plaisir toute la soirée, toute la nuit et le matin d'après. Ensuite, vers midi, arriva Brucculeri. Cusumanu lui dit que j'étais à sa disposition, il se remit ses habits et s'en alla. Et Brucculeri fut pire que Cusumano. Le lendemain matin, à l'aube, lui aussi s'en alla, avant il me dit que si je parlais, si je disais ce qui m'était arrivé, ils me tueraient, puis il me donna un grand coup de poing et je m'évanouis. Quand je me réveillai, j'étais seule. Je me lavai parce que je puais et rentrai à la maison. Je mis trois heures à arriver, je pouvais pas avancer. Pendant que je rentrais à la maison, je jurai de tuer Cusumano pas parce qu'il m'avait violée, mais parce qu'il m'avait donnée comme une poupée de chiffon. Mais quatre jours après, alors qu'il se mariait…

— … on l'a arrêté et condamné à trois ans.

— Oh que oui. Et moi, je continuai à penser à comment le tuer. Ça ne pouvait pas me sortir de la tête, tu dois le tuer, tu dois le tuer dès qu'il met le pied au-dehors de la prison. Nuit et jour, la même pensée, toujours. Oui, mais comment ? Je me désespérais, les années ont passé, celui-là allait sortir et moi, encore rien. Puis, un jour…

— Tu rencontres au marché Mme Siracusa qui te fait une proposition. Tu acceptes et tu vas travailler chez elle. C'est comme ça que tu as connu son mari.

— Oh que oui. Un coureur de jupons. Il voulait profiter de moi, moi, d'abord, je lui dis non. Puis, pour se vanter, il me fit voir les armes.

— Y compris celles, interdites, dans le tiroir secret.

— Oh que oui. Et alors, je fis ce qu'il voulait.

— Le revolver, c'est lui qui te l'a donné ?

— Oh que non. Lui, il m'écrivit seulement la demande pour la prison. Ce qui fut pas une erreur, comme dit vosseigneurie. Moi, au parloir, je lui dis rien. C'est lui qui parla.

— Qu'est-ce qu'il te dit ?

— Il me dit : « Qu'est-ce que t'as, envie de goûter encore à ma bite ? Dès que je sors de taule, tu seras servie. » Et il se mit à rire, mais il avait peur.

— Et alors, pourquoi tu y es allée ?

— Mais comment, vosseigneurie a tout compris et ça, non ? J'y allai parce que si j'arrivais pas à le tuer, cette visite en prison me servait à pouvoir dire que ce fut en cette occasion qu'il me dit de tuer le juge. Le papier témoignait.

— Génial. Continue.

— Comme, pendant ce temps, Siracusa avait pris confiance en moi, il m'expliqua où il gardait cachée la clé du tiroir. Comme ça, je lui volai le revolver et le chargeai, il m'avait expliqué, lui, comment on faisait, toujours pour se vanter.

Il n'y avait rien d'autre à dire. Montalbano se pencha en avant, prit la petite par les bras, la fit se relever en se redressant lui-même. Rosanna gardait encore la tête baissée.

— Regarde-moi.

Elle le regarda. Étrangement, les yeux de la petite semblaient moins noirs et moins profonds. Auparavant, c'étaient deux puits obscurs et gluants, au fond desquels on imaginait un grouillement de serpents venimeux. À présent, on pouvait les fixer sans malaise. Ou plutôt, avec la seule inquiétude d'y choir avec plaisir.

— Nous deux, il faut qu'on passe un accord. J'espère te sortir de cette histoire, sans aucune accusation. Tu t'en iras libre alors que je t'assure que Cusumano va se faire quelques années de taule. Mais tu dois être prête à témoigner que Cusumano t'a violée. J'essaierai de l'éviter, crois-moi, mais je dois savoir si tu es d'accord.

Sans crier gare, Rosanna l'étreignit, le serra. De tout son corps, elle adhérait à lui. Montalbano s'abîma dans cette chaleur, dans cette odeur de femme. Que c'était bon de sentir qu'on se noyait dans ce corps ! Sans que sa volonté intervienne, ses bras répondirent à l'étreinte. Ils restèrent quelques instants ainsi, en silence, seul le souffle de l'un vers l'autre parlait.

— *Fazzu tuttu chiddru* ça tu vò : je fais tout ce que tu veux, dirent ensuite les lèvres de Rosanna à la hauteur de son oreille droite.

Vint à l'esprit de Montalbano une jaculatoire — ça s'appelait bien ainsi ? — qu'on lui avait enseignée au collège des curés, quand il l'avait fréquenté :

> *Sant'Antonio, Sant'Antonio*
> *ça vincisti lu dimonio*
> *fammi duro comu un lignu*
> *quannu veni lu Malignu*

> (Saint Antoine, Saint Antoine
> Qui vainquit le démon
> Rends-moi dur comme le bois
> Quand vient le Malin)

Il n'aurait pu assurer si le Malin avait pris la forme de la petite, mais *duru comu un lignu*, dur comme le bois, il commençait certainement à l'être, même si ce n'était pas dans le sens prévu par la jaculatoire. La seule chose à faire était d'appeler à l'aide.

— Madame Fazio ! s'écria-t-il, d'une voix de gallinacé.

Aussitôt, Rosanna le lâcha.

Il se pointa au commissariat qu'il était presque cinq heures. Fazio entra dans son bureau comme un ballon dans les buts.

— Ma femme m'a téléphoné que vous...

— Oui. J'ai parlé longuement avec Rosanna qui s'est enfin décidée à me dire la vérité. Elle nous a menés par le bout du nez, cette petite, et elle nous a conduits où elle voulait.

Un instant, il pensa à son père qui, dès qu'il l'avait vue, l'avait percée à jour : « Ne t'y fie pas. »

— Mais cet après-midi, j'ai eu l'idée qu'il fallait et elle n'a pas pu nier. Au contraire.

Fazio frétillait d'envie de savoir.

— Je te fais juste un résumé parce que nous n'avons pas le temps.

À la fin du discours du commissaire, Fazio était blême, atterré. Il avait beaucoup de choses à dire, mais il posa la question qui l'intéressait le plus.

— On est sûrs que Rosanna respectera l'engagement qu'elle a pris auprès de vous de témoigner contre Cusumano pour le viol ?

— Elle me l'a juré.

Montalbano sortit du commissariat, se plaça devant la porte. Immédiatement, il vit arriver la voiture avec chauffeur du député Torrisi. Il se précipita pour lui ouvrir la portière, un sourire de contentement en travers du visage.

— Monsieur le Député ! Quel bonheur de vous revoir !

En descendant, le député le dévisageait, perplexe de tant de félicité. C'était un politique, et il connaissait certainement la nature humaine. Mais cette fois, il ne réussit pas à comprendre si Montalbano jouait la comédie ou s'il était sérieux. Il ne répliqua pas, mieux valait voir comment l'affaire allait évoluer. Mais le commissaire continua son numéro.

— Mais pourquoi avez-vous voulu vous déranger, monsieur le Député ? Sincèrement, je serais volontiers allé chez vous !

Et une fois à l'intérieur, à haute voix, à la cantonade :

— Ne me passez pas de coups de fil ! Je ne veux pas être dérangé ! Je suis avec le député !

Mais ce fut seulement quand Montalbano voulut lui céder sa place derrière le bureau, et qu'il n'y eut pas moyen de le faire changer d'idée, que Torrisi se convainquit définitivement que le commissaire, non seulement était une personne susceptible d'être approchée, mais aussi achetée. Et à bas prix. Donc, il décida de ne pas perdre trop de temps. Avec cet homme, il ne valait sans doute pas la peine de gaspiller de la salive.

— Je suis venu vous parler à propos d'une affaire déplaisante mais qui pourra, je pense, être résolue avec un peu de bonne volonté.

— De bonne volonté de la part de qui ?

— De la part de tout le monde, répondit Torrisi, œcuménique, avec un grand geste du bras qui embrassait le monde entier.

— Alors, je vous écoute, monsieur le Député.

— J'entre dans le vif du sujet. Il m'a été rapporté que l'autre soir, vos hommes ont fait irruption chez un certain Antonio, plus connu sous le nom de Ninì Brucculeri. Son logement a été perquisitionné, on y a retrouvé une arme, l'homme a été conduit ici au commissariat. Tout cela, à ce qui me semble, sans aucune autorisation, sans aucun mandat.

— Vrai, c'est. Mais voyez-vous, il s'agit d'un repris de justice qui…

— Même un repris de justice a des droits. Un repris de justice est une créature humaine comme toutes les autres, il peut certes avoir commis des erreurs, mais cela n'autorise personne, et vous moins encore, à le traiter comme un être marqué à vie et privé de dignité et de droits. Je me suis expliqué ?

— Parfaitement, dit le commissaire, manifestement embarrassé, en se tordant les mains. Vous avez une idée sur la manière dont on peut sortir de ce guêpier où je me suis fourré en raison de… mon inexpérience ?

Montalbano se félicita. Guêpier ! Mais, putain, où est-ce qu'il était allé chercher cette expression ? Torrisi aussi se félicita, il s'était persuadé d'avoir le commissaire bien en main.

— Je vois avec plaisir que vous êtes un homme extrêmement raisonnable. Étant donné que la perquisition, la mise de l'arme sous séquestre et l'arrestation de Brucculeri n'apparaissent nulle part, il n'y a rien d'écrit, vous pouvez le remettre tranquillement en liberté. En agissant ainsi, vous pourrez jouir de la gratitude tangible, je répète, tangible, des personnes qui comptent, par ici. Du reste, vous semblez déjà vous rendre compte que vous n'avez pas agi comme le prescrit la loi.

— Oui, je le reconnais, vous avez parfaitement raison, mais j'ai un doute que vous, comme avocat, pourriez me résoudre.

— Je vous écoute.

— Me tirer dessus, comme l'a fait l'autre soir Brucculeri, faut-il le considérer comme une tentative d'homicide ou bien comme un simple avertissement ?

Le député secoua la tête, souriant.

— Quels grands mots ! Tentative d'homicide ! Allons ! Vous étiez en voiture et vous…

— Un instant, monsieur le Député. Qui vous a dit que j'étais en voiture ? Peut-être l'autre homme qui était avec Brucculeri et mangeait avec lui au restaurant ?

Torrisi fut pris au dépourvu. Le sourire disparut. Tu veux voir que ce cornard, avec toute sa disponibilité apparente, te fait tomber dans un piège ?

— Voiture ou pas, il s'agit d'un détail sans importance.

— Vrai, c'est.

Montalbano se leva de son siège, gagna la fenêtre, se mit à fixer au-dehors.

— Eh ? dit au bout d'un instant le député.

— J'étais en train de réfléchir sur la manière d'arranger les choses. Vous avez dit qu'il n'y a rien d'écrit, mais ce n'est pas vrai.

233

— Et qu'est-ce qu'il y a d'écrit ?

— J'ai fait envoyer l'arme saisie chez Brucculeri et le projectile retiré de la carrosserie à Montelusa, à la Questure. Il y avait une demande écrite avec nom et prénom du propriétaire de l'arme.

— Ça, ça ne nous arrange pas, commenta Torrisi.

— Il y aurait bien une solution. Vous pourriez convaincre Brucculeri d'assumer ses responsabilités. Vous pourrez le défendre en disant qu'il avait bu, qu'il n'était pas lui-même, qu'il a voulu me faire une blague lourdingue… Et comme ça, ça s'arrête là et ça ne va pas plus loin.

D'un coup, les yeux du député devinrent deux fentes très étroites. Ses oreilles se tendirent comme celles des chats quand ils perçoivent un bruit léger.

— Pourquoi ça pourrait aller plus loin ?

Embarrassé, le commissaire, qui se tenait toujours debout devant la fenêtre, fixa la pointe de ses chaussures.

— Eh oui.

— Expliquez-vous.

— Vous le saviez que le téléphone du restaurant de Racalmuto, pour une autre affaire, avait été mis sur écoute depuis quelques mois ?

Il avait tiré à l'aveuglette, c'était une calembredaine colossale qui ne lui était venue en tête qu'à l'instant, mais Torrisi, bouleversé, pita.

— Merde !

Et il bondit sur son siège, congestionné, à deux doigts de l'attaque.

— Donc, poursuivit Montalbano, l'ordre de me tirer dessus que Pino Cusumano a donné à Ninì Brucculeri quand ce dernier lui a téléphoné pour signaler ma présence dans la trattoria a été…

— … enregistré ! dit d'une voix étouffée, en pleine crise d'asthme, l'avocat.

— Ce jeune homme est trop impulsif, dit d'un air compréhensif le commissaire, son père et son grand-père devraient le surveiller. Il finira par provoquer des dégâts. Peut-être réparables, mais toujours malséants et honteux pour une famille comme les Cuffaro. Comme cette histoire d'il y a trois ans, avec une mineure qu'il a violée.

Un coup de revolver dans la pièce aurait eu moins d'effet.

— Qu'est-ce qu'il a fait?! demanda, en dénouant cravate et col, le poivron rouge et violet qu'était devenu le député Torrisi.

— Vous ne le saviez pas?

— Nous… nous ne le savions pas!

Il avait utilisé le pluriel. Donc la famille également ignorait le joli tour du bien-aimé Pino.

— La jeune fille a attendu de devenir majeure pour en parler, continua Montalbano. L'autre jour, elle s'est présentée ici et m'a raconté qu'elle avait été enlevée, séquestrée, tabassée et violée à de nombreuses reprises par Pino Cusumano. Juste trois jours avant qu'il aille se marier.

— Les faits ne sont pas prescrits? réussit à demander Torrisi.

— Maître, vous oubliez les textes? Bien sûr que ce n'est pas prescrit, et les poursuites s'enclenchent d'office, s'agissant d'une mineure au moment des faits.

— Elle a déposé plainte dans les règles?

— Pas encore. Ça dépend de moi. Je suis en train d'essayer d'éviter à la famille Cuffaro de se couvrir de honte. Un membre d'une famille si honorée et respectée qui se comporte comme un petit délinquant quelconque! Il y a de quoi perdre la face pour toujours! Et les ennemis de la famille, qui sont si nombreux, vont s'en régaler. Et j'ai aussi pensé à la pauvre dame…

— Quelle dame? demanda Torrisi, complètement abasourdi.

— Quelle dame, monsieur le Député? Mme l'épouse de Cusumano! Celle qui, pendant trois ans, n'a pas pu jouir des joies de la couche nuptiale parce qu'on lui avait arrêté son mari sur les marches de l'église. C'est vous qui l'avez dit au procès où j'ai été témoin, vous vous souvenez ? Vous avez soutenu que Cusumano fonçait en voiture parce que, à peine libéré, l'attendait à la maison la jeune épouse avec laquelle il n'avait pas encore réussi à consommer...

— Oui, je me souviens, coupa Torrisi.

— Voilà ! Je me suis dit que si cette pauvre femme en venait à apprendre que son mari, trois jours à peine avant le mariage, avait décidé d'enterrer sa vie de garçon en violant une fille de quinze ans... peut-être qu'elle ne se résignerait pas, qu'elle ferait un scandale... La fin d'une famille ! Mais comment ?! Mais comment ?! conclut-il en portant ses deux mains, doigts réunis en forme de poire, à son front.

Le rôle de l'homme indigné et étonné lui réussissait très bien.

— Mais comment quoi ? dit le député.

— Vous ne comprenez pas, maître ? Maintenant, je vais m'expliquer. Quand la jeune fille vint me raconter la violence subie, je chargeai un de mes hommes de rechercher Cusumano, avec beaucoup de discrétion, et de me faire parler avec lui. Je voulais entendre sa version, vous comprenez ? Et pour toute réponse, en remerciement de ma façon d'agir déférente, Cusumano a ordonné à Brucculeri de me tirer dessus ? Et pourquoi ? Qu'est-ce que c'est que ces façons ? Ça s'explique par le fait que Cusumano a perdu la tête dès qu'il a compris que j'enquêtais sur le viol. Si l'affaire du viol émergeait, Cusumano redoutait plus la réaction de sa famille que celle de la loi. Il voulait mon silence. Il n'y a pas d'autre explication. Et ce geste inconsidéré démontre à quel point Cusumano est peu fiable, carrément irresponsable. Peut-être que, pour la famille, il vaut mieux qu'il se retrouve en prison sans faire plus de dégâts.

— Très bien, très bien. Qu'est-ce que vous comptez faire ? demanda Torrisi, changeant d'un coup.

Maintenant, la façon d'agir du commissaire lui était devenue claire, ce type avait l'intention de baiser Pino, y avait pas à tortiller. Et lui, dans cette comédie montée par le commissaire, il avait marché comme un couillon.

— Moi ?! dit le commissaire. Moi, je ne compte rien faire. Je peux, au maximum, vous permettre de choisir. Je ne cumule pas, vous me comprenez, monsieur le Député ? Ou la tentative d'homicide ou le viol. Ou une chose, ou l'autre. Et c'est déjà beaucoup. À vous de décider.

Il regarda sa montre, il était six heures.

— Mais, continua-t-il, communiquez-moi votre décision d'ici vingt heures trente. Vous m'avez, à juste raison, fait noter que je n'ai pas agi en suivant les règles. Donc, vous comprendrez et justifierez ma hâte à me remettre dans le droit chemin. Mais attention. Le pacte est clair. Si Cusumano, en s'auto-accusant de la tentative d'homicide, le fait de manière à offrir trop d'aliments à la défense, c'est-à-dire à vous, moi, je sors la plainte pour viol.

L'avocat et député Torrisi leva la main.

— Je vous écoute.

— Si on ne fait aucune allusion à l'enquête sur le viol, quel motif aurait eu alors Cusumano pour ordonner à Brucculeri de tirer ?

— Monsieur le Député, c'est une affaire qui ne me regarde pas. Le mobile, vous l'inventerez vous. Un mobile important et lourd, parce que moi, je veux voir Cusumano...

— ... en taule, conclut Torrisi.

Il n'y avait plus rien à dire. Montalbano ouvrit la fenêtre.

— Je change l'air. Au revoir, monsieur le Député. Ce fut vraiment un grand plaisir.

Et ce disant, le commissaire lui adressa un sourire ample et apparemment très cordial. Le député Torrisi se leva, ne salua pas, il dut ouvrir lui-même la porte parce que Montalbano ne bougea pas d'où il se trouvait.

Le coup de fil de l'avocat et député Torrisi arriva à vingt heures vingt-cinq. Fazio, qui maintenant savait tout, était lui aussi dans le bureau du commissaire.

— *Dottor* Montalbano ? Je vous informe que Pino Cusumano est prêt à déclarer avoir ordonné à Brucculeri ce que vous savez.

— Très bien. Qu'il vienne tout de suite au commissariat.

— Ah, mais il y a un contretemps. Le pauvre garçon est malheureusement tombé dans l'escalier.

— Il s'est fait mal ?

— Apparemment, deux ou trois côtes cassées, la cloison nasale fracturée, il n'arrive plus à bouger une jambe… Nous avons dû appeler une ambulance.

— Où a-t-il été hospitalisé ?

— À Montelusa, au Santo Spirito.

Ils raccrochèrent ensemble. Montalbano se tourna vers Fazio.

— Tu as compris ? Les Cuffaro ont salement tabassé leur bien-aimé fils et petit-fils. Il va avouer la tentative d'homicide contre moi. Il est à l'hôpital Santo Spirito. Téléphone, toi, à la Questure de Montelusa et raconte l'histoire. Pino Cusumano, ils vont s'en occuper, eux.

— Et vosseigneurie, vous allez où ?

— Il m'est venu un certain appétit, je vais manger. Ah, une chose : quand tu rentres chez toi, tu dois dire à Rosanna que j'ai tenu ma promesse. Pino va aller en prison et elle n'aura pas besoin de témoigner. Donne-lui mon bonjour.

— Je le ferai, dit sèchement Fazio.

— Qu'est-ce qu'il y a ? Quelque chose qui ne va pas ?

— Qu'est-ce qu'on en fait du revolver de Rosanna ?

— On l'enregistre comme trouvé dans la rue.

— Et au juge Rosato, quand il va téléphoner, qu'est-ce qu'on lui raconte ?

— Que Rosanna s'est avérée être une mythomane, une folle incapable de vouloir et de comprendre.

— Et comment on se comporte avec l'ingénieur Siracusa ?

— D'ici trois ou quatre jours, il va sûrement se tranquilliser et revenir. Alors, tu vas chez lui contrôler les armes. Et, comme par hasard, tu découvres le tiroir secret. Je te dirai tout le moment venu. Comme ça, lui aussi, il aura des emmerdes.

L'air de Fazio se fit encore plus sombre.

— Donc, tout est réglé.

— Oui.

— Mais en passant par-dessus toutes les règles, *dottore*.

— C'est ce que m'a dit aussi le député Torrisi, t'es en bonne compagnie.

— *Dottore*, si vous voulez m'offenser, ça veut dire une seule chose : c'est que vous savez très bien que vous n'avez pas la conscience tranquille.

— Si tu veux vider ton sac, vas-y.

— *Dottore*, on a agi comme dans les films américains, ceux où le shérif fait comme ça lui chante, putain, parce que la *liggi*, la loi, dans ces coins-là, chacun se la bricole. Alors que chez nous, il y a des règles qui…

— Je le sais très bien qu'il y a des règles ! Mais tu sais comment elles sont, tes règles ? Elles sont comme le pull-over de laine que me fit ma tante Cuncittina.

Fazio le dévisagea, complètement perdu.

— Le pull-over ?

— Oh que oui, monsieur. Quand j'avais une quinzaine d'années, ma tante Cuncittina me fit un pull-over de laine. Mais comme elle ne savait pas tricoter, le pull avait tantôt des mailles larges qu'on aurait dit des pertuis, tantôt des mailles trop serrées, et il avait un bras trop court et un autre trop long. Et moi, pour me l'ajuster, je devais d'un côté le tirer, de l'autre le remonter, tantôt le serrer et tantôt l'élargir. Et tu sais pourquoi je pouvais le faire ? Parce que le tricot s'y prêtait, il était en laine, pas en fer. Tu m'as compris ?

— Parfaitement. Donc, c'est comme ça que pense vosseigneurie ?

— C'est comme ça que je pense.

Vers dix heures et demie du soir, il appela Mery. Ils se mirent d'accord pour que Montalbano aille la trouver le samedi suivant. Au moment de lui dire au revoir, il lui vint une idée.

— Ah, écoute une chose. J'aurais besoin de trouver une place pour une gamine de dix-huit ans...

— Quel genre de place ?

— Bah, comme bonne, comme gardienne de je ne sais quoi, comme baby-sitter... Elle est propre, belle, ce qui ne gâte rien, et habituée à se gagner son pain depuis qu'elle est enfant, tous ceux pour qui elle a travaillé m'en ont dit du bien.

— Tu parles sérieusement ?

— Sérieusement.

— Elle n'a personne à Vigàta ?

— Personne.

— Et comment ça se fait ?

— Je te raconterai toute l'histoire quand je viendrai.

— Donc, elle serait disposée à dormir chez ses employeurs ?

— Oui.

— Seigneur, c'est formidable ! Et ma mère qui est au désespoir... il y a une heure à peine, elle m'a téléphoné qu'elle n'y arrivait plus... Écoute, samedi, quand tu viens, tu pourrais l'emmener avec toi ?

Il sortit sur la véranda. Une nuit très douce, grande lueur de lune et la mer qui battait doucement. Sur la plage, pas âme qui vive. Il se déshabilla et courut nager.

RETOUR AUX ORIGINES

Un

Il avait passé la première partie de la journée de congé du lundi de Pâques dans la paix du paradis.

La veille au soir, la télévision avait communiqué au bon peuple que la matinée du lendemain, à savoir le lundi de l'Ange, serait toute à se régaler : température presque estivale, pas de nuages et pas un souffle de vent. L'après-midi, en revanche, étaient prévus quelques passages nuageux mais pas de quoi s'inquiéter, une chose légère, éphémère.

Ce qui revenait à dire que Vigàta au complet, des arrière-grands-parents aux arrière-petits-enfants, allait déménager vers la campagne ou la mer, abondamment fournis en *sfincioni, cuddrironi, arancini*, pâtes à la *n'casciata*, aubergines au parmesan, *purciddratu, panareddri* à l'œuf, *cannoli*[1], cassates et autres délices à manger dehors,

---

1. *Sfincioni* : pizza à pâte très levée, recouverte d'un mélange de tomates et oignons ; *cuddrironi* : fougasses cuites sur de grandes plaques à pizza et contenant tomates, fromage (*cacciocavallo*), anchois, pommes de terre… ; *arancini* : boulettes de riz farcies de viande et de petits pois ou de mozzarella ; pâtes à la *n'casciata* : au four avec abondance de garniture dont aubergines, viandes, etc., la recette varie d'une famille à l'autre ; *purciddratu* : biscuit à la confiture de figue ; *panareddri* : biscuit fait avec de la pâte à pain sucrée,

dans ce qui, théoriquement, était un pique-nique mais qui, pratiquement, finissait par s'avérer une espèce de réveillon du Jour de l'An.

Ce qui revenait à dire que la plage devant sa maison à Marinella serait envahie de familles hurlantes et de musiques à plein tube, impossible d'envisager un repas tranquille sur la véranda. Donc, en prévision de ce capharnaüm, il avait téléphoné à la trattoria de Enzo et s'était mis d'accord.

À neuf heures du matin, sa voiture fut la seule à se diriger vers le pays, roulant en sens inverse d'un énorme serpent d'automobiles, motocyclettes, fourgons, bicyclettes qui se déroulait depuis Vigàta. Quand le commissaire y arriva, le bourg était semi-désert. Mimì Augello était parti avec Beba, mais il reviendrait dans la soirée, Fazio se faisait une partie de campagne, même Catarella avait pris la poudre d'escampette vers le grand air.

En entrant, il avertit le téléphoniste :

— Messineo, me passe pas les appels.

— Et qui voulez-vous qui téléphone ? répondit, sagement, l'autre.

Il avait emmené avec lui deux livres, un recueil d'essais et d'articles de Borges et un roman de Daniel Chavarría situé à Cuba. Un pour la matinée et un autre pour l'après-midi. Oui, mais par lequel commencer ? Il décida que, avec la tête claire et pas encore alourdie par la digestion, il valait certainement mieux attaquer par Jorge Luis Borges qui t'obligeait toujours et en tout cas à exercer l'intelligence. Il se mit à lire, commodément installé sur le petit divan qu'il y avait dans un coin du bureau.

Quand il regarda sa montre, il s'aperçut, incrédule, que trois bonnes heures étaient déjà passées. Midi et demi. Mais comment ça ? Il s'aperçut qu'il n'était pas

en forme de panier contenant un œuf dur ; *cannoli* : biscuit de pâte frite roulée contenant une crème à la ricotta. *(N.d.T.)*

allé au-delà de la page 71 ; là, il s'était pris au piège des raisonnements sur une phrase :

Le fait même de percevoir, de porter attention, est du genre sélectif : chaque attention, chaque fixation de notre conscience, comporte une omission délibérée de ce qui ne nous intéresse pas.

Ça, c'était vrai, se dit-il, d'une manière générale. Mais dans son cas particulier, c'est-à-dire dans sa tête de flic, la sélection entre ce qui intéresse et ce qui n'intéresse pas ne devait pas être contemporaine de la perception, ce serait une grave erreur. La perception d'un fait, dans une enquête, ne peut consister en un choix contextuel, elle doit être absolument objective. Les choix se font ensuite, à grand-peine et non par la perception, mais par raisonnements, déductions, comparaisons, éliminations. Et il n'est pas dit qu'ils ne comportent pas tout de même un risque d'erreur, au contraire. Mais, en pourcentage, la possibilité de se tromper est plus basse que si l'on choisit en se fiant à un instinct de sélection perceptive. Mais par ailleurs, à bien considérer la chose, en quoi consistait ce que Hammett appelait « l'instinct de la chasse », sinon en une réelle capacité de sélection foudroyante à l'instant même de la perception ?

Alors, qu'aurait-il pu écrire et conseiller dans un idéal *Manuel du parfait enquêteur* ? Que peut-être la vertu était dans le milieu, comme d'habitude (et il fut pris de fureur contre lui-même pour l'expression toute faite qui lui était venue à l'esprit). C'est-à-dire que le choix perceptif, il fallait en tenir compte soigneusement parce que c'était le premier élément à discuter jusqu'à sa négation.

Satisfait des vertigineuses hauteurs philosophiques atteintes, il sentit poindre « le pétit », l'appétit. Alors, il téléphona à la trattoria. Un garçon répondit.

Voix inconnue, il devait s'agir d'un aide appelé pour l'occasion.

— Montalbano, je suis. Passe-moi Enzo.

Dans le fond, un bazar de voix, cris, rires, pleurs de minots, bruits variés de verres, assiettes, couverts.

— *Dottore*, vous eûtes raison à pas venir ici, dit Enzo. Un bordel, il y a. On n'a plus une place. Votre repas est prêt. D'ici un quart d'heure maximum, je vous le fais porter.

Il consacra le quart d'heure d'attente à débarrasser son bureau de tout ce qui s'y trouvait et à en recouvrir la surface avec les pages d'un vieux journal. Avec quelques minutes de retard, se présenta un pitchounet muni de deux sacs de plastique. Dedans se trouvaient trois gamelles de grande capacité, une avec les pâtes, une avec le poisson et une avec le hors-d'œuvre, plus une miche de pain, une demi-bouteille de vin, une demi d'eau minérale, des couverts et deux verres. Le minot dit qu'il repasserait d'ici une heure et s'en alla donner un coup de main à la trattoria. Montalbano se régala en prenant tout son temps. Quand il eut fini, les gamelles brillaient comme si elles venaient tout juste de sortir de l'usine. Il rangea ce qui restait dans les sacs, ôta les pages du journal, remit en ordre le bureau, sortit de la pièce, confia les sacs au planton en lui disant qu'un gamin passerait les reprendre et l'avertit :

— Je vais faire un tour.

Le bar à côté du commissariat était ouvert et dépourvu de clients. Il se prit un café puis, en suivant des rues où ne se rencontrait pas âme qui vive, se dirigea vers le môle pour l'habituelle promenade jusque sous le phare. Il s'assit sur le rocher plat, se remplit une main de cailloux et commença à les lancer un à un dans l'eau. Il s'aperçut que du ponant s'élevaient, à grande vitesse, de lourds nuages noirs de pluie. Le temps changeait rapidement.

Dieu sait ce que Livia était en train de faire en ce moment. Elle avait décidé de s'offrir un séjour à Marseille avec quelques personnes de son bureau et avait longuement insisté pour que lui aussi fût de la partie.

— Excuse-moi, Livia, mais vraiment, je ne peux pas. Trop de travail en cette période.

C'était une galéjade, jamais il n'avait eu si peu à faire ces jours-ci. Mais il n'avait pas envie de connaître de nouvelles personnes, le plaisir d'être avec Livia aurait été annulé par le malaise d'une vie commune, même si ce n'était que quelques jours, avec des gens qui lui étaient familiers, à elle, et parfaitement inconnus, à lui.

— La vérité, c'est que tu deviens vieux, lui avait dit Livia quand il s'était décidé à lui avouer la vraie raison de son refus.

Eh beh? Qu'est-ce que ça voulait dire, ça, merde? Quand on devient vieux pourquoi est-ce qu'on ne pourrait pas jouir des privilèges qu'offre la vieillesse, à côté des désagréments qu'il faut subir? Il était libre, oui ou non, de ne plus avoir envie de faire de nouvelles connaissances?

Un vent mauvais commençait à souffler. Mieux valait rentrer au commissariat. Revenu dans son bureau, il améliora l'installation en rapprochant du divan où il allait se remettre un petit fauteuil pour y poser les jambes.

Il reprit en main le livre de Borges. Mais au bout d'une petite dizaine de minutes, ses paupières commencèrent à papillonner; héroïquement, il s'obstina encore un peu dans la lecture et puis, d'une façon ou d'une autre, les paupières tombèrent d'un coup comme deux stores.

Une explosion épouvantable le réveilla, le faisant bondir sur ses pieds, effrayé. Seigneur, que se passait-il? Pourquoi la pièce était-elle plongée dans l'obscurité? Et alors, il se rendit compte qu'un orage s'était déchaîné, que l'eau du ciel tombait à seaux, qu'au-dehors il y avait un beau feu d'artifice. Tu parles d'un léger passage nuageux, comme l'annonçait la télévision! Mais combien de temps avait-il dormi? La montre annonçait quatre heures. Peut-être valait-il mieux rentrer à Marinella, l'orage aurait certainement chassé les pique-niqueurs de la plage. Il alla ouvrir la porte du bureau et il était en train d'enfiler sa veste quand un cri très fort dans son dos le pétrifia.

— Meeeeerde !

Il se retourna. C'était Catarella qui se tenait des deux mains aux montants de la porte pour ne pas tomber à genoux.

— *Dottori !* Vosseigneurie, vous étiez là ? Rien, il m'a dit, ce cornard de Messineo ! Qu'est-ce qui se passa, eh, *dottori* ?

Mieux valait ne pas dire la vérité, il ne l'aurait pas comprise.

— J'attendais deux coups de fil qui sont arrivés. Et maintenant, je rentre à la maison. T'as passé un bon lundi de Pâques ?

— Oh que oui, *dottore*. Je suis allé dans la famille de sa famille à elle.

— À elle, qui, Catarè ?

— À elle de ma fiancée, *dottori*, ce qui veut dire son père et sa mère à elle, son frère à elle, sa sœur la petite et sa sœur la grande, à elle, qui vint avec son mari à elle, c'est-à-dire de la grande sœur, dans sa campagne à lui, à Duruelli.

— À lui de qui, Catarè ?

— Au mari de la grande sœur de ma fiancée, *dottori*. Le chevreau au four, on a mangé. Après le temps changea et on rentra. Je repris le service.

— Bien, on se voit demain.

Comme dans la matinée, il se retrouva à avancer en sens inverse du serpent des voitures, motos et fourgonnettes qui tentaient de rentrer à Vigàta. L'orage était en train de le mettre de mauvaise humeur, il ne fit que jurer et adresser des gestes grossiers et lancer des gros mots contre les automobilistes qui se prenaient pour des champions et essayaient de dépasser le serpent en envahissant sa part de la chaussée.

Arrivé à Marinella, comme il se mettait sur la véranda, sa mauvaise humeur s'aggrava. Certes, sur la plage, il n'y avait plus personne, mais la horde avait laissé derrière elle sacs, verres et assiettes de plastique, bouteilles vides, boîtes de bière, morceaux de *cuddrironi*, cacas de pitchouns, papiers sales. À perte de vue, pas un centimètre de plage qui ne fût sali. Et la pluie soulignait encore la saleté. « Le prochain déluge universel », pensa-t-il, « ne sera pas fait d'eau, mais de tous nos déchets accumulés à travers les siècles. Nous allons mourir étouffés dans notre propre merde. » À cette idée, il commença à ressentir des démangeaisons sur tout le corps. Il se mit à se gratter. Était-il possible que la seule pensée de la saleté salisse ? Pour une raison ou une autre, il alla se mettre sous la douche.

Quand il revint sur la véranda, il vit que l'orage s'en était allé aussi vite qu'il avait surgi. Le ciel s'éclaircissait. Il ressentit, envers cet orage gâte-fêtes, un sentiment irrationnel de sympathie, chose chez lui parfaitement insolite, vu qu'avec le mauvais temps, il ne voulait rien avoir à faire. Le téléphone sonna. Il fut tenté de ne pas répondre. Et si c'était Livia qui téléphonait de Marseille ?

— Allô ? Qui est à l'appareil ?

— C'est Fazio, *dottore*.

— Où es-tu ?

— À Piano Torretta. Je vous appelle sur mon portable.

— Et qu'est-ce que tu y fabriques, à Piano Torretta ?

— *Dottore*, on a décidé de passer ensemble le lundi de Pâques, Gallo, Galluzzo et nos familles. Et on est allés au quartier Sgombro.

— Et alors ?

— Et puis le temps a commencé à changer et on s'est mis en voiture pour rentrer à Vigàta.

— Qu'est-ce que vous avez mangé ? demanda Montalbano.

Fazio fut interloqué.

— Hè ? Vous voulez savoir ce qu'on a mangé ?

— Ça me semble important, vu que tu veux me faire un rapport sur comment vous avez passé la journée de congé.

— Excusez-moi, *dottore*, mais je suis en train de vous raconter les choses dans l'ordre. À la hauteur de Piano Torretta, on a vu qu'il y avait de l'agitation.

— Quel genre d'agitation ?

— Bah… des femmes qui pleuraient… des hommes qui couraient…

— Qu'est-ce qui s'était passé ?

— Une minote de trois ans a disparu, *dottore*.

— Comment ça, disparu ?

— *Dottore*, on ne la trouve plus. On est en train de la chercher. Gallo, Galluzzo et moi, on s'est mis à la tête de trois groupes de volontaires… mais d'ici deux heures, il va faire nuit et si on ne la trouve pas à temps, il va falloir mieux organiser les recherches… Peut-être qu'il vaut mieux que vous fassiez un saut ici.

— J'arrive.

La route de Montelusa était très fréquentée, cette fois, lui aussi faisait partie du serpent du retour. Après un virage, il se vit perdu. Devant lui étaient bloqués une centaine de véhicules. Il eut à peine le temps de freiner que derrière lui s'immobilisait un bus de Hollandais. Maintenant, il était coincé dans un bouchon et ne pouvait plus ni avancer ni reculer. Il descendit de l'auto en jurant, sans savoir que faire. À ce moment, fonçant en sens inverse et s'ouvrant un chemin entre deux files de voitures, arriva une auto de la police de la route. Le policier au volant le reconnut, freina.

— Je peux vous être utile, commissaire ?

— Qu'est-ce qui se passe ?

— Un poids lourd qui roulait très vite a fait une

embardée sur la chaussée mouillée et est passé sur la voie opposée au moment où arrivait une voiture avec cinq personnes à bord. Deux sont mortes.

— Mais les poids lourds peuvent circuler les jours de fête ?

— Oui, s'ils transportent des denrées périssables.

— Le chauffeur du poids lourd, comment il va ?

Le policier le regarda d'un air interloqué.

— Il est sous le choc, mais ne s'est rien fait.

— Tant mieux.

Le policier fut encore plus étonné.

— Vous le connaissez ?

— Moi ? Non. Mais traitez-le bien, attention. Vous savez combien notre ministre, celui qui veut nous faire rouler à 150 à l'heure, il les aime, les chauffeurs de poids lourds. Il leur a même fait une réduction sur les amendes.

Avec l'aide de l'agent de la police de la route, il put tant bien que mal se dégager de la file, opérer un virage périlleux et retourner en arrière pour suivre un itinéraire de remplacement, qui était toutefois plus long.

Ce fut ainsi qu'il se retrouva à passer au-dessous de la colline appelée Ciuccàfa au sommet de laquelle se dressait l'immense villa de don Balduccio Sinagra, où il s'était rendu un jour, au temps de l'enquête sur un couple de petits vieux disparus lors d'une excursion à Tindari. La grande famille mafieuse des Sinagra s'était désagrégée, il ne restait plus apparemment qu'un seul survivant, un petit-fils de don Balduccio, dit « l'accordeur », à cause de l'habileté diplomatique qu'il avait su démontrer dans les moments délicats, et aussi de la corde à piano qu'il avait utilisée un jour, à ce qu'on racontait, pour étrangler un type. Mais ledit Pino s'était depuis un certain temps transféré au Canada ou aux États-Unis. Tous les biens (du moins, c'est ce qu'on disait) des Sinagra avaient été saisis. Orazio Guttadauro, historique avocat de la famille et à présent élu triomphalement au Parlement sur les bancs de la majorité, avait toutefois réussi à sauver (du moins, c'est ce qu'on disait), la villa de Ciuccàfa. Sur le toit de laquelle le commissaire, surpris, vit se découper une gigantesque antenne parabolique. Comment ça ? Mais la villa était fermée depuis des années ! Qui était allé y habiter ? Peut-être l'avait-on louée ?

Piano Torretta était, inexplicablement, un bout de Suisse qui faisait comme un grand coup de poing dans le reste du paysage. Une vaste étendue d'herbe et d'arbres, de forme quasi circulaire, délimitée par de gros buissons de plantes sauvages qui le protégeaient aussi des routes qui tournaient autour. Pour entrer sur cette esplanade, il y avait trois ouvertures dans la ceinture de végétaux. Le commissaire franchit la première qui fut à sa portée, descendit. Ébahi, il s'aperçut qu'il était seul. Pas une auto, pas une personne. Rien. Le vert de la prairie, déjà brutalisé par les roues des automobiles, était mainte- nant recouvert du même amas de débris que la plage de Marinella. Une dégueulasserie. Le seul être qui bougeait était un chien cherchant parmi les restes de la grande bouffe collective. Il prit le mobile qu'il avait emporté et composa le numéro de Fazio.

— *Dottore*, c'est vous ? Tant mieux, j'étais en train de vous appeler. On a trouvé la minote, juste à l'instant.

— Vivante ?

— Oh que oui, *dottore*, grâce à Dieu.

— Elle est blessée ?

— Oh que non.

— Elle a été…

— *Dottore*, à moi, elle me paraît juste effrayée.

— Où tu es ?

— Dans la villa du Dr Riguccio. Vous savez où c'est ?

— Oui. Les parents sont là ?

— Oh que non, *dottore*. On les a avertis, ils étaient allés chercher dans une autre direction. Ils arrivent.

La villa du Dr Riguccio était à environ six kilomètres de Piano Torretta.

En voiture, on mettait dix minutes. Un adulte, à pied, aurait eu besoin, sans trop se presser, d'une petite heure. Mais une minote de trois ans, comment avait-elle fait pour marcher six kilomètres sans qu'une seule voiture de passage la remarque sous ce déluge ? Et surtout, comment elle avait fait pour mettre si peu de temps ?

Une dizaine d'autos étaient arrêtées devant le portail de la villa qui donnait juste sur la route. Fazio vint à sa rencontre.

— Les parents viennent d'arriver.

De l'intérieur de la villa arrivaient des rires et des pleurs. Il devait y avoir un *gran burdellu*, un grand bordel.

— Gallo et Galluzzo, ils sont où ?

— Je les ai avertis que Laura, la fillette, a été retrouvée, et ils sont rentrés à Vigàta. Ma femme aussi est allée avec eux.

— Je voudrais voir la minote, mais je ne voudrais pas avoir affaire à cette foule en délire.

— Attendez un moment.

Il revint au bout d'un moment avec un sexagénaire chauve, élégant : le Dr Riguccio. Montalbano et lui se connaissaient déjà.

— Commissaire, j'ai fait mettre la fillette dans ma chambre à coucher et je n'ai autorisé que les parents à entrer.

— Vous avez eu la possibilité de l'examiner ?

— Un coup d'œil superficiel. Mais je ne crois pas qu'elle ait subi de violences sexuelles. Mais elle a quand même subi, ça oui, un traumatisme très fort. Elle n'arrive pas à parler, ni à pleurer. Je lui ai donné un sédatif, à cette heure, elle doit déjà dormir.

— Qui l'a trouvée ? demanda Montalbano à Fazio.

Mais ce fut le médecin qui répondit.

— Personne ne l'a trouvée, commissaire. Elle s'est

présentée, toute seule, au portail. Ma femme l'a vue, elle l'a prise dans ses bras et l'a emmenée à l'intérieur. Nous avons pensé qu'elle s'était perdue, nous ne savions pas qu'on la cherchait. Alors, j'ai téléphoné à votre commissariat.

— Et Catarella, qui me savait dans le coin, m'a averti sur le portable, conclut Fazio.

— Si vous voulez voir la fillette, il y a un escalier arrière qui conduit directement au premier étage, dit le médecin. Suivez-moi.

Montalbano sembla dubitatif.

— Si vous dites qu'elle dort… Une question, docteur. A-t-elle des signes évidents de coups ?

— Elle avait la joue gauche très gonflée et rougie, peut-être s'est-elle cognée contre…

— Excusez-moi, une gifle violente aurait eu le même effet ?

— Ben, maintenant que vous m'y faites penser… oui.

— Une autre question, l'avant-dernière. Pour la mettre au lit, vous l'avez déshabillée, pas vrai ?

— Oui.

— Ses chaussures n'étaient pas très boueuses, pas vrai ? Quasiment pas.

— Vous avez raison, dit le médecin. Maintenant que j'y pense…

— Et tant que vous y êtes, pensez aussi à ça : sa robe, par hasard, elle n'était pas parfaitement sèche ?

— Oh Seigneur ! s'exclama le médecin. Maintenant que j'y pense… oui, elle était sèche.

— Merci, docteur, vous m'avez été très utile. Je ne vous retiens pas davantage. Fazio, tu veux dire au père de la fillette que je désire lui parler ?

Il était à mi-chemin de sa cigarette quand Fazio revint accompagné d'un quadragénaire blond, portant un jean et un pull qui avaient été élégants et qui étaient maintenant sales et trempés, et des chaussures naguère coûteuses transformées en godillots éculés et boueux de clochard.

— Je suis Fernando Belli, commissaire.

Montalbano l'identifia tout de suite. C'était un Romain qui s'était marié avec une femme de Vigàta. Depuis deux ans, il était devenu le plus important grossiste de poissons du coin : propriétaire de camions frigorifiques et homme d'initiative, en peu de temps, il s'était pris le monopole du marché. Mais à Vigàta, on le voyait rarement, car ses plus grosses affaires, il les faisait à Rome, où il habitait, et quant au commerce des poissons, c'était le frère de la sœur qui y veillait. Il avait une réputation d'honnêteté et de sérieux.

Manifestement, il était encore bouleversé par ce qui s'était passé. Il tremblait de nervosité et de froid. Il fit peine à Montalbano.

— Monsieur Belli, juste quelques minutes et puis je vous laisse retourner auprès de votre fille. Quand avez-vous remarqué sa disparition ?

— Ben… très peu de temps avant qu'il se mette à pleuvoir. Nous étions à trois voitures, mes beaux-parents, mon beau-frère et la famille d'un ami. Nous avons fini de charger nos affaires pour retourner à Vigàta quand nous nous sommes aperçus que Laura, que nous avions vue jouer au ballon cinq minutes avant, n'était plus avec nous. Nous avons commencé à l'appeler, à la chercher… D'autres personnes que nous ne connaissons pas se sont jointes à nos recherches… Ça a été terrible…

— Je comprends. Où vous trouviez-vous ?

— Nous avions préparé une table un peu en marge du Piano… près de la ceinture de buissons.

— Vous avez une idée de ce qui s'est passé ?

— Je crois que Laura, peut-être en suivant le ballon, a dépassé les buissons, s'est retrouvée sur la route et n'a plus su comment revenir en arrière. Peut-être a-t-elle été

recueillie par un automobiliste qui l'a accompagnée jusqu'à la première maison qu'il a rencontrée.

Ah, c'est ça qu'il pensait, M. Belli ? Mais entre Piano
Torretta et la villa du docteur, il y avait au moins une cin-
quantaine de maisons ! Mais mieux valait ne pas insister.

— Écoutez, monsieur Belli, demain matin, vous
pouvez passer au commissariat ? Une pure et simple formalité, croyez-moi.

Et dès qu'il se fut éloigné :

— Fazio, fais-toi remettre les vêtements de la minote
et amène-les à la police scientifique. Et fais-moi savoir
vie, mort et miracles de M. Belli. À moi, cette histoire ne
me va pas. À plus tard.

— *Dottor* Montalbano ? Ici, Fernando Belli. Ce matin,
j'aurais dû passer vous voir, comme nous en étions d'accord, mais malheureusement, je ne peux pas.

— La petite va mal ?

— Non, elle va relativement bien.

— Elle a réussi à dire quelque chose ?

— Non, mais nous avons appelé une psychologue qui
est en train d'essayer de mettre Laura en confiance. C'est
moi qui ai beaucoup de fièvre. Je crois qu'il s'agit d'une
réaction naturelle à la peur et à toute la pluie que je me
suis prise hier.

— Écoutez, faisons comme ça : si je peux, et si vous
vous sentez, je viens chez vous dans l'après-midi, en télé-
phonant avant, naturellement, sinon on renverra tout.

— D'accord.

Dans la pièce, tandis que Montalbano recevait le coup
de fil, se trouvaient aussi Fazio et Mimì qui avait été
informé de l'affaire. Le commissaire leur raconta ce qui
venait d'être dit.

— Alors, qu'est-ce que tu me racontes sur Belli ?
demanda-t-il ensuite à Fazio.

Celui-ci glissa la main dans la poche.

— Halte ! lança Montalbano, menaçant. Quelles sont tes intentions ? Sortir un bout de papier et me faire savoir nom et prénom des Belli ? Le surnom du cousin au premier degré ? Où il va se faire raser ?

— Excusez-moi, dit Fazio, découragé.

— Quand tu prendras ta retraite, je te promets de remuer ciel et terre pour te faire besogner à l'état civil de Vigàta. Comme ça, tu pourras t'en donner à cœur joie.

— Excusez-moi, répéta Fazio.

— Allez. Donne-moi l'essentiel.

— Belli, sa femme, qui de son prénom s'appelle Lina, et la minote sont arrivés à Vigàta de Rome depuis quatre jours, pour passer les fêtes de Pâques avec les parents de Mme Lina, les Mongiardino. Dont ils sont les hôtes. Ils font toujours comme ça à Noël et à Pâques.

— Depuis combien de temps sont-ils mariés ?

— Depuis cinq ans.

— Comment se sont-ils connus ?

— Le frère de Mme Lina, Gerlando, et Belli se sont connus au service militaire et ils sont devenus amis. De temps en temps, Gerlando allait le trouver à Rome. Il y a sept ans, c'est Belli qui est venu à Vigàta. Il a connu la sœur de son ami et en est tombé amoureux. Ils se sont mariés il y a cinq ans, ici, à Vigàta.

— Qu'est-ce qu'il fait à Rome, Belli ?

— À Rome aussi, il est grossiste en poissons. Il est à la tête d'une société que lui a laissée son père mais qu'il a su agrandir. Mais il a d'autres intérêts, il paraît même que de temps en temps, il produit des films, ou du moins, il y met de l'argent. La société d'ici, c'est son beau-frère Gerlando qui s'en occupe, mais…

— Mais ?

— Il paraît que Belli n'est pas content de la manière dont son beau-frère mène les affaires. De temps en temps, Belli vient pour une demi-journée à Vigàta et ça se termine toujours en engueulade avec Gerlando.

— Il est marié ?

— Gerlando ? C'est un coureur de jupons invétéré, *dottore*.

— Je t'ai pas demandé s'il était putanier, je t'ai demandé s'il était marié.

— Oh que oui, marié, il est.

— Et la raison de ces engueulades entre les deux beaux-frères, tu l'as sue ?

— Oh que non.

— Donc, intervint Mimì, il me semble qu'on peut conclure que Belli est un homme très riche.

— Certes, acquiesça Fazio.

— Alors, l'hypothèse d'un enlèvement de la minote à fin d'extorsion ne repose pas sur du vide.

— Elle repose tellement sur du vide, rétorqua Montalbano, qu'elle flotte dans la stratosphère. Explique-moi, si c'est le cas, pourquoi la petite a été remise en liberté.

— Qui te dit qu'elle a été remise en liberté ? Elle peut s'être échappée.

— Qu'est-ce que tu racontes !

— Ou les kidnappeurs, à un certain point, ne se sont plus sentis de le faire.

— Mimì, mais pourquoi ce matin t'aimes tant dire des conneries ? Ces gens-là, ils sont déjà arrivés à trente et tu veux pas qu'ils fassent trente et un ?

— C'était peut-être un pédophile, suggéra Fazio.

— Et lui aussi, à un certain moment, il s'est plus senti de profiter de la minote ? Allez, Fazio ! Un pédophile aurait eu à sa disposition tout le temps dont il avait besoin pour se faire ses saloperies bien à l'aise ! Et ne venez pas me sortir l'histoire que la minote a été enlevée pour être revendue. Bon, d'accord, au jour d'aujourd'hui, les minots sont une marchandise de valeur, à la Nouvelle York, il paraît qu'on les vole dans les hôpitaux, en Iran, après le tremblement de terre, ils ont enlevé tous les minots survivants sans famille pour se les vendre, au Brésil, n'en parlons pas…

— Excusez-moi, mais pourquoi est-ce que vous l'excluez absolument ?

— Parce que ceux qui volent des enfants pour en faire le trafic sont pires que de la merde. Et la merde n'a pas de remords. La merde remet pas en liberté un gamin après l'avoir capturé. Si ça vient à se trouver en difficulté, ça tue. Rappelez-vous que nous, justement ici à Vigàta, on en a eu un exemple avec le petit immigré qu'ils ont écrasé sous les roues d'une voiture[1].

— Moi, je me demande, reprit Mimì, pourquoi la petite a été abandonnée devant la villa du Dr Riguccio.

— C'est pas ça la bonne question, Mimì. La question, c'est : pourquoi la personne qui prit la fillette se l'est gardée deux heures dedans sa voiture ?

— Mais d'après vosseigneurie, comment ça s'est passé, alors ? demanda Fazio.

— D'après ce que nous a dit Belli, ils avaient préparé la tablée au bord de l'esplanade, donc très près des buissons qui l'entourent. Quand ils comprennent qu'un orage est en train d'arriver, ils se dépêchent de charger les voitures et s'aperçoivent que Laura, qui jouait au ballon pas loin de là, a disparu. Ils commencent à la chercher quelques minutes avant qu'arrive l'orage, mais ne la trouvent pas. D'après moi, la petite a dû se débrouiller pour envoyer le ballon au-delà des buissons, sur la route. En le cherchant, elle tombe sur un vide étroit, et le franchit. Elle récupère le ballon mais ne retrouve pas la route pour revenir en arrière. Elle se met à pleurer. À ce point, quelqu'un qui est en train de remonter en voiture ou qui se trouve à passer ou qui était posté là en attendant la bonne occasion se prend la minote. Alors seulement, il commence à pleuvoir avec violence. Rappelons-nous que

1. Voir *Le Tour de la bouée*, Fleuve Noir. *(N.d.T.)*

les vêtements de Laura étaient secs. À propos, tu les as apportés à la Scientifique ?

— Oh que oui. Ils espèrent pouvoir nous dire quelque chose dès demain.

— L'homme en voiture s'éloigne de Piano Torretta, continua Montalbano. Il sait que les recherches ont commencé et que rester dans les parages est dangereux. La minote est terrorisée, peut-être qu'elle crie, et alors l'homme l'étourdit d'une baffe. Après, il s'arrête et reste sous la pluie une heure et demie-deux heures, sans descendre de voiture. Quand ça s'arrête, il redémarre et libère Laura devant une villa où il voit du monde. Cela signifie qu'il veut que la pitchoune soit immédiatement repérée. Autrement, il l'aurait abandonnée en pleine campagne. Et je reviens à la question : pourquoi est-ce qu'il l'a gardée tout ce temps sans rien faire ?

— Peut-être que ça l'excitait de la regarder comme ça, affolée, peut-être qu'il se masturbait, hasarda Fazio en rougissant.

— Tu t'es mis dans la tronche cette histoire de pédophile. Et t'as découvert une nouvelle variété : le pédophile timide. Mais comme tout est possible, pour ça aussi, je t'ai fait porter les vêtements à la Scientifique.

— Excusez-moi, et si la personne qui a pris Laura était une femme ? demanda Mimì.

Montalbano et Fazio le fixèrent d'un air étonné.

— Explique-toi mieux, dit le commissaire.

— Imaginez que c'est une femme qui voit la fillette qui pleure. Une femme mariée qui ne peut pas avoir d'enfant. Elle voit la petite perdue, en pleurs. Son premier mouvement est de la recueillir, de la prendre avec elle. Elle l'emmène en voiture et reste là à se la regarder, combattue entre l'envie de l'enlever et celle de la rendre aux parents. Sa maternité frustrée…

— Mais pourquoi tu te la mets pas où je pense, ton histoire ? explosa Montalbano, écœuré. T'es en train de nous raconter un mélo que même Belli, le marchand de poissons, il oserait pas produire ! Mais tu sais que depuis que tu t'es marié, tu t'es vraiment gâté ? Tu m'inquiètes vraiment, Mimì !

— Dans quel sens je me suis gâté ?

— Tu t'es gâté dans le sens que tu t'es amélioré.

— Tu vois que tu déparles ?

— Non. Autrefois, des mots comme « maternité frustrée », ils te seraient même pas passés par l'antichambre de la coucourde. Autrefois si une femme était venue te confier qu'elle n'arrivait pas à avoir d'enfants, tu lui aurais dit : « Vous voulez essayer avec moi ? » Maintenant, au contraire, tu la considères, tu compatis… Tu t'es rangé, tu es devenu meilleur. Aux yeux de tout le monde. Pas aux miens. Tu risques la banalité, c'est pour ça que je dis que tu t'es gâté.

Sans crier gare, Mimì Augello se leva et sortit de la pièce.

— *Dottore*, attention qu'il l'a mal pris, dit Fazio.

Montalbano le fixa, soupira, se leva, sortit. La porte du bureau d'Augello était fermée. Il frappa légèrement, personne ne répondit. Il tourna la poignée, la porte s'entrebâilla, le commissaire ne passa que la tête. Mimì était assis, les coudes sur la table, la tête entre les mains.

— Tu t'es vexé ?

— Non. Mais ce que tu m'as dit, c'est vrai, et ça m'a fait venir un accès de mélancolie.

Il referma la porte, retourna dans son bureau. Fazio était toujours là.

— Ah, écoute. Hier, pendant que j'arrivais à Piano Torretta, à cause de la circulation, j'ai été contraint de passer par Ciuccàfa. Et sur le toit de la villa des Sinagra, j'ai vu une antenne parabolique.

— Sur le toit de la villa des Sinagra ?

— Sur le toit de la villa des Sinagra.

— Une antenne parabolique ?

— Une antenne parabolique. Et arrête de répéter ce que j'ai dit, sinon le dialogue n'avance pas.

— Mais elle n'est pas inhabitée ?

— À ce qu'on dirait, non. Renseigne-toi pour savoir à qui on l'a louée. Fais-le-moi savoir après déjeuner.

— C'est important ?

— Important, non, mais ça a éveillé ma curiosité. En revanche, il est d'une certaine importance de savoir pourquoi entre Belli et son beau-frère Gerlando, il y a eu des engueulades.

À quatre heures de l'après-midi, il téléphona chez Mongiardino.

— Le commissaire Montalbano, je suis. Je voudrais parler avec…

— Je sais, commissaire. Mon gendre Fernando, qui s'attendait à votre coup de fil, m'a dit de vous dire qu'il ne se sent toujours pas, la fièvre reste élevée. Il vous téléphonera demain matin.

— Vous avez appelé un médecin ?

Montalbano perçut une légère hésitation dans la voix du vieil homme qui lui répondait.

— Fernando n'a… n'a pas voulu.

— Vous êtes le grand-père de Laura ?

— Oui.

— Comment va la petite ?

— Beaucoup mieux, grâce à Dieu. Elle est en train de surmonter le traumatisme. Imaginez qu'elle a commencé à parler, à raconter quelque chose. Mais seulement à la psychologue.

— Et à vous, la psychologue, qu'est-ce qu'elle a rapporté ?

— Elle n'a rien voulu nous dire. Elle soutient que le tableau est encore confus. Mais d'ici trois, quatre jours, tout sera plus clair et alors, elle nous dira.

Fazio se pointa au commissariat à sept heures du soir, quand Montalbano avait perdu l'espoir de le revoir.

— *Dottore*, ça a été difficile. Au pays, personne savait rien de rien. Un type m'a dit qu'il avait vu, y a quelque chose comme quatre ou cinq mois, deux maçons qui besognaient à la villa. Peut-être qu'ils remettaient tout en ordre.

— Et comme ça, on se retrouve le cul par terre ?

Fazio eut un *surriseddru*, un petit sourire glorieux.

— Oh que non, *dottore*. J'ai eu un joli coup de génie. Je me suis demandé : si le *dottore* Montalbano a vu une antenne parabolique, où a été achetée cette antenne ?

— Excellente question.

— Entre Vigàta et Montelusa, il y a une quinzaine environ de magasins qui vendent l'article, d'après l'annuaire. Je me suis armé d'une sacrée patience et j'ai commencé à appeler. J'ai eu de la chance parce qu'au septième coup de fil, ils m'ont répondu que la parabole à Ciuccàfa, c'étaient eux qui l'avaient vendue et installée. L'entreprise s'appelle Montelusa Électronique. J'ai pris la voiture et j'y suis allé.

— Qu'est-ce qu'ils t'ont dit ?

— Ils ont été très gentils. J'ai dû attendre un quart d'heure le retour du technicien et ils nous ont mis en contact. Il m'a dit que dans la villa, il a rencontré une personne jeune, élégante, qui parlait sicilien, mais avec un accent américain. Il m'a dit qu'on aurait dit un de ces personnages américains qu'on voit dans les films. Comme ils s'étaient mis d'accord sur le prix par téléphone, le jeune a remis au technicien une enveloppe avec dedans un chèque qu'à son tour, le technicien a remis au propriétaire. Alors, je suis allé parler avec le propriétaire, il s'appelle Volpini Ar…

— Je m'en fous de comment il s'appelle. Avance.

— Le propriétaire a regardé dans le registre et il m'a dit qu'il s'agissait d'un chèque de la Banca di Trinacria.

Il était clair que Fazio avait quelque chose d'énorme à lui révéler et qu'il faisait durer le plaisir.

— De qui était la signature ?

— C'est là qu'est le plus beau, cher *dottore*.

— Joue pas au con. De qui elle était ?

— De Balduccio Sinagra.

— Mais qu'est-ce que tu racontes ?! Et le chèque a été honoré ?

— Oh que oui, monsieur.

— Mais comment est-ce possible ?! Balduccio est mort et enterré ! Qu'est-ce que tu me racontes comme conneries ?

Fazio leva la main en signe de reddition.

— *Dottore*, c'est ce qu'ils m'ont dit et moi je vous le rapporte.

— Je veux en savoir plus, absolument.

— Mais vous devez être patient.

— Qu'est-ce que ça veut dire ?

— *Dottore*, moi, j'aurais deux routes à suivre pour débrouiller vite cette histoire. La première est d'aller à la mairie et de voir où on en est avec la famille Sinagra. Mais le lendemain, tout le pays saurait qu'on s'intéresse à cette famille. Et ça me paraît pas une bonne idée. L'autre moyen est de chercher à avoir des nouvelles par quelqu'un de la famille Cuffaro, les mafieux ennemis de Sinagra. Et ça non plus ça me paraît pas une bonne idée.

— Alors, qu'est-ce que tu penses faire ?

— Il me reste plus qu'à virer dans le pays et poser les bonnes questions aux bonnes personnes. Mais il faut du temps.

— Très bien. Et t'as réussi à savoir le motif des engueulades entre Belli et son beau-frère Gerlando ?

Fazio bomba le torse, se carra mieux sur son siège, arbora un sourire triomphal.

— *Dottore*, j'ai un ami qui besogne justement dans la société de Belli. Il s'appelle Di Lucia Ame…

Le regard mauvais de Montalbano l'arrêta.

— Cet ami m'a dit que la chose est connue de tout le

monde. Ça a commencé voilà deux ans, c'est-à-dire un peu après que la société a commencé à besogner à plein.

— À savoir, quoi ?

— Belli, qui était venu pour quelques jours avec sa femme et sa fille, s'est aperçu que les comptes ne tombaient pas juste. Il en a parlé avec son beau-frère Gerlando et s'en est retourné à Rome. Un mois plus tard, Gerlando, par téléphone, dit à Belli que d'après lui, le responsable des trous était le dirigeant administratif. Et Belli lui envoya une lettre de licenciement. Sauf que le responsable administratif, pour toute réponse, prit un avion et alla voir Belli à Rome. Papiers en main, il lui démontra qu'il n'y était pour rien et que celui qui s'était pris le fric, c'était Gerlando Mongiardino.

— Mais si Gerlando faisait partie de la société, il devait bien gagner sa vie. Qu'est-ce qu'il avait besoin de piquer des sous ?

— Mon cher *dottore*, ce type, un coureur de jupons déchaîné, c'est ! Il paraît qu'il fait des cadeaux délirants, des maisons, des automobiles… Et il paraît que sa femme est très avare, elle contrôle tout ce qu'il gagne… Donc, le galant homme est dans la nécessité de trouver des fonds extra, par-dessous la table. Voilà comment s'explique la chose.

— Qu'a fait Belli ?

— Il est revenu ici et a vu que le directeur administratif avait raison. Il s'est repris le licenciement avec ses plus plates excuses et une augmentation de salaire.

— Et avec le beau-frère, comment il s'est comporté ?

— Il voulait porter plainte. Mais sont intervenus femme, beau-père et belle-mère. En bref, il le fait tenir sous contrôle par le directeur administratif. Mais, malgré ce contrôle, de temps en temps Gerlando réussit quand même à piquer des ronds. Si bien que jeudi dernier, alors que Belli venait juste d'arriver, il y a eu une engueulade furieuse, pire que les autres.

— *Dottori* ? Excusassez-moi, mais y a ici un monsieur et *Monsignore* qui veut parler avec vosseigneurie personnellement en personne.

Un *Monsignore*, un haut prélat ? Et qu'est-ce qu'il pouvait bien lui vouloir ?

— Fais-le entrer.

Il se leva, alla ouvrir la porte et se retrouva devant un sexagénaire rougeaud, grassouillet, avec de petites mains grassouillettes assorties, des cheveux poivre et sel bien lisses, des lunettes d'or. Il n'était ni en soutane ni en clergyman, mais ça se voyait à un mille que c'était un éminent homme d'Église. Il s'en fallait de peu qu'on sente autour de lui une odeur d'encens.

— Je vous en prie, dit Montalbano avec respect, en se mettant de côté.

Le *Monsignore* passa devant lui à petits pas dignes, alla prendre place sur le fauteuil que le commissaire lui indiquait. Montalbano s'assit dans celui d'en face, mais du bout des fesses, en signe de respect.

— Je vous écoute.

Le *Monsignore* leva en l'air ses mains grassouillettes.

— Je dois d'abord poser quelques prémisses, dit-il en replaçant ses menottes sur sa bedaine.

— Posez, posez.

— Commissaire, je suis venu ici seulement parce que ma femme ne me laisse pas en paix.

Sa femme ?! Un prélat marié ? Et c'était quoi, c'te nouveauté ?

— Excusez-moi, *Monsignore*, mais…

Le prélat le regarda, ébahi.

— Non, commissaire, pas *Monsignore*. Je m'appelle Ernesto Bonsignore. J'ai un magasin en gros de sel et tabac à Gallotta.

Évidemment, comme si Catarella avait pu saisir un nom ! Montalbano, en déroulant une litanie de jurons en lui-même, se leva d'un bond. Bonsignore l'imita, toujours plus ébahi.

— Asseyons-nous ici, nous serons plus à l'aise.

Ils s'installèrent comme à l'habitude, le commissaire derrière le bureau, Bonsignore sur un des deux sièges devant.

— Je vous écoute, dit Montalbano.

L'homme s'agita un peu sur sa chaise, mal à l'aise.

— Vous me permettez de commencer en vous posant une question ?

— Allez-y.

— Par hasard, on vous a signalé l'enlèvement d'une petite fille ?

Montalbano sentit que ses nerfs, d'un coup, se tendaient. Il décida de répondre à la question par une question, il fallait être prudent.

— Pourquoi est-ce que vous me demandez ça ?

— À cause d'un fait qui nous est arrivé hier. Nous étions allés passer le lundi de Pâques à Sferrazzo, avec d'autres amis. Au début de l'après-midi, étant donné qu'il commençait à pleuvoir, nous avons décidé de rentrer. Nous suivions la route qui passe autour de Piano Torretta quand la voiture qui nous précédait a signalé qu'elle se déplaçait vers le milieu de la chaussée pour dépasser une autre voiture arrêtée portière ouverte.

Mais comme il était précis le faux *Monsignore* !

— J'ai ralenti. Et à ce moment, de l'auto arrêtée a sauté une fillette, très petite, qui s'est mise à courir vers nous. Elle semblait terrorisée. Immédiatement, un homme est descendu, qui se trouvait à la place du conducteur. Il a agrippé la petite qui se débattait et l'a littéralement balancée dans la voiture.

— Qu'est-ce que vous avez fait ?

— Qu'est-ce que je devais faire ? Je suis reparti, entre autres parce que derrière moi s'était formée une longue queue. Juste comme je dépassais la voiture avec la fillette, a commencé à tomber une espèce de déluge.

— Pendant que vous la dépassiez, vous avez réussi à voir ce qui se passait à l'intérieur de la voiture ?

267

— Moi, je ne pouvais pas regarder, je devais faire attention à la route, il y avait tellement de voitures qui venaient en sens inverse, mais ma femme, si.

— Qu'est-ce qu'elle a vu ?

— Elle a vu l'homme au volant tourné vers le siège arrière. Peut-être qu'il parlait à la petite mais elle n'était pas visible. Sans doute était-elle sur le sol, entre les sièges postérieur et antérieur.

— Pourquoi votre femme a-t-elle pensé à un enlèvement possible ?

— L'idée lui est venue à la maison, le soir. En repensant à ce que nous avons vu, elle a commencé à soutenir que cet homme ne pouvait être le père de la fillette, il la traitait trop...

— Trop ?

— Durement. Mais ma femme a dit « cruellement ».

— Excusez-moi, monsieur Bonsignore. Mais ne pouvait-il s'agir d'un mouvement naturel, d'une réaction excessive mais logique d'un père qui voit sa fille commencer à faire des caprices, s'enfuir de l'auto et se mettre à courir sur la rue au milieu d'un trafic très dangereux ?

Les yeux de Bonsignore s'éclairèrent :

— C'est précisément ce que je lui ai dit et répété ! Mais il n'y a pas eu moyen de la convaincre !

Il avait une quantité de questions à déverser sur Bonsignore, mais il ne voulait pas le faire *quartiare*, éveiller ses soupçons.

— Rassurez votre femme, monsieur Bonsignore. Aucun enlèvement ne nous a été signalé. Et je ne puis que vous remercier de votre sollicitude. À toutes fins utiles, vous me laissez votre adresse et votre téléphone ?

Deux

C'était à présent l'heure de s'en retourner à Marinella. Mais avant de sortir, le commissaire alla dans le bureau de Mimì Augello et le trouva en train d'écrire un rapport sur une mystérieuse fusillade qui avait eu lieu du côté de la Lanterna.

— Mimì, à propos de ce que tu as dit…

— Où ? Quand ? Pourquoi ? lança Augello, irrité, car pour lui aussi écrire des rapports était une torture.

— Tu l'as dit, ou pas, que l'enlèvement pouvait avoir été le résultat d'une maternité frustrée ?

— T'es encore à me casser les burnes avec ce tracassin ?

— Je voulais simplement te dire que, peut-être, il s'agit simplement d'un cas de paternité frustrée.

Et il lui rapporta ce que lui avait raconté le marchand de tabac Bonsignore.

— Intéressant. Tu t'es fait décrire l'homme ? Ils doivent avoir bien vu son visage.

— Non.

— À quoi se réfère ce non ? Ils l'ont pas bien vu ou tu lui as pas demandé ?

— Je lui ai pas demandé.

— Même pas ce qu'était l'auto ?

— Même pas.

— Sainte Mère, on peut savoir pourquoi ?

— Bien sûr. Je ne veux pas planter un pastis, susciter des rumeurs. Si je posais une question de plus, d'ici une heure, tout le monde au pays aurait parlé d'une tentative d'enlèvement. De toute façon, Bonsignore, mari et femme, ne vont pas oublier un détail. De cette affaire, ils vont discuter encore pendant des jours. Quand nous en aurons besoin, si nous en avons besoin, nous irons les interroger.

— Mais ça efface tout doute sur le fait qu'il s'agissait d'une tentative d'enlèvement.

— Moi, je n'en ai jamais douté, dit le commissaire, mais ce n'est pas cette certitude qui va nous faire faire un pas en avant. Il y a un élément fondamental qui nous manque.

— Lequel ?

— Il serait important de savoir si c'était ciblé.

— Explique-toi mieux.

— Cet homme a enlevé une minote parce qu'elle était la fille de Belli ou bien il voulait se prendre n'importe quelle fillette, la première qui passait à sa portée ?

— Le savoir changerait les choses, commenta Mimì.

— S'il voulait se choper n'importe quelle minote, continua Montalbano, l'affaire est entièrement déterminée par le hasard et toute enquête devient difficile. Mais s'il voulait se choper la fille de Belli, l'enlèvement n'est plus aléatoire et donc le kidnappeur doit nécessairement être en possession de quelques informations fondamentales pour agir.

— Donne-moi un exemple.

— Par exemple, le kidnappeur devait savoir à l'avance que Belli et les Mongiardino iraient faire leur partie de campagne du lundi de Pâques à Piano Torretta. Quand l'ont-ils décidé ? À qui l'ont-ils dit ?

— Excuse-moi, mais si, au contraire, le kidnappeur a

planqué en bas de chez eux et les a suivis quand ils sont sortis ?

— Mimì, mais même en admettant ton hypothèse, au kidnappeur, il faut bien que quelqu'un ait soufflé que Belli et les Mongiardino ce matin-là, en tout cas, allaient sortir faire une balade. La loi n'a pas encore rendu obligatoire la partie de campagne du lundi de Pâques !

— Vrai, c'est.

Le silence tomba, Montalbano commença à considérer Mimì l'œil mi-clos. Augello, qui avait recommencé à écrire, intercepta le regard et fut aussitôt mal à l'aise.

— Qu'est-ce que tu as ? Qu'est-ce que tu veux ? Laisse-moi finir le rapport.

— Mimì, quand tu courais derrière les plus belles filles de Vigàta et alentours, tu as connu la future femme de Belli, Mme Mongiardino ?

— Lina ? Oui, je l'ai connue. Mais seulement superficiellement, je lui étais antipathique et elle ne perdait pas une occasion de me le faire sentir. Satisfait ?

— Dommage.

— Pourquoi, dommage ?

— Si tu la connaissais, tu pouvais lui passer un coup de fil et, avec l'excuse de savoir comment allait la minote…

— Mais Beba et elle sont amies.

— C'est vrai ?

— Oui, il y a une certaine différence d'âge, mais je sais qu'elles sont amies.

— Alors, écoute-moi bien, Mimì. Dès ce soir, Beba doit téléphoner à la femme de Belli et lui dire qu'elle vient d'apprendre la peur qu'elle s'est prise. Puis, il faut qu'elle amène la conversation sur comment et quand…

— Ce que Beba doit réussir à savoir, je l'ai très bien compris, coupa Augello, agacé. Pas besoin de jouer les maîtres d'école.

Pendant qu'il s'empiffrait d'un plat de rougets frits assaisonnés de vinaigre, oignons et origan, plat que de temps en temps Adelina, la bonne, lui faisait trouver au frigo, il continuait de penser à l'enlèvement de la petite.

Pour l'instant, il semblait bien que le kidnappeur, à part la mornifle qu'il lui avait balancée pour la faire tenir tranquille, n'avait pas fait de mal à la petite. Mais il y avait plus. Il s'était inquiété, au moment de la relâcher, de faire en sorte qu'il ne lui arrive rien et qu'elle se retrouve en de bonnes mains. Il lui aurait été facile de l'abandonner en pleine campagne, mais il n'avait pas voulu. Peut-être craignait-il que la minote fasse une mauvaise rencontre avec quelqu'un de plus salopard que lui. Donc, probablement, tandis qu'il cherchait le bon endroit où faire descendre Laura de la voiture, il avait vu à main droite, dans la direction de la marche, la villa du Dr Riguccio et alors avait laissé la petite presque devant le portail. Évitant ainsi que, pour le rejoindre, Laura, un petit être d'à peine trois ans, éperdue et effrayée comme elle était, ait à traverser une route à circulation intense, alors qu'il commençait à faire sombre, avec une forte probabilité d'être renversée. Pourquoi tant de précautions prises par quelqu'un qui n'avait pas eu de scrupules à l'enlever ?

Il dormit d'un sommeil de plomb, se réveilla de bonne humeur, arriva au bureau disposé à aimer son prochain comme lui-même. Il ne s'était pas encore assis que se présentait Mimì.

— Beba a pu parler avec la femme de Belli ?

— Bien entendu, tout selon vos ordres, chef.

— Eh beh ?

— Donc, le soir de Pâques, la situation était que Belli avait annoncé à Lina, sa femme, qu'il n'avait aucune intention d'aller en promenade le lendemain avec la

272

famille Mongiardino. Que Lina y aille donc, lui, il resterait à la maison.

— Et pourquoi ?

— Il paraît que l'après-midi, il avait eu une discussion violente avec Gerlando.

— Lina a dit à Beba le motif de la discussion ?

— Non. En tout cas, Lina a réussi, tard dans la soirée, à faire changer d'idée à son mari. Mais il y avait eu une modification : au lieu d'aller à Marina Sicula, comme ils avaient décidé quelques jours auparavant, ils iraient en promenade à Piano Torretta.

— Comment ça se fait ?

— C'était une idée de Belli. Sans doute parce que Piano Torretta étant beaucoup plus proche de Vigàta, il passerait moins de temps avec son beau-frère. Et ainsi, Lina, toujours le soir du dimanche, a téléphoné à son frère et lui a communiqué le changement.

— J'ai compris. En conclusion, à savoir que le lieu de la partie de campagne serait Piano Torretta, il n'y avait que Belli et les Mongiardino.

— Exactement. Donc, l'enlèvement apparaît toujours moins ciblé.

— Tu crois ?

— Bien sûr que je le crois. Les choses étant ce qu'elles sont, le kidnappeur, qui se serait informé à temps, peut-être auprès d'une bonne, de l'endroit où Belli allait passer le lundi de Pâques, aurait dû se retrouver à Marina Sicula. Et s'il était à Marina Sicula, comment a-t-il pu savoir que Belli avait changé d'idée et s'en était allé à Piano Torretta ? En tout cas, chez les Mongiardino, l'atmosphère est lourde. Pas seulement parce que Belli et Gerlando se sont engueulés, mais aussi parce que Lina s'en est pris à son mari.

— Pour quelle raison ?

— Elle dit que tout est de sa faute. Que c'est lui qui a voulu aller à Piano Torretta. S'ils étaient allés comme prévu à Marina Sicula, il ne serait rien arrivé et ils ne se seraient pas pris cette grande peur.

— Mais quel raisonnement !

— Beh, tu sais comment sont les femmes.

— Moi, je sais pas, c'est toi l'expert. La minote, comment elle va ?

— Beaucoup mieux. Elle se sent bien avec la psychologue, qui est une amie. Beba aussi la connaît.

— Le mari s'est repris de cette espèce de grippe ?

— Il n'est pas à la maison, Lina a dit qu'il avait fait un saut au bureau de Vigamare.

— Et qu'est-ce que c'est ?

— Le nom de sa société, contraction de Vigàta et de *mare*, mer. Donc, il doit aller mieux. Beba et Lina ont décidé de se rencontrer demain après-midi.

— Bon à savoir.

— Mais pourquoi tu veux insister, Salvo ? La fille de Belli a eu la malchance de se retrouver au mauvais endroit, mais si à sa place il y avait eu une autre minote, ça se serait passé pareil. Crois-moi.

Il passa la matinée à écrire et à signer des papiers et ses bonnes dispositions envers le monde et les créatures qui l'habitaient, en pas cinq minutes de cette besogne, s'évaporèrent. Ce fut seulement en jetant un coup d'œil à sa montre qu'il s'aperçut qu'était arrivée l'heure de manger. Mais ils ne s'étaient pas mis d'accord, Belli et lui, que celui-ci serait passé dans la matinée ?

— Catarella !

— À vos ordres, *dottori* !

— Est-ce que par hasard, M. Belli a téléphoné ?

— Il me semble pas, *dottori*. Mais comme étant donné que je dus m'absentementer pour un besoin soudainement urgent, attendez que je demande à Messineo lequel duquel fut…

— Bon, bon, grouille.

274

Montalbano n'eut pas le temps de voir le temps passer.

— Oh que non, *dottori*. Il ne lui semble pas. M. Melli ne téléphona pas.

Alors, il appela. Lui répondit la voix du vieux Mongiardino.

— Montalbano, je suis. Je voudrais parler avec M. Belli.

— Ah.

Pause. Puis :

— Il n'est pas là.

— Ah, fit à son tour le commissaire. Vous savez s'il doit passer chez moi, comme nous nous étions mis d'accord ?

— Difficile.

— Qu'est-ce que ça veut dire ?

— Il est parti, commissaire.

Montalbano en resta comme deux ronds de flan. Que s'était-il passé ?

— Quand ?

— Ce matin à l'aube. Il a contraint Lina à faire les bagages dans la nuit. Il n'a pas voulu donner d'explications. Il a emporté la petite qui dormait, pauvre minote !

— Comment est-il parti ?

— Avec sa voiture.

— Où allait-il ?

— Il est retourné à Rome.

— Votre fils Gerlando le sait ?

— Oui.

— Et lui, quelle explication il a donnée, de son départ ?

— Il dit qu'il n'arrive pas à se l'expliquer. Il dit que peut-être c'est à cause d'un coup de téléphone.

— De votre gendre ?

— Non, on l'a appelé de Rome.

Quelque chose qui ne tournait pas rond dans l'affaire

romaine ? Possible, mais l'affaire méritait d'être mieux examinée.

— Monsieur Mongiardino, ça vous dérange si dans l'après-midi, après cinq heures, je passe un moment chez vous ?

— Pourquoi ça devrait me déranger ?

Et comme ça, M. Belli avait décanillé, comme on dit à Rome. Et lui, il n'y pouvait rien. Ce type était libre d'aller et venir comme il voulait. Mais où était le pourquoi de cette fuite soudaine ? C'était vrai, cette histoire de coup de fil de Rome ? Mimì était encore au bureau. Il lui rapporta la fuite en Égypte de la famille Belli. Mimì aussi se montra très surpris.

— Mais Lina et Beba s'étaient mises d'accord pour se voir !

— À *mia*, à moi, dit Montalbano, il me semble que le moment de parler avec Gerlando Mongiardino est venu. Peut-être qu'il pourra nous en dire un peu plus sur le coup de fil reçu de Rome.

— À quel titre, on doit lui parler ?

— Mimì, quel titre, on peut le trouver comme on veut. Même s'il n'y a pas eu de dépôt de plainte, il y a bien eu une tentative d'enlèvement. Et nous avons le devoir de mener une enquête. Mais en tout cas, ne t'inquiète pas, à Gerlando, je lui parlerai, moi.

Il allait sortir du bureau, mais une pensée l'arrêta.

— Mimì, autre chose. Je veux savoir nom, prénom, adresse et téléphone de la psychologue qui s'est occupée de la minote…

À cinq heures de l'après-midi, tandis que Montalbano se trouvait à raisonner avec Augello, se présenta Fazio.

— *Dottore*, j'apporte du neuf. Je sais qui c'est qui signe Balduccio Sinagra.

— Tu as pris des notes ? Dates de naissance, de mort…

— Bien sûr.

— Mains en l'air, dit Montalbano en ouvrant un tiroir du bureau et en y glissant une main.

La voix du commissaire était ferme et déterminée. Au point que même Mimì le fixa, éberlué.

— Qu'est-ce que vous faites, vous galéjez, *dottore* ?

— Je t'ai dit « mains en l'air ».

Hésitant, Fazio leva les mains.

— Bien. Où sont les notes ?

— Dans la poche droite.

— Glisse lentement la main dans la poche, prends le papier avec les notes et pose-le tout aussi lentement sur la table. Si tu fais un mouvement brusque, je tire.

Fazio s'exécuta. Montalbano prit entre deux doigts le billet et le jeta dans la corbeille à papiers.

— Maintenant tu peux parler sans ces conneries de dates que tu aimes et que, moi, je déteste.

— Dis-moi, par curiosité, intervint Mimì. Mais avec quoi tu tirais sur Fazio ? Avec le doigt ?

— Avec ça, dit le commissaire en extirpant un revolver du tiroir.

Il était cassé, ne fonctionnait pas mais sur qui l'ignorait, il produisait un bel effet. Le sourire disparut de la face de Mimì.

— Tu es complètement fou, murmura-t-il.

— Je peux savoir ce que tu as découvert ? demanda le commissaire à Fazio qui le fixait, ahuri.

— Donc, attaqua-t-il en se reprenant à grand-peine, vosseigneurie se rappelle que don Balduccio a eu un fils, Pino, dit « l'accordeur » qui s'en est allé aux États-Unis ?

— Je me le rappelle pas, je n'étais pas là mais en tout cas, j'en ai entendu parler.

— En Amérique, Pino a eu plusieurs enfants. L'un d'eux, Antonio, était surnommé « l'Arabe ». Comme il était fou, de temps en temps, il se mettait à parler une langue qu'il appelait de l'arabe mais qui n'était pas de l'arabe et que personne ne comprenait.

— Bon, bon, avance un peu.

— Antonio, « l'Arabe », eut trois enfants, deux filles et un garçon. Au garçon, il donna le prénom de l'arrière-grand-père, Balduccio.

— Ce serait le monsieur qui est arrivé à Vigàta ?

— Précisément.

— Quel âge a-t-il ?

— Trentenaire, il est.

— Tu sais combien de temps il va rester à Vigàta ?

— Quelqu'un m'a dit qu'il va rester longtemps, c'est pour ça qu'il a fait restaurer la villa.

— Qu'est-ce qu'il a en tête de venir faire ici ? demanda Augello, presque pour lui-même.

— Mimì, dit Montalbano, tu as déjà vu comment elles font, les mouches, à la campagne ? Elles volent, elles volent et dès qu'elles voient un beau caca, elles se posent dessus. Et chez nous, au jour d'aujourd'hui, il y a tellement de beaux, gros cacas disponibles. Visiblement, le bruit s'est répandu et les mouches arrivent même d'au-delà des océans.

— Si c'est comme tu dis, observa, pensif, Mimì, ça veut dire que bientôt va revenir la saison des kalach-nikov.

— Je ne crois pas, Mimì. Les systèmes ont profondément changé, même si le but final est toujours le même. Maintenant, ils préfèrent besogner en immersion et avec les amitiés qu'il faut aux endroits qu'il faut. Et pour commencer, ces amitiés qu'il faut vont partout à dire que la mafia n'existe plus, qu'elle a été battue, donc, on peut faire des lois moins sévères, on peut abolir la 41 bis[1]... En tout cas, de ce jeune Américain, je veux savoir tout et plus encore, comme ils disent à la télévision.

1. Loi qui impose un isolement total aux mafieux emprisonnés. (N.d.T.)

Les Mongiardino habitaient sur la rue principale de Vigàta, au deuxième étage d'une solide maison du XIXe siècle à quatre étages, vaste, construite sans économie d'espace. Vint lui ouvrir un homme bien habillé, âgé mais pas vieux, très digne.

— Entrez, je vous en prie, commissaire. Pardonnez-moi si je ne vous reçois pas au salon, mais il est tout en désordre et la femme de ménage n'est pas venue aujourd'hui. Allons dans mon bureau.

Typique cabinet de travail d'avocat, lourdes bibliothèques pleines de volumes de lois et de jurisprudence. Sur le bureau, il y avait quelque chose que le commissaire n'identifia pas tout de suite, ça lui parut une tête de mort, du genre de celles qu'autrefois les médecins gardaient dans leur cabinet. Le commissaire s'assit, comme on l'y invitait, dans un fauteuil de cuir noir.

— Je peux vous offrir quelque chose ?

— Non, merci. Je vous avoue que ce départ si imprévu de votre gendre m'a étonné.

— Moi aussi j'en suis resté surpris. Il aurait dû rester encore trois jours. Vous voyez ça ?

Il montrait la chose sur le bureau. Ce n'était pas une tête de mort, mais une balle de caoutchouc brut.

— J'avais acheté une autre balle à Laura et j'avais commencé à la peindre. Parce que celle qu'elle avait le lundi de Pâques et qui s'est perdue pendant que le… quand on l'a… en somme celle qu'elle n'avait plus quand on l'a retrouvée, je l'avais décorée. J'y avais peint la fée Zurlina et le magicien Zurlon, deux personnages d'une histoire que je m'étais inventée et qui lui plaisait…

Il s'interrompit.

— Excusez-moi un instant…

Il se leva, sortit, revint un instant plus tard en s'essuyant la bouche avec son mouchoir. À l'évidence, il s'était ému et était allé se rafraîchir avec un verre d'eau.

— Votre dame est à la maison ?

— Oui. Elle ne va pas trop bien. Elle s'est mise au lit. Elle est malheureuse du départ de sa petite-fille. Elle voulait en profiter tranquillement après la peur qu'on a eue. Et moi aussi, j'aurais voulu… laissons tomber.

— Maître, je veux être franc avec vous. Qu'il y ait eu une tentative d'enlèvement de la fillette est indiscutable.

Mongiardino blêmit.

— Comment pouvez-vous le dire ? Ça ne pourrait pas être…

— Il y a deux témoins, coupa Montalbano. Ils ont vu un homme qui contraignait Laura à monter dans une voiture juste avant qu'éclate l'orage.

— Mon Dieu !

— À votre connaissance, votre gendre a des ennemis ?

— Non. Au contraire, tout le monde l'aime bien.

— Il est riche ?

— Ça oui. Si Laura, comme vous dites, a été enlevée, peut-être qu'on voulait en obtenir une bonne rançon.

— Et alors, pourquoi est-ce qu'on l'a relâchée presque aussitôt en renonçant à l'argent qu'on aurait pu en obtenir ?

Mongiardino ne sut quoi répondre, il se prit la tête entre les mains.

— Pourquoi votre fils Gerlando et votre gendre ne s'entendent-ils pas ?

— Vous aussi, vous l'avez appris ? Ils ont eu, et ils continuent à avoir, de fortes divergences sur la conduite de la société.

Il était sincère, l'avocat. À l'évidence, c'est ce que lui avaient raconté aussi bien Belli que son fils, pour ne pas l'inquiéter, ils ne lui avaient pas dit la vérité, à savoir que Gerlando avait piqué dans la caisse. La visite s'avérait du temps perdu, Mᵉ Mongiardino ne pouvait lui être d'aucun secours.

— Écoutez, le motif pour lequel votre gendre ne voulait plus participer à la partie de campagne du lundi de Pâques, c'était parce qu'il avait eu une discussion plutôt chaude avec Gerlando ?

— Oui.

— Et se pourrait-il que la raison du départ improvisé de votre gendre avec toute la famille soit une autre discussion avec Gerlando plutôt qu'un fantomatique coup de fil de Rome ?

Mongiardino écarta les bras.

— Peut-être. Mais je crains…

— Oui ?

— … je crains que ces deux-là soient arrivés au point de rupture.

Trois

Le lendemain matin, qui était une journée sombre et froide, soufflait un vent qui tailladait le visage. Montalbano fut convoqué par le Questeur. En passant devant la place de l'hôtel de ville de Montelusa, il vit une scène étrange. Un quinquagénaire distingué, avec manteau, écharpe, chapeau, gants, brandissait un écriteau en contre-plaqué sur lequel était écrit : « mafieux et cornards ». Devant lui, un garde municipal plutôt agité lui disait quelque chose. Les rares passants filaient, il faisait trop froid pour être curieux. Montalbano se gara, descendit, s'approcha des deux hommes. Ce fut alors que le commissaire reconnut le personnage à l'écriteau, c'était M. Gaspare Farruggia qui avait une petite entreprise de construction. Un monsieur très bien.

— Dispersez-vous ! Je ne vous le répéterai pas ! Dispersez-vous ! intimait le municipal.

— Mais pourquoi ?

— Parce qu'il s'agit d'une manifestation non autorisée ! Dispersez-vous !

— Je ne vais pas y arriver à me disperser tout seul, dit l'autre calmement. Par cette température, si ça se trouve, je vais plutôt me pétrifier.

— Ne faites pas le malin !

— Je ne le fais pas, vous croyez que j'en ai envie, je risque en fait d'être non pas dispersé, mais dissous dans l'acide sulfurique par qui je sais.

Ce n'est qu'en cet instant que le municipal reconnut Montalbano.

— Commissaire, ce monsieur ici présent…

— Laisse, laisse. Je m'en occupe.

— Bonjour, commissaire Montalbano, dit courtoisement le manifestant solitaire dont le visage avait bleui de froid.

Le commissaire n'eut pas grand mal à le convaincre d'abandonner momentanément sa protestation pour se réchauffer dans un café voisin. Ils s'assirent à une table. Tandis qu'il reprenait des forces avec un cappuccino brûlant, l'homme lui expliqua que quelques entrepreneurs honnêtes avaient décidé de se regrouper pour constituer une petite association antiracket. Une loi régionale encourageait et subventionnait la formation de ces associations. C'était aussi une manière, ajouta-t-il, de mettre en évidence les noms des entrepreneurs qui n'avaient rien à voir avec la mafia.

— Le certificat antimafia ne suffit plus ? demanda le commissaire.

— Mon cher *dottore*, avec la nouvelle loi, le montant des travaux pour lesquels il n'y a pas besoin du certificat est monté à 500 000 euros. Il suffira donc de fractionner les adjudications entre sous-traitants de manière que chacune ne dépasse pas le demi-million d'euros. En outre, le recours à la sous-traitance maintenant est possible dans la mesure de cinquante pour cent au lieu de trente, et le tour est joué. Même quelqu'un qui porte écrit sur le front qu'il est mafieux peut obtenir une sous-traitance. Je m'expliquai ?

— Parfaitement.

— En somme, nous voulions prendre les devants, faire savoir que nous, certificat ou pas, nous sommes différents de tous ces mafieux prêts à prendre la caisse d'assaut.

— Et qu'est-ce qui s'est passé ?

— Il s'est passé que nous sommes allés à Palerme. Personne ne savait nous dire où était le bon bureau. Un chemin de croix qui a duré trois jours, ils nous renvoyaient de Ponce à Pilate. Enfin, nous nous sommes retrouvés devant un type qui nous a dit qu'il fallait s'inscrire sur le registre en dotation dans les mairies des chefs-lieux de province. Alors, nous sommes rentrés à Montelusa et moi, qui suis président de cette association, je suis allé à la mairie. Là aussi, personne ne savait rien. Puis j'ai trouvé un employé qui m'a expliqué que le registre, il n'y en avait pas du fait que, de Palerme, n'étaient pas encore arrivées les normes pour sa constitution. Bref, on était baisés jusqu'au trognon. Alors que naissent comme des champignons de nouvelles sociétés qui ne rencontrent aucun obstacle bureaucratique, même si tout le monde sait qu'elles sont faites par des hommes de paille.

— Par exemple ?

— Vous n'avez que l'embarras du choix. À Fiacca, la famille Rosario en a constitué cinq, à Fela la famille De Rosa, cinq aussi, à Vigàta, l'Américain en a quatre, mais celui-là il veut s'étendre aussi à d'autres secteurs, à Montelusa, la famille…

— Un instant. Qui est l'Américain ?

— Vous ne savez pas ? Balduccio Sinagra junior. Il s'est précipité exprès des États-Unis vu le vent qui soufflait ! Ici, c'est devenu un filon, tout le monde veut se gaver, mon cher *dottore* ! Vous le savez que, désormais, au ministère, il ne faut plus communiquer des rapports détaillés sur l'état des travaux mais, je cite textuellement, « des notes informatives synthétiques à une cadence annuelle » ? Qu'est-ce que vous en pensez ? Et vous savez que…

— Je ne veux pas en savoir plus, dit Montalbano en se levant et en payant.

Durant l'heure où il fut au rapport chez le Questeur, à Montalbano il sembla que le siège sur lequel il était assis lui brûlait, littéralement, les fesses. Même le Questeur s'en aperçut.

— Montalbano, qu'est-ce que vous avez à vous agiter comme ça ?

— Un furoncle, monsieur le Questeur.

Dès qu'il fut de retour au commissariat, il appela Fazio et Augello et leur raconta ce qu'il avait appris de Farruggia.

— Et je n'ai pas eu l'impression que les paroles de Farruggia soient du vent. Il savait ce qu'il disait. Je veux connaître les noms des sociétés de Balduccio Sinagra junior, comment elles sont constituées, où est leur siège social. Moi, j'y connais rien, mais au tribunal ou à la Chambre de commerce, ces sociétés doivent apparaître.

— Je m'en occupe, dit Fazio. Ce n'est pas difficile. Et éventuellement, j'irai voir ce Farruggia et je me ferai aider par lui.

— Tu m'expliques le pourquoi de cet intérêt ? demanda Mimì.

— Parce que pour moi, ce truc, ça *feti*, ça pue. Le petit-fils d'un boss qui a fait fortune dans les adjudications truquées revient d'Amérique et constitue quatre sociétés prêtes à répondre à des appels d'offre. Ça te paraît pas étrange ?

— *A mia*, à moi, non. Peut-être qu'il fait les choses de manière légale. Au maximum, on ne peut intervenir que s'il se conduit mal.

— Mais comme, à nous, ça nous coûte rien d'avoir ces informations… Comme ça si, un jour ou l'autre, ce type se conduit mal, comme tu dis, nous, on sera avantagés. Écoute, Mimì, tu as le nom et le numéro de téléphone de la psychologue qui a rencontré la minote ?

— De quoi on parle, là ? demanda Augello, ébahi par le brusque changement de sujet.

— Tu te l'es oubliée, la tentative d'enlèvement de la fille de Belli ?

— Ah oui, Beba m'a tout dit.

— Tu peux appeler cette dame en lui disant de passer par ici cet après-midi ? À l'heure qui l'arrange.

— Elle dit que tu passes plutôt toi chez elle dans l'après-midi, à l'heure qui t'arrange, annonça Mimì en voyant entrer dans son bureau Montalbano qui, après une grande bouffe de tripes et abats à la trattoria Enzo, avait les réflexes un peu ralentis.

— Qui dit quoi ?

— La psychologue. Olinda Mastro. Je te donne l'adresse de Montelusa. Elle ne m'a pas semblé une personne facile.

— Tu sais quoi ? J'y vais tout de suite.

À Mme Mastro, à peine plus de trente ans, grande, chairs fermes, blonde, belle, l'apparition de Montalbano sur le seuil de chez elle ne fit en rien plaisir.

— Vous ne pouviez pas téléphoner avant ?

— Mais mon adjoint, avec lequel vous avez parlé, m'a dit que…

— D'accord. Mais un coup de fil n'aurait pas fait de mal.

— Écoutez, si vous êtes occupée, je repasserai.

— Mais non, maintenant vous êtes là…

Elle se mit de côté pour le laisser passer. Comment disait Mattero Maria Boiardo ? « De si savoureux débuts présagent bien de la suite. » Donc, si le début avait été si savoureux, on pouvait tout espérer de ce qui allait suivre !

— Par ici…

L'appartement était grand, lumineux malgré une journée plutôt grise. Elle le fit asseoir sur un fauteuil coloré dans un salon qui semblait sorti d'une revue de décoration moderne, meubles peu nombreux mais élégants.

— Ça vous dérange si je fume ? demanda le commissaire.

— Oui.

— Mieux vaut ne pas perdre de temps. Je suis venu pour parler avec vous de…

— … de Laura, la fillette, je sais. Mais je voudrais savoir ce que vous espérez obtenir de moi. Et de toute façon, je dois vous décevoir.

— Vous n'y avez rien compris, pas vrai ? Du reste, je l'ai toujours pensé que ces histoires de psychologie ne tenaient pas debout.

Il avait fait exprès de formuler sa question de manière si brutale et de la faire suivre d'un commentaire vexant. C'était une provocation et Olinda Mastro allait sûrement marcher à fond. Mais la psychologue resta un instant en silence, à le dévisager et à la fin, un sourire amusé la fit passer de belle à très belle.

— Ça marche pas, dit-elle.

Montalbano aussi sourit.

— Je vous demande pardon.

Ce sourire réciproque, d'un coup, changea l'atmosphère, c'était comme si s'était dissoute la barrière invisible qui, jusqu'à ce moment, les avait séparés.

— La vérité, c'est que je suis furieuse.

— Pourquoi ?

— Parce que quand j'avais réussi à me gagner la confiance totale de Laura, ses parents n'ont rien trouvé de mieux que de la ramener à Rome.

— Vous trouvez ça étrange ?

— Inexplicable. Et en outre, la petite, presque certainement, va recommencer à s'enfermer sur elle-même et le traumatisme subi restera en elle comme un nœud non défait qui…

— De qui l'avez-vous appris, qu'ils étaient partis ?

— J'ai téléphoné à Vigàta aux Mongiardino pour dire à quelle heure j'allais venir chez eux et l'avocat m'a dit qu'ils avaient dû partir. Si je l'avais su avant, j'aurais essayé de convaincre Lina, la mère, qui est mon amie.

— Quelle explication vous a donnée M⁰ Mongiardino?

— Que le gendre avait été rappelé en urgence à Rome pour une question concernant ses affaires. Mais je dis : quel besoin avait-il d'emmener avec lui toute la famille? Il pouvait laisser quelques jours Laura avec sa mère chez les grands-parents.

— Donc, vous n'avez réussi à rien tirer de la petite?

— Quelques éléments, si. Du moins, je crois.

Elle resta quelques instants à fixer le commissaire, d'un air pensif, puis se décida.

— Venez avec moi.

Ils remontèrent un couloir jusqu'à la première entrée, Olinda Mastro ouvrit la porte et Montalbano se retrouva dans une vaste pièce dont le sol était littéralement couvert de jouets en tout genre, poupées, chevaux à bascule, chaumière de fées, ours en peluche, petites autos et petits trains, pistolets intergalactiques, centaines de stylos-feutres et de feuilles à dessin. Il y avait aussi un camion de pompiers avec échelles et phares : depuis toujours, quand il était petit, il en avait désiré un comme ça. Il se retint de toutes ses forces de le prendre et de se mettre à jouer. La psychologue, entre-temps, avait pris sur une étagère de bois quelques feuilles de papier à dessin.

— Ça, c'est Laura qui les a faits. Heureusement, elle a un don extraordinaire pour le dessin. Je les avais amenés ici pour mieux les étudier. Regardez.

Montalbano regarda et n'y comprit rien de rien. Rectangles irréguliers, lignes brisées, quelque chose qui devait être une voiture, quelque chose qui devait être un homme, quelque chose qui devait être un ballon coloré. Il leva un œil interrogatif.

— Ça a un sens?

— Certainement. Regardez, vous, cette feuille. Qu'est-ce qu'elle représente?

— Ça devrait être une automobile avec des choses dedans.

— Exact. C'est une automobile. Cette figure là devant, c'est l'homme qui a enlevé Laura, cette autre, en revanche, indique la fillette sur le siège arrière avec son ballon. Celui que le grand-père avait peint. Et cette autre feuille?

— Il me semble qu'elle représente la fillette avec le ballon, l'homme et l'auto. Mais…

— Allez-y, l'encouragea Olinda.

— Il me semble que la fillette et l'homme sont maintenant hors de la voiture.

— Très bien. C'est ça. Et vous ne voyez rien d'autre?

— Sincèrement, non.

— Vous ne voyez pas que l'homme, la petite fille et l'auto se trouvent tous à l'intérieur d'un rectangle?

— C'est vrai, oui. Qu'est-ce que ça signifie?

— Ça signifie qu'ils sont à l'intérieur d'une pièce.

— Une pièce?

— Oui. Et comment s'appelle la pièce qui peut contenir une automobile?

Montalbano se flanque une claque sur le front.

— Seigneur! Un garage!

— Vous y êtes arrivé. Regardez cet autre dessin. Chronologiquement, ça vient avant celui que vous venez de voir.

L'auto était dessinée à l'arrêt devant un rectangle à côté duquel se tenait l'homme. Le rectangle avait été colorié en gris au feutre. Cette fois, le commissaire n'eut pas de doutes.

— Ça, c'est le rideau de fer du garage que l'homme est en train d'ouvrir.

— Vous voyez comme vous êtes devenu bon à ce jeu, en peu de temps? dit Olinda en remettant les feuilles en place. Vous voulez un café?

— Oui.

— Alors, restez là à jouer avec le camion des pompiers. Ça se voit que vous en avez une envie folle. Je vous appelle dès que c'est prêt.

Ah, elle était forte, la psychologue ! Il s'amusa avec le camion qui avait même une sirène qui trouait les esgourdes. Malheureusement, on l'appela au salon.

— Écoutez, madame…

— Appelez-moi Linda et je vous appellerai Salvo.

— D'accord. Vous n'avez pas réussi à savoir de la petite fille ce qu'a fait l'homme pendant qu'ils étaient dans le garage ?

— Non. J'avais à peine commencé à aborder la question. Mais je me suis fait une idée.

— À savoir ?

— À savoir qu'il ne s'est absolument rien passé. La petite n'a pas subi de violence, elle n'a reçu qu'une fois une gifle, je ne sais pas quand…

— Je peux vous le dire, moi.

Et il lui raconta ce que lui avait rapporté Bonsignore.

— Donc, si Laura n'avait pas fait cette tentative de fuite, le kidnappeur ne lui aurait même pas donné cette gifle, conclut la psychologue.

— D'après vous, demanda Montalbano, pourquoi la petite a-t-elle été enlevée ?

— D'après moi, elle n'a pas été enlevée, dit tranquillement Linda.

Montalbano se cabra sur son siège comme un cheval.

— Mais qu'est-ce que vous racontez ?

— Ce que je pense. Vous m'avez demandé mon opinion, ou pas ? Si nous voulons utiliser les mots exacts, la petite a été éloignée, je répète éloignée, peut-être bien par force, de sa famille, le temps qu'il fallait pour faire croire qu'elle avait été enlevée. Elle a été gardée quelque temps à l'intérieur du garage d'une maison des environs. Là, chaque habitation a son garage, je connais le coin.

Putain! Qu'est-ce qu'elle était intelligente, cette nana qui, en cet instant, croisait les jambes! Ainsi s'expliquait la singularité du supposé enlèvement : il s'agissait de garder cachée la minote un certain temps, juste assez pour faire penser à un enlèvement. Et l'ordre donné au kidnappeur, évidemment, avait été non seulement de ne lui faire mal en aucune manière, mais d'éviter que quiconque puisse lui en faire, intentionnellement ou pas.

— J'ai envie de vous embrasser, laissa échapper Montalbano du profond de son cœur.

— Faites, dit-elle en se relevant.

Naturellement, au commissariat, il ne trouva pas Fazio, certainement à la chasse des sociétés de l'Américain. Il lui revint à l'esprit que les types de la Scientifique ne s'étaient pas encore manifestés avec les résultats des examens sur les vêtements de Laura. Il s'était persuadé, après les paroles de Linda, qu'à la Scientifique, ils ne pourraient rien lui dire d'important. Il téléphona quand même, juste pour le plaisir de casser les burettes à Vanni Arquà.

— Arquà? Montalbano, je suis. Permets-moi de vous féliciter, toi et toute ton équipe, pour le zèle et la promptitude avec lesquels vous avez répondu à la requête de ce commissariat. Je prendrai bien soin d'en informer M. le Questeur.

— Mais de quoi tu parles?

— Je parle des vêtements de cette petite que je vous ai fait porter...

— Ah, ça? Oui, on les a faits, les examens.

— Puis-je avoir l'intime satisfaction de savoir pourquoi vous ne m'avez pas envoyé les résultats?

— Montalbano, pour te les envoyer, on devait faire référence à une procédure, non? On n'est pas un bureau privé d'analyses!

— Je suis étonné, Arquà. Comment se fait-il que personne ne t'ait mis au courant?

— De quoi ?

— Il y a eu une tentative d'enlèvement d'une fillette qui est la petite-fille d'un important homme politique.

D'un coup, il baissa la voix, la réduisit à un souffle :

— La chose est tenue très secrète, on soupçonne des complots obscurs, on parle carrément de terrorisme… Voilà pourquoi, officiellement, rien ne doit transpirer.

— Je comprends, je comprends, dit Arquà d'une voix elle aussi réduite à un souffle. Tu veux savoir les résultats ?

— Oui, mais donne-les-moi par téléphone, rien d'écrit, je t'en prie !

— Attends un instant…

— Donc, reprit Arquà après un moment, sur un ton de conspirateur, rien de très pertinent, sur la robe, on a relevé des traces de sauce tomate, de confiture, de ricotta et d'huile de moteur de voiture. La culotte était souillée de pipi, elle a dû se faire pipi dessus. Ah, sur l'arrière de la robe, il y avait trois cheveux masculins noirs. C'est tout.

— Garde-les bien, ces trois cheveux. Merci, Arquà. Et attention, silence absolu.

Pauvre minote ! Elle avait dû passer de terribles moments de frousse ! Et quant aux petites taches d'huile de moteur, cela ne faisait que confirmer ce que lui avait dit Linda : Laura s'était trouvée pendant un certain temps à l'intérieur d'un garage.

Le lendemain matin, une dizaine de minutes après qu'il fut arrivé au bureau, le téléphone sonna.

— *Dottori ?* Il y a ici M. Bongiardino qui veut parler avec vosseigneurie personnellement en personne.

Catarella continuait à échanger les « m » et les « b ». Il s'agissait sûrement de Mᵉ Mongiardino.

— Fais-le entrer.

Ce n'était pas le vieil avocat, mais un quadragénaire qui

portait un coûteux costume sur mesure, des petites moustaches antipathiques et une Rolex précieuse au poignet.

Même l'odeur d'eau de toilette dont il s'était arrosé devait coûter cher. Pour l'occasion, il avait adopté une tête sévère.

— Je suis Gerlando Mongiardino.

Le coureur de jupons, celui qui se servait dans la caisse de la société. Il s'était présenté de lui-même, ôtant au commissaire le tracas d'aller le voir.

Montalbano lui fit signe de s'asseoir, mais l'autre resta debout.

— Merci, je m'en vais tout de suite. Je suis venu seulement pour vous dire que je trouve incorrecte votre manière d'agir.

— Quelle manière ?

— Vous, prenant prétexte d'un hypothétique enlèvement, pour lequel aucune plainte n'a été déposée, notez bien, vous êtes allé importuner mon père avec des questions qui n'ont rien à voir avec l'histoire arrivée par hasard à ma nièce Laura.

— Qu'est-ce que ça signifie, par hasard ?

— Que Laura s'est perdue au moment où a éclaté l'orage, que quelqu'un a pris soin d'elle, l'a abritée dans sa voiture et l'a laissée partir quand tout était fini.

— Et pourquoi ce brave quelqu'un l'aurait baffée ?

— Vous vous référez au fait que Laura avait une joue enflée ? Mais qui vous dit que c'est une gifle ?

— Deux témoins.

— Qu'est-ce qu'ils ont vu ?

Montalbano lui rapporta mot pour mot le récit des Bonsignore. Gerlando Mongiardino, à la fin, sourit.

— Mais, commissaire, réfléchissez ! Si quelqu'un essaie de sauver une petite fille qui s'est perdue et que cette petite échappe à son sauveur en risquant de finir sous les roues d'une voiture, n'est-il pas vraisemblable que ce quelqu'un ait un instant perdu patience ? M. et

Mme Bonsignore ont cru qu'il s'agissait d'un enlèvement et donc tout ce qu'ils ont vu était éclairé par l'idée du kidnapping. Mais on peut et on doit considérer l'événement sous un autre angle.

Il était bon, Gerlando Mongiardino ! Son explication tenait parfaitement debout.

— Avez-vous jamais lu Borges ? lui demanda Montalbano.

— Qu'est-ce que c'est, un livre ? demanda à son tour Mongiardino, l'air dégoûté.

Il y a des personnes comme ça, qui paraissent plus offensées quand on leur demande si elles ont lu un livre que si on leur demandait si elles ont été amis intimes de Jack l'Éventreur.

— Excusez-moi, mais si on admet que, sur la disparition de Laura, j'ai une autre opinion, comment est-ce que je pourrais mener les enquêtes sans parler avec la famille de la petite fille ?

— Et quel rapport entre le supposé enlèvement de Laura et les questions que vous avez posées à papa sur mes rapports avec mon beau-frère Fernando ?

— J'ai besoin d'un tableau exhaustif de la situation. Et même, puisque vous êtes là, voulez-vous me dire la raison de ces disputes ? Je m'étais en fait promis de venir à Vigamare pour vous en parler.

— Nos disputes ont toujours eu un seul motif : la gestion de la société dans laquelle mon beau-frère et moi sommes associés chacun à cinquante pour cent. Voilà tout.

Quatre

Il devait s'agir d'une explication mise au point en famille pour ne pas perdre la face devant le pays, lequel pays savait en fait très bien la vraie raison des engueulades, à savoir l'irrésistible attraction que le poil féminin exerçait sur Gerlando et qui le conduisait à empocher l'argent de la société et à se conduire très salement avec son beau-frère.

Cela valait la peine d'éclaircir davantage la question.

— Pourriez-vous dire un mot sur vos désaccords à propos de la gestion ?

— Simple : moi, je veux que la Vigamare se développe davantage en prenant de nouveaux marchés et lui non, il veut qu'elle reste comme elle est.

— Vous vous l'expliquez, pourquoi votre beau-frère ne veut pas développer la société ? Il est trop prudent ?

Façon aimable d'avancer l'hypothèse que Belli ne se fiait pas à Gerlando Mongiardino.

— Il ne s'agit pas de prudence. Je parlerais plutôt de désintérêt. Fernando a d'autres affaires, bien plus importantes à Rome, c'est un entrepreneur capable de risquer gros.

— Et alors ?

— Commissaire, je veux être sincère. Fernando a

constitué cette société à Vigàta seulement pour faire plaisir à sa femme, c'est-à-dire à ma sœur, laquelle voulait que je me range, vu que je n'avais pas de travail fixe. En outre, ma sœur pensait que la société aurait donné une raison à son mari pour venir souvent à Vigàta, ainsi elle aurait pu avoir plus d'occasions de voir ses parents. Pour Fernando, en conclusion, Vigamare ne représente rien ; pour moi, en fait, elle représente tout.

— Votre père m'a dit qu'il craint que vos rapports en soient arrivés au point de rupture.

— Tout ce qui devait rompre s'est rompu.

— C'est-à-dire ?

— Mon beau-frère s'est retiré de la société à la veille de partir pour Rome. Nous sommes allés chez le notaire le soir même.

Ainsi, on en était bien arrivé à ce point de rupture que disait Me Mongiardino. Il avait dû y avoir une engueulade terrible entre Belli et Gerlando.

— Et qui a acheté sa part ?

— Moi.

Lui ?! Et avec quoi avait-il payé ? Avec des pois chiches et des fèves ? Avec des coquilles ? Et s'il s'était engagé à payer la part à tempérament, comment Belli avait-il pu se fier encore une fois à ce type malfamé ?

— Excusez-moi, monsieur Mongiardino, ma question, effectivement, n'a aucun rapport avec l'enlèvement et donc, vous avez parfaitement le droit de ne pas répondre, mais vous pouvez me dire de quelle manière vous êtes convenus d'opérer le paiement de la part ?

— Au comptant.

Montalbano eut une expression tellement abasourdie que Mongiardino se sentit en devoir d'expliquer.

— Bien entendu, je ne suis pas allé chez le notaire avec des valises de billets. J'ai fait un transfert de fonds de ma banque à la sienne.

Des fonds ? De quels fonds parlait-il ? De fonds de

café ? De fonds de pantalon ? Mais il fut convaincu que Gerlando Mongiardino, avec beaucoup d'habileté, l'avait conduit droit dans un mur. Les banques ne trahiraient jamais le secret bancaire et aller parler au notaire serait comme prétendre à un entretien avec un *catàfero*, un cadavre.

— Vous avez d'autres associés ?

— Non.

Que dire d'autre ?

— Félicitations et meilleurs vœux de réussite, dit Montalbano en se levant.

— Merci, commissaire. Et j'espère avoir éclairci…

— Parfaitement.

Ils se serrèrent la main en souriant.

— Linda ? Montalbano, je suis.

— Ah, quel plaisir ! Je t'écoute.

— J'aurais besoin de te revoir.

— On en est déjà à ce point ?

Et elle rigola. Montalbano rougit.

— Excu… excuse-moi, Linda, mais je me suis comporté comme un…

— Laisse tomber. Dis-moi.

— Je dois te poser une question sur un détail auquel tu as fait allusion et qui ensuite m'est complètement sorti de l'esprit, expliqua Montalbano.

— Pose ta question.

— Tu le sais où a été retrouvée Laura ?

— Devant le portail de la villa du Dr Riguccio.

— Voilà, il me semble que tu m'as dit que tu connais cette zone, celle qui va de Piano Torretta vers Gallotta.

— Oui.

— Tu m'y accompagnerais ?

— Bien sûr. Quand ?

— Cet après-midi, si tu peux. Vers les cinq heures. Tu laisseras ta voiture devant le commissariat et on continuera avec la mienne. Tu le sais où est le commissariat de Vigàta?

— Non.

— Bon, je t'explique.

Il commença à parler, tout de suite convaincu qu'il n'arriverait jamais à indiquer la route à Linda. Non parce que le commissariat aurait été installé à l'intérieur d'un labyrinthe, mais en raison d'une incapacité topographique congénitale. S'il savait aller quelque part, c'était seulement parce que son corps l'y conduisait de soi-même. À la fin de dix minutes de discours remplis de « à la deuxième à gauche, tourne tout de suite à droite » et de « à la troisième à droite, tourne à la deuxième toujours à gauche », Montalbano se rendit.

— Il vaut peut-être mieux que quand tu arrives à Vigàta, tu m'appelles.

— J'amène du neuf, et pas qu'un peu, annonça Fazio en entrant dans le bureau de Montalbano qui, à ce moment, était en train de parler avec Augello.

— Assieds-toi et raconte.

— *Dottore*, je dois d'abord vous avertir. J'ai les poches pleines de papiers et j'ai besoin de les consulter de temps en temps. Je peux le faire sans crainte d'être abattu?

— Pour cette seule et unique fois, oui.

Comment avait-il fait pour se glisser dans les poches toutes ces feuilles qu'il tira et qui, à la fin, formèrent une pile sur la table du commissaire? Ensuite, Fazio s'éclaircit la gorge, s'adossa à son siège. À l'évidence, il s'enorgueillissait de la besogne qu'il avait faite. Enfin, il se décida à ouvrir la bouche.

— Donc : l'Américain a et n'a pas quatre sociétés habilitées à concourir aux appels d'offre des travaux publics.

— Ne commençons pas à dire des conneries, s'irrita

le commissaire. Qu'est-ce que ça veut dire, il a et il n'a pas ?

— Attendez, je vais m'expliquer, *dottore*. Ces quatre sociétés se trouvaient depuis quelque temps en difficulté, elles avaient eu des problèmes de paiement des charges sociales, quelques-uns de leurs chantiers avaient été fermés pour non-respect des normes de sécurité, elles avaient eu des pénalités pour retard de livraison, des choses de ce genre. Pour reprendre leur besogne, elles auraient dû assainir les comptes, se mettre en règle, mais l'argent manquait. À un certain moment, c'est-à-dire voilà moins de trois mois, survient un miracle. Les quatre sociétés, desquelles je vais dire les noms…

Et il commença à feuilleter la pile qu'il avait devant lui.

— Tu pourrais m'épargner ? implora Montalbano dans un filet de voix.

— Bon, bon, concéda Fazio, magnanime. Les quatre sociétés trouvent l'argent pour se mettre en règle mais…

— Mais elles sont contraintes de changer de patron, dit Augello.

— Et là, c'est le plus beau ! dit Fazio. Elles ne changent pas de patron, presque rien ne change dans le capital de la société. L'administrateur délégué reste à son poste, le conseil d'administration, essentiellement, reste le même. Sauf que, parmi les conseillers, il y a maintenant aussi Balduccio. Et avec lui apparaît toujours aussi un autre nom. Officiellement, dans ces sociétés, Balduccio compte autant que le deux de pique.

— Alors qu'officieusement, il est devenu propriétaire des quatre sociétés et que les autres sont des hommes de paille ou à peu près, conclut le commissaire.

— Exactement. C'est lui, Balduccio, qui a sorti l'argent pour régulariser les sociétés et se les acheter. Farruggia qui, dans ces affaires, a un flair de lévrier de l'Etna, a eu connaissance, par des voies transversales, grâce à certains amis qu'il a dans les banques, des mouvements de fonds de Balduccio vers les caisses des quatre entreprises.

— Excusez-moi, intervint Mimì. Jusqu'à un certain point, je ne trouve là rien d'irrégulier. S'il veut apparaître seulement comme un des conseillers d'administration, ça le regarde. La question, en revanche, c'est : comment se fait-il qu'il ait tout cet argent à sa disposition ? Il l'a trouvé ici ou il se l'est gagné en Amérique ? Nous ne pourrions pas demander à…

— Vous savez, *Dottore*, l'interrompit Fazio, sur la vie américaine de Balduccio, on sait pas mal de choses. Farruggia s'est informé auprès de certaines personnes qui vivent à la Nouvelle York, à Brooklyn et en d'autres endroits, des gens qui, avec nous, n'ouvriraient jamais la bouche. Je me suis fait comprendre ?

— Oui, continue.

— À la charge de Balduccio, il n'y a rien, à l'exception de quelques mauvaises fréquentations.

— Mauvaises dans quel sens ? demanda Montalbano.

— Bah, de vieux mafieux amis du père, un parrain à la retraite… Mais, en substance, Balduccio a été, jusqu'au moment de venir à Vigàta, un brillant employé de banque.

— Mais pourquoi est-il venu ? demanda cette fois Mimì.

— Officiellement, et on en est toujours là, à l'officiel et à l'officieux, pour tenter de se reprendre d'une profonde douleur. Il a perdu sa fiancée dans un accident automobile et en a beaucoup souffert. Alors, on lui a conseillé de se distraire et de changer d'air. Et lui, il a choisi la terre de son père et de son grand-père.

— Quelle âme délicate et sensible ! s'exclama Montalbano.

— Et officieusement ? demanda Mimì qui ne lâchait pas son os.

— Officieusement, il est venu, pour le compte de ses nouvelles fréquentations, faire toute une série d'investissements. Parce que chez nous, c'est le bon moment, alors qu'aux États-Unis, il y a trop de contrôles aussi à cause des histoires du terrorisme.

— Mais qui lui a donné l'argent ? se récria Mimì. Je ne crois pas que son salaire d'employé de banque, même brillant…

— Officiellement, l'interrompit Fazio, il s'agit d'un héritage.

— L'oncle d'Amérique, dit Montalbano.

— Oh que non, *dottore*. Dans ce cas, le grand-père de Sicile. Don Balduccio senior, je parle toujours dans la version officielle, aurait exporté des capitaux à l'étranger. Des capitaux qu'il n'a pas été possible de saisir parce que personne ne les avait repérés. Quand don Balduccio senior est mort, cet argent est passé à Balduccio junior. C'est clair ? Officiellement, en revanche, don Balduccio senior n'avait exporté rien du tout. Cet argent est de l'argent sale, recyclé, qu'on peut faire rentrer chez nous en le faisant passer pour un rapatriement de capitaux[1]. Cet argent, d'où qu'il vienne, est entré chez nous légalement, Balduccio junior a payé les 2,5 % comme le veut la loi et maintenant, il est tout à fait en règle.

Un lourd silence tomba.

— Farruggia, reprit Fazio au bout de quelques instants, m'a aussi parlé d'une chose qui concerne Belli. Il paraît qu'il a…

— L'intention de vendre ses cinquante pour cent au beau-frère, compléta Montalbano.

— Oui. Et comment vous le savez ?

— Je le sais. Mais il ne s'agit pas d'intention, c'est

1. Claire allusion à une loi berlusconienne permettant ce genre de pratiques, sous couvert de rapatriement de capitaux qui auraient fui l'étatisme du précédent gouvernement. (*N.d.T.*)

déjà fait. Farruggia t'a dit qui a donné l'argent à Gerlando Mongiardino ?

— D'après lui, derrière toute l'opération, il y aurait toujours notre ami américain qui a très envie de se développer.

— Il me semble qu'on doit commencer à compter les morts, dit Mimì. Les Cuffaro ne vont pas rester calmes et tranquilles à regarder un Sinagra qui débarque ici pour faire ce qu'il a envie.

Montalbano ne parut pas accorder d'importance aux paroles de Mimì. Il s'adressa à Fazio :

— Tu nous as dit que dans les nouveaux conseils d'administration, outre le nom de Balduccio junior, en apparaît toujours un autre.

— Oh que oui, monsieur ! répondit Fazio, souriant, l'œil brillant.

— Pourquoi ça a l'air de tant t'amuser ?

— Parce que vosseigneurie est un flic comme il y en a pas d'autres !

— Merci. Tu me dis ce nom ?

— Calogero Infantino.

— Et qui est-ce ?

— Calogero Infantino est un monsieur sans antécédents pénaux qui, jusqu'à l'arrivée de l'Américain, avait un commerce d'électroménager en gros et en détail.

— Et après l'arrivée de l'Américain ?

— Il a gardé son commerce.

— Et alors, quel rapport avec l'Américain ?

— Avec l'Américain, il n'y en a pas. Mais, vous voyez, Calogero Infantino s'est marié avec Angelina Cuffaro.

— Putain ! s'exclama Mimì. Les Cuffaro et les Sinagra se sont alliés !

— Exactement, dit Fazio. Et d'après ce que j'ai compris, l'accord entre les deux familles mafieuses a été voulu, en premier lieu, par Balduccio junior. Donc, *dottore*, il n'y aura ni rafales de kalachnikov ni décomptes des morts à faire. Les Sinagra et les Cuffaro ont convolé en justes noces.

— Et nous, qu'est-ce qu'on peut faire ? demanda Mimì.

— Nous pouvons faire comme les anciens, dit Montalbano.

Augelo le fixa, éberlué.

— Et qu'est-ce qu'ils faisaient, les anciens ?

— Ils se grattaient le bide et se coupaient les poils du nez.

Il alla à la trattoria mais n'avait pas très envie de manger. Enzo s'en aperçut et s'en inquiéta :

— *Comu si senti, dutturi ?* Comment vous vous sentez, *dottore* ?

— Bien, merci.

— Et alors, pourquoi vous n'avez pas d'appétit ?

— Parce que de temps en temps, il vient trop de pensées.

— C'est pas bien, *dutturi*. Vous le savez ? Y a deux parties du corps qui *non vonnu pinseri*, qui n'ont pas besoin de pensées : le ventre et l'autre que vosseigneurie comprend.

Bien qu'il n'en eût pas besoin pour digérer, il se fit quand même la promenade jusqu'au phare. Assis sur la roche habituelle, il lui revint la pensée qui lui avait coupé l'appétit. Et qui n'était pas une véritable pensée. C'était quelque chose qui ne tenait pas debout dans la manière d'agir du kidnappeur de Laura, mais ce quelque chose, il ne réussissait pas à le préciser, à le sortir du flou.

Il rentra au bureau, commença à signer une montagne de papiers et, à un certain moment, le téléphone sonna.

— *Dottori ?* Il vint une dame à dire que dehors, un certain Mastro l'attend.

Le délire de Catarella empirait de jour en jour : Mastro était le nom de Linda. Pile à l'heure.

— Comment ça se fait que tu connais l'endroit où on va ?

Linda sourit.

— J'y ai grandi. Mon père s'était acheté un bout de terre dans ce coin et s'était fait construire une petite villa. Ensuite, j'avais une quinzaine d'années, quand il l'a vendue à sa sœur, la tante Rita.

— Alors, tes souvenirs s'arrêtent à cette période ?

— Non. J'aimais beaucoup tante Rita et tous les dimanches, je venais la trouver. Son mari, l'oncle Carlo, était un type qui savait tout sur tout le monde.

— Donc, ton oncle et ta tante habitent toujours là.

— Non. L'oncle Carlo, il y a deux ans, a été transféré à Cosenza, où il est né, et il a vendu, lui aussi.

— Tu sais à qui ?

— Aux Carmona, des gens que je connais.

— Maintenant, je vais te dire pourquoi nous sommes là.

— Pas besoin. Je l'ai compris.

— Qu'est-ce que tu as compris ?

— On va chercher une maison, une villa ou je ne sais quoi, qui ait un garage.

Qu'est-ce qu'elle fonctionnait bien, la tête de cette belle petite ! Montalbano lui lança un coup d'œil admiratif.

— Pourquoi tu prends cette route ? On rallonge le chemin, dit Linda.

— Je sais. Mais je veux voir un truc. Juste un moment.

Il s'arrêta, descendit. Linda le suivit. La villa des Sinagra était au sommet de la colline sous laquelle passait la route, toutes les fenêtres étaient ouvertes ; devant le portail, qui autrefois était protégé par des hommes armés, étaient garées trois voitures. Balduccio avait des invités, mais on ne voyait pas âme qui vive. Les temps avaient changé, on n'avait plus besoin de gardes du corps, d'équipes de surveillance, tout se déroulait à la lumière du jour.

— Nous pouvons repartir.

— À la façon dont tu regardais les fenêtres, observa Linda, on aurait dit Roméo sous le balcon de Juliette. Tu espérais qu'elle se montre ?

Montalbano ne répondit pas. Quand ils arrivèrent à Piano Torretta, le commissaire y entra avec la voiture par une des ouvertures dans l'enceinte d'arbustes.

— Tu le sais où les Mongiardino avaient installé leur table ?

— Oui. Continue encore. Tu vois, là-bas, cet autre passage ? Ils s'étaient mis juste à côté.

Montalbano poursuivit et s'arrêta où lui avait dit Linda. Ils descendirent. La prairie de Piano Torretta, presque parfaitement circulaire, était très vaste et les Mongiardino étaient allés se mettre sur les bords, et en plus près d'une ouverture par laquelle il y aurait certainement eu de la circulation.

— Ça n'a pas été un choix très heureux, dit Linda.

— Il aurait suffi qu'ils se mettent un peu plus vers le centre et il ne serait rien arrivé à la petite, dit Montalbano. Le ballon avec lequel elle jouait n'aurait jamais pu rejoindre l'enceinte et la franchir.

— Eh oui, fit sèchement Linda.

Ils remontèrent en voiture, passèrent à travers l'ouverture et se trouvèrent sur la route qui conduisait à Gallotta. La circulation était rare.

— Comment on procède ? demanda Linda.

— Pour commencer, ouvre la boîte à gants, prends un stylo et un carnet. D'ici à la villa du docteur, il y a environ six kilomètres. Tu dois écrire à qui appartiennent les habitations des deux côtés de la route, si tu le sais. Si tu ne le sais pas, nous indiquons l'endroit avec un point d'interrogation. Naturellement, nous ne prendrons en considération que les maisons avec garage.

— Et si on se retrouve devant une maison qui pourrait avoir un garage, mais invisible, qu'est-ce qu'on fait ?

— On s'arrête, on descend et on se débrouille pour vérifier. Même si je dois passer par-dessus un portail.

— Pourquoi rien que toi ? J'ai mis un pantalon exprès.

Tout de suite, l'affaire s'avéra beaucoup plus compliquée. D'abord, les maisons n'étaient pas toutes alignées des deux côtés de la route, mais il y en avait aussi quelques-unes sur une deuxième rangée. De ces dernières, on réussissait à voir la façade, mais la partie postérieure était cachée par rapport à la rue, il fallait alors s'approcher le plus possible en empruntant d'étroits chemins, contrôler et revenir en arrière. Une perte de temps imprévue. En outre, quelques maisons étaient entourées de murets sur lesquels il fallait grimper pour avoir une vue complète. Par chance, on ne voyait personne, il s'agissait de maisons de vacances, la saison n'était pas encore arrivée et de plus, c'était un jour ouvrable. À un certain moment, Montalbano dit :

— Pour nous faciliter le travail, il faudrait que toutes les maisons soient comme celle-là.

Et il en indiqua une à main droite, une vraie construction de campagne, avec son garage, installé dans ce qui avait été autrefois une écurie, bien en vue et fermé par un rideau de fer.

— Malheureusement, dit Linda, cette maison est justement celle que je te disais, où j'ai grandi. Maintenant elle appartient... Gare-toi ! Arrête !

— Qu'est-ce qu'il y a ? demanda Montalbano en obéissant machinalement.

— Il me semble qu'il y a quelqu'un, dit Linda qui descendit en hâte et cria : Madame Carmona !

Toujours assis derrière le volant, le commissaire vit une dame âgée surgir de derrière la maison, lever les bras au ciel en reconnaissant la jeune femme, courir vers elle, l'embrasser. Les deux femmes parlèrent un moment entre elles puis Linda se tourna vers la voiture.

— Salvo ! Viens !

Il descendit, les femmes étaient entrées dans la maison, il les suivit. Il se retrouva dans un salon rustique et confortable. Mme Carmona lui fut tout de suite sympathique : cette sexagénaire lui rappelait une vieille amie, maîtresse d'école à la retraite, Clementina Vasile-Cozzo. La même manière de parler, la même franchise dans les paroles et les gestes. Umberto, le mari, était allé à Vigàta mais n'allait pas tarder à rentrer. Pourquoi Linda ne l'attendait-elle pas ? Il serait heureux de la revoir. Ils avaient définitivement abandonné le bourg et avaient déménagé là, où régnait la paix des anges.

Dans les alentours, d'autres familles avaient fait de même. Et d'autres encore, en plus grand nombre, suivraient leur exemple, mais il y avait le problème de l'eau qu'il fallait faire amener par camions-citernes. Tout en parlant, elle gagnait la cuisine, revenait avec un plateau.

— Vous devez absolument goûter ce parfait d'amandes à l'ancienne que j'ai fait justement aujourd'hui. Qu'est-ce que vous êtes venus faire par ici ?

Tout en se régalant d'une portion de l'entremets glacé vraiment délicieux, Montalbano répondit que c'était pour une de ses enquêtes, mais ne dit pas laquelle, il devait faire une espèce de recensement des habitations de cette zone. Étant donné que Linda... Mme Carmona l'interrompit :

— Si vous étiez venu directement ici, vous auriez gagné beaucoup de temps. Mon mari l'a déjà fait, ce recensement.

— Et pourquoi ?

— Parce qu'on a peut-être la possibilité de se faire rattacher au réseau d'alimentation en eau. Mais il faut participer aux dépenses et alors mon mari a fait du porte-à-porte, pendant un mois entier, à demander qui était disposé... Mais voilà sa voiture !

Cinq

M. Michelangelo Carmona, que sa femme appelait Micò, non content d'avoir besogné à Vigàta comme géomètre communal, était aussi un type vétilleux, précis jusqu'à la maniaquerie. Tandis que Mme Carmona sortait pour faire un petit tour avec Linda, le géomètre commença par dégager la table de tout qui se trouvait dessus, mais non pas du plateau avec le parfait, que Montalbano, habilement, réussit à garder à portée de main. Quand il eut fini, il sortit de la pièce et revint au bout de quelques instants en tirant une énorme valise. Aidé par le commissaire, il la hissa sur la table, l'ouvrit et commença à sortir cartes topographiques, extraits du cadastre, déclarations sous serment, actes de vente, actes notariés, reçus du bureau du cadastre et autres papiers qui, en peu de temps, recouvrirent la table. Montalbano plaça le plateau sur ses jambes et, pendant que Micò se plongeait dans une mystérieuse opération de tri, prenant la cuillère dans son assiette qui avait été posée provisoirement sur un siège à côté, attaqua le parfait. Entre-temps, Micò, ayant trouvé les documents dont il avait besoin, remplissait nouvellement la valise, disposée à terre, avec tous les autres papiers. Le boulot terminé, il déroula sur la table, qui la contenait à peine, une grande carte dessinée à la main et commença à la considérer d'un air pensif, qu'on aurait dit un commandant en chef étudiant le champ de bataille. Dans une main, il tenait deux feuilles enroulées.

— S'il vous plaît, commissaire, venez près de moi, dit-il en tirant de la pochette de sa veste un crayon jaune.

À contrecœur, Montalbano abandonna le plateau mais le mit à la place de ses fesses.

— Ce que je vous montre avec mon crayon est le secteur qui vous intéresse, c'est-à-dire la portion de route qui va de cette ouverture de Piano Torretta jusqu'à la villa du Dr Riguccio. Cela représente cinq kilomètres et neuf cent soixante-douze mètres. La carte, c'est moi qui l'ai faite pour faciliter le travail. Par commodité, j'ai doté les habitations de numéros.

— Magnifique, dit Montalbano, mais comment je fais pour savoir les noms des propriétaires ?

— Très simple. Dans ces feuilles, là, dit Micò en agitant les papiers qu'il tenait en main, il y a les noms et les adresses de tout le monde. À chaque numéro de la carte correspond le nom du propriétaire.

— Splendide. Et si je voulais savoir combien de ces maisons ont un garage fermé, de ceux munis d'un rideau de fer ?

— Donnez-moi dix minutes. Vous voulez que je vous l'écrive ?

— Si ça ne vous dérange pas…

Tandis que Micò s'accroupissait devant la valise pour farfouiller dans les papiers, Montalbano retourna à sa chaise, souleva le plateau, s'assit, remit le plateau sur ses jambes et recommença à manger. Micò émergea avec en main une espèce de gros volume qui reproduisait le plan des maisons, prit lui aussi un siège et s'assit. Il regardait le plan, regardait le gros livre, regardait la liste des noms et, de temps en temps, écrivait quelque chose sur une feuille propre. Sur le plateau, désormais, ne subsistaient plus que les deux dernières cuillères de parfait au café.

Par décence, Montalbano s'ordonna de ne pas les manger et, par prudence, ne se fiant pas à ses bonnes résolutions, il se leva et alla poser le plateau sur le buffet.

— Voilà, c'est fait, dit Micò en lui tendant la feuille qu'il avait couverte de notes. Ici, vous avez les noms, les adresses et aussi les numéros de téléphone. Les maisons avec garage fermé ne sont pas nombreuses par ici. Chez nous, avec le temps qu'il fait, on met les voitures sous une pergola ou on les laisse dehors. Vous avez besoin d'autre chose ?

— Rien d'autre, merci. Pour moi, vous avez été une vraie mine d'or, je vous en suis vraiment reconnaissant. Une question seulement : ces données sont récentes ?

— Je les ai recueillies il y a un mois. Vous me donnez un coup de main pour remettre en ordre avant que ma femme rentre ?

Et Montalbano en profita pour faire disparaître les traces de sa faute, il gagna la cuisine et jeta à la poubelle les misérables restes de parfait.

Ils laissèrent la villa des Carmona comme la nuit venait. Le soir était calme et silencieux, les feuilles des arbres ne se parlaient pas entre elles.

— Il me semble que ça s'est bien passé, dit Linda.

— Eh oui.

— Micò nous a épargné beaucoup de boulot.

— Eh oui.

— Qu'est-ce que tu as ?

— Rien, je réfléchissais.

Pouvait-il lui dire que le parfait n'avait aucune envie de se laisser dissoudre par les acides de l'estomac et qu'il combattait avec acharnement ?

— Tu veux que je t'aide avec cette liste que t'a donnée Micò ?

— Pourquoi pas ?

— Mais avant, je voudrais dîner. La promenade avec Mme Carmona m'a mise en appétit. Tu en as ?

— Ben…

— Je vois que ma proposition ne t'enthousiasme pas.

— Mais non ! D'accord. Tu as un endroit où aller ?

— Après Gallotta, il y a un petit restau de campagne, Da Giugiù, tu y es déjà allé ?

Il n'en avait jamais entendu parler. Cela le préoccupa.

— Tu es sûre qu'on y mange bien ?

— J'y suis allée une quantité de fois. Sois tranquille. D'ici, on va mettre une demi-heure.

En fait, il leur fallut une heure parce qu'ils prirent tout leur temps. Linda parlait de son travail avec les enfants et le commissaire aimait bien l'écouter. Elle avait une voix qui changeait de couleur.

— Je voudrais manger léger, dit Linda à Giugiù, un homme qui ne faisait pas moins de cent trente kilos.

— Les choses légères, c'est le vent qui les prend, déclara Giugiù.

— C'est vrai, répondit Linda en riant. Vous, en revanche, même une tornade elle arriverait pas à vous prendre.

La conséquence de la brève escarmouche fut : fromage de brebis, olives vertes et olives noires comme hors-d'œuvre, spaghettis à la sauce de cochon comme premier plat, saucisses et côtes de porc comme second. Avec plaisir, Montalbano remarqua que Linda ne calait pas devant l'assiette, et même elle bataillait vaillamment avec l'aide d'un vin rouge qui avait la violence d'un coq de combat. À la fin, la petite dit :

— Tu veux l'essayer, le vrai parfait d'amandes ? Celui de Mme Carmona était bon, mais celui qu'ils font ici…

— Je vais t'avouer quelque chose. J'aime pas le parfait. Chez les Carmona, je l'ai essayé par politesse, mentit le commissaire en faisant une tête contrariée. Prends-toi-le, moi je te regarde.

Mais il ne put pas même le regarder, le parfait : chaque

fois que son œil se posait dessus, il sentait son estomac grogner d'indignation et un peu de nausée lui montait dans la gorge.

Sur le chemin du retour, Linda dit :

— Où on va regarder les papiers ? Au commissariat ou chez toi à Marinella ?

Montalbano lui jeta un regard étonné.

— Je t'ai dit que j'habitais à Marinella ?

— Non, c'est Beba qui me l'a dit. Tu le sais pas que nous sommes amies ? Elle m'a dit ça et d'autres choses.

— Quoi d'autre ?

— D'autres choses.

Comme Montalbano ouvrait la porte de la maison, Linda dit :

— On va travailler sur la véranda ?

— Tu sais aussi qu'il y a une véranda ?

— Oh là là ! soupira Linda.

Théoriquement, la petite, pour contrôler les noms de la liste qui étaient à peine huit, aurait dû mettre au grand maximum une demi-heure.

Quand ils s'assirent sur la véranda, il n'était pas encore minuit mais quand Montalbano la raccompagna devant le commissariat pour qu'elle reprenne sa voiture, il était cinq heures et demie du matin.

En conclusion, il se coucha dans l'intention de se faire deux heures de sommeil et en fait se réveilla qu'il était dix heures passées. Il prit une douche rapide, se rasa en laissant la moitié de la barbe, s'habilla en hâte et peu après onze heures entra au bureau.

— Envoie-moi Fazio, dit-il à Catarella.

Au bout de quelques instants, il entendit frapper, mais au lieu de Fazio se présenta Mimì.

— Du neuf ? demanda Montalbano.

— La routine. Deux cambriolages, une mystérieuse fusillade vers Piano Lanterna. Et toi, du neuf ?

— Et quelles nouveautés tu veux que j'aie, moi ?

— Bah ! fit Mimì en le regardant intensément.

Entra Fazio.

— À vos ordres, *dottore*. Comment va ?

Pourquoi Fazio se mettait-il aussi à lui demander comment il allait, ce que, d'habitude, il ne faisait jamais ?

— Bien. Pourquoi tu me le demandes ?

— Bah !

Mimì, va savoir pourquoi, ricana. Montalbano ne releva pas. Il tira de sa poche la liste des noms écrits par Micò et la posa sur la table.

— Je dois d'abord vous expliquer quelque chose. J'ai rencontré Mlle Olinda Mastro, la psychologue de Laura, qui m'a beaucoup aidé et pas seulement parce qu'elle m'a expliqué ce que lui a dit la minote.

— Pas seulement ? Et quel autre genre d'aide, elle t'a apporté ? demanda Mimì avec la tête innocente d'un angelot.

Cette fois encore, Montalbano fit mine de rien et raconta tout aux deux hommes, y compris la visite chez les Carmona.

— Hier soir, Linda, vu qu'elle connaît pratiquement tout le monde dans cette zone, a examiné cette liste et…

— Excusez-moi, *dottore*, qui est Linda ? demanda Fazio.

— C'est Mlle Mastro, qui s'appelle Olinda et que ses amis appellent Linda, expliqua Mimì, en forçant sur le mot « amis », mais en conservant une tête de séraphin.

— Elle a examiné cette liste et a effacé cinq noms, poursuivit Montalbano sans laisser voir la montée de pression de la chaudière à vapeur qu'il avait en lui et qui pouvait exploser d'un moment à l'autre. Il s'agit de personnes qui jamais ne pourraient commettre quelque chose d'illégal. Restent trois noms : Bonito Gaspare, employé de banque, Arena Giacomo, transporteur et Zirretta Federico, employé. Ol… Ol…

— Olé ! lança Mimì.

Montalbano, au prix d'énormes efforts, réussit à empêcher la chaudière d'exploser.

— Linda, ces trois-là, elle ne les connaît pas. Il faudrait en savoir un peu plus.

— Montrez-moi ça, dit Fazio en tendant la main.

Le commissaire lui tendit la liste, Fazio y jeta un coup d'œil et dit :

— Ce Bonito Gaspare, cinquante ans, habitant 32, via Cavour, est caissier à l'agence de la Trinacria sur le port. Je le connais depuis plus de vingt ans et je me sens de me porter garant pour lui. C'est l'honnêteté en personne.

— Alors, élimine-le, dit Montalbano. Et les deux autres ?

— Je ne les connais pas. Mais je vais arranger ça tout de suite, dit Fazio en se levant et en empochant la liste.

Resté seul avec Mimì, Montalbano le fixa d'un air sérieux.

— Je peux savoir pourquoi tu fais tant le malin ?

— Parce que ce que tu as dit, je le savais déjà. Ce matin, à huit heures, Linda a fait un rapport téléphonique détaillé à Beba.

— Et qu'est-ce qu'elle lui a dit ?

— Beba n'a pas voulu ouvrir la bouche, avec moi. Il n'y a pas eu moyen de la faire parler. Mais je crois que Linda lui a raconté tout ce qu'il y avait à raconter. Elle est restée plus d'une heure au téléphone et de temps en temps, Beba riait aux larmes.

— Et qu'est-ce qu'elles avaient à rire ? demanda Montalbano, la mine sombre.

— Ça, c'est Linda, Beba et toi qui le savez. Donc, je suppose que tu lui as dit aussi des choses que tu ne nous as pas rapportées parce que, à strictement parler, elles ne concernaient pas l'enquête.

Et le salopard sourit.

— Mimì, tu sais ce que je te dis, à strictement parler ? demanda Montalbano, fumasse.

— Non.

— Va te faire enculer.

Il y avait un grain de sable dans l'engrenage de sa coucourde qui paralysait le mouvement des roues grandes et petites. Et tant qu'il ne l'aurait pas enlevé, ce grain, il n'y aurait pas moyen de remettre en marche le mécanisme. Le blocage venait de la façon de procéder du kidnappeur. Qu'est-ce qui se passait dans les enlèvements normaux ? Il se passait que les kidnappeurs qui devaient avoir des contacts avec la personne enlevée veillaient à se masquer, à se dissimuler le visage avec un passe-montagne ou un masque quelconque pour ne pas se faire reconnaître de la victime qui, une fois relâchée après la remise de la rançon, aurait pu fournir aux enquêteurs un portrait-robot. Et de fait, si, durant la détention, le prisonnier ou la prisonnière voyait, même par hasard, le visage d'un de ses geôliers, son destin était scellé. Quoique à leur grand regret et avec leurs plates excuses, les kidnappeurs assassinaient la personne. Cette règle était toujours respectée.

Et alors, pourquoi cette fois, le kidnappeur de Laura n'avait pris aucune précaution et avait agi à visage découvert ? Parce que Laura était une minote de trois ans et qu'il lui aurait été difficile, sinon impossible, de décrire le kidnappeur ? Ça pouvait être la bonne raison, mais l'affaire quand même était pleine d'aléas. C'était si vrai que quand il avait dû suivre Laura, qui s'était échappée de la voiture, l'homme avait été vu en face par les Bonsignore.

Mais par ailleurs, le kidnappeur n'aurait pu agir autrement qu'à visage découvert. En général, les enlèvements arrivent la nuit et même alors, les kidnappeurs s'arrangent pour ne pas être reconnus. Là, nécessairement, tout devait se passer en pleine lumière, même si la lumière était obscurcie par les nuages. Et donc, comment aurait fait un homme pour se promener en plein jour, au milieu d'une quantité de gens, en portant avec une grande désinvolture un passe-montagne ? C'était comme de se promener avec un écriteau : « Je suis en train de commettre un enlèvement. » Rien, la minote devait être prise par quelqu'un qui courait le risque énorme d'être reconnu par n'importe qui.

Et alors : qu'est-ce qu'ils lui avaient dit ou promis par rapport à ce risque ? Ça, c'était le tracassin. De l'argent ? Mais il n'y avait pas d'argent qui tienne, face à ce type de risque. Des garanties ? De quoi ?

Et ce fut alors que lui revint à l'esprit ce que lui avait dit Linda : ce n'était pas un véritable enlèvement, mais un éloignement momentané qui devait donner l'idée d'un enlèvement. L'idée. La sensation. L'impression. Il tint dans sa tête un dialogue imaginaire (mais pas tant que ça, après tout).

— Pensez, commissaire ! La petite s'est perdue, mais heureusement, elle a été recueillie par un brave automobiliste, resté anonyme, qui l'a accompagnée en lieu sûr. Et nous, pendant ce temps, qui nous désespérions en pensant à un enlèvement !

— Vous voulez porter plainte ?

— Et pourquoi ? Pour une sensation ? Pour une impression ?

Voilà ce qu'ils avaient garanti au kidnappeur : qu'il n'y aurait aucune plainte, aucune enquête, à condition qu'à la minote n'arrive aucun mal parce que, dans le cas contraire, s'il lui arrivait quelque chose, même par accident, nul ne pourrait prévoir la réaction des parents. Et en fait de plainte, il n'y en avait pas eu, parce qu'il n'y avait pas de raison d'en déposer. Et l'enquête, quelle raison y avait-il de la mener ?

En tout cas, le grain de sable avait été enlevé.

Il allait rentrer à Marinella, énervé d'avoir perdu l'après-midi au bureau à régler des affaires sans importance, quand se présenta Fazio.

— Qu'est-ce que tu peux me dire sur ces noms ?

— Beaucoup, *dottore*. Et pour ne pas vous faire enrager, ce que j'ai su, je l'ai appris par cœur, comme ça, j'ai pas besoin de papiers.

— Bravo. Je vois que tu t'améliores en vieillissant, comme le vin.

— *Dottore*, vosseigneurie, vous vous y entendez pour manger, mais sur les vins vous n'êtes pas au point. Le vieillissement ne fait pas toujours du bien au vin. Donc, je commence par Zirretta Federico qui est employé administratif à la maison d'arrêt.

— À la prison ?

— Oh que oui, monsieur. Depuis trente ans. Le directeur m'a dit qu'il n'est pas seulement un employé exemplaire, mais qu'il a aussi lancé diverses initiatives dans l'établissement en faveur des prisonniers. C'est un homme très bon.

— Quel salaire il a ?

— Cette misère que l'État donne à des gens comme nous.

— Comment il a fait pour trouver l'argent pour se faire une maison à Piano Torretta ?

— Je me le suis demandé moi aussi. Et j'ai eu la réponse. Sa femme, qui est de Ribera, a eu un héritage de son oncle. Comme ils n'ont pas d'enfants, ils se sont fait construire la maison. Croyez-moi, *dottore*, Zirretta est au-dessus de tout soupçon.

Il n'avait pas de raison de douter de ce que Fazio lui disait.

— Et l'autre ?

— Là, l'affaire devient plus intéressante. Arena Giacomo a cinquante ans. Marié et divorcé. Lui non plus, pas d'enfants. Il se définit comme transporteur, mais en réalité, il ne possède qu'une camionnette avec laquelle il fait des transports occasionnels.

— Il te paraît intéressant?

— Laissez-moi finir.

— T'aime bien faire comme à la fête du pays, eh, Fazio?

— Qu'est-ce que ça veut dire?

— Que dans les feux d'artifice les explosions les plus fortes sont à la fin.

Fazio sourit, content de lui.

— Et quelle fusée, *dottore*! D'abord, Arena Giacomo n'est pas nickel. Il a été condamné parce que, alors qu'il n'avait pas de port d'arme, on lui a trouvé un pistolet dans la poche. Une autre condamnation lui a été infligée parce qu'il conduisait bourré et qu'il est allé finir contre un kiosque à journaux et l'a démoli.

— C'est tout? Je n'ai pas encore entendu de grosse explosion.

— Il est fils d'Arena Romualdo, dit Rorò.

— Et qui est Rorò?

— Non pas qui il est, qui il était, *dottore*. Il a été tué il y a une vingtaine d'années et des poussières. Il appartenait à la famille Sinagra.

Un mafieux abattu au cours de la guerre entre les Sinagra et les Cuffaro! Montalbano tendit aussitôt l'oreille.

— Vous l'avez entendue, enfin, l'explosion? demanda Fazio, vengeur.

— Comment se fait-il que le fils ne se soit pas vengé?

— Durant cette période, il était en Allemagne, à besogner comme ouvrier dans une usine d'automobiles. Il est rentré un an plus tard et a été arrêté pour l'histoire du pistolet. Visiblement, il l'avait, l'intention de se venger. Mais quand il est sorti de taule, les choses étaient en train de changer rapidement aux dépens des Sinagra. Et lui, alors, il n'a plus bougé.

— Pourquoi n'a-t-il pas marché dans les pas de son père ?

— C'est Rorò qui a voulu le faire sortir du milieu. Il aimait beaucoup son fils.

— Si, comme tu as dit, Giacomo Arena se débrouille comme il peut pour vivre, à plus forte raison, on peut se demander qui lui a donné l'argent pour s'acheter une maison de vacances à la campagne.

— *Dottore*, visiblement vosseigneurie n'a pas bien regardé la liste qu'a faite M. Carmona. Elle est très précise. La maison appartient aujourd'hui encore à M. Di Gregorio, Arena l'a prise en location. Et il est allé y habiter.

— Depuis quand ?

— Depuis trois mois. Il a fait un contrat annuel.

— Il vit là seul ?

— Oh que oui. De temps en temps, il se fait tenir compagnie par quelque radasse.

— Tu sais si Arena, à part la camionnette, a aussi une voiture ?

— Bien sûr. Une Polo.

Montalbano resta un instant pensif. Puis, il demanda :

— L'hypothèse que Giacomo Arena se soit mis à la disposition de l'Américain te paraît du vent ?

— Nullement, *dottore*. Sauf que je crois que les choses se sont déroulées à l'envers.

— C'est-à-dire ?

— Que c'est Balduccio junior qui s'est mis en contact avec les survivants ou les parents des membres de la famille. Pour dresser la liste, il aura reçu un coup de main de Me Guttadauro, le député qui les connaît tous, morts et vivants.

— En tout cas, de ce contact entre l'Américain et Giacomo Arena, nous n'avons pas de preuves.

— Nous n'avons pas eu le temps de les chercher, le corrigea Fazio.

— Tu sais ce que tu fais, Fazio, à partir de ce moment ?

— Bien sûr que je le sais. Je me pends aux basques de Giacomo Arena.

— Tu sais photographier?

— Je me débrouille.

— Prends-moi quelques photos d'Arena sans te faire repérer. Amène-toi un aide, si tu veux. En particulier, je suis intéressé à ce qu'on lui voie le visage. Dès que tu les as prises, tu les fais tout de suite développer et tu me les apportes.

— *Dottore*, mais on n'a pas besoin de faire comme au cinéma, filatures, photographies... Sûrement, on va la trouver quelque part, une photo de Giacomo Arena.

— Mais je t'en prie! Tu veux me donner une photo d'identité ou une photo d'archives? Elles ont l'air faites exprès pour qu'on reconnaisse pas les gens!

Il était à peine arrivé à Marinella que le téléphone sonna. C'était Linda.

— Salvo, étant donné qu'un engagement que j'avais pour ce soir a été annulé, j'ai pensé qu'on pouvait aller dîner.

« Pour te marrer encore un bon coup avec Beba? », pensa-t-il tout de suite, furieux.

— Je regrette, mais j'attends des gens. On se rappelle. Salut.

Il raccrocha. Le téléphone sonna.

— Linda, je t'ai dit que...

— Qui est Linda? demanda la voix de Livia.

Et bonjour chez vous.

Six

Une dégueulasserie de nuit, un total de huit très longs coups de fil passés et reçus à et de Boccadasse, Gênes, jusqu'à ce que la fatigue et le sommeil aient vaincu les deux adversaires. Il se présenta au bureau avec un petit air que c'était pas le jour. Rien qu'à voir sa tête, même Catarella n'eut pas le courage d'aller au-delà d'un normal :

— Bonjour, *dottori*, surtout prononcé à mi-voix.

— Bonjour, mon cul, fut la funèbre et menaçante réponse.

Personne n'osa le déranger pendant deux bonnes heures. En fait, onze heures étaient passées de peu quand il entendit frapper discrètement à la porte. C'était Fazio, lequel avait dû être dûment averti de l'humeur noire du commissaire car, en s'asseyant, il dit :

— *Dottore*, vous voulez parier que dès que je commence à parler, la mauvaise lune vous passe ?

— Parions. Comment ça se fait que tu sois là au lieu d'être derrière Giacomo Arena ?

— J'y ai déjà été, *dottore*. J'ai eu un joli coup de cul, sauf votre respect.

— Raconte.

— Ce matin, à six heures, je me suis mis en planque, avec mon auto, sur la route de Piano Torretta. Je me suis

321

emmené Alfano, qui est avec nous depuis une semaine et que personne connaît. J'avais aussi l'appareil photographique. Bien. À sept heures, nous passe devant le nez la camionnette d'Arena, avec sur les côtés l'inscription « G. Arena – Transports-Déménagements ». Lui devant et nous derrière. À mi-chemin, il s'est arrêté dans une station-service et comme il y avait un peu la queue, il est descendu. Alors, il m'est venu une idée. J'ai dit à Alfano d'aller lui demander s'il pouvait faire un déménagement urgent. Pendant qu'Alfano lui parlait, j'ai pris une grande quantité de photographies qui sont déjà au développement. Alfano est revenu en me rapportant qu'Arena lui avait répondu qu'il ne faisait plus de transports ni de déménagements vu qu'il avait un travail fixe au service d'une entreprise. Quand il a fait l'essence, on lui a collé au train, comme ça on a vu où il est allé s'arrêter, juste à l'entrée d'un grand entrepôt. Il est descendu et est entré dans l'entrepôt. Au bout d'un moment, deux hommes sont sortis qui ont commencé à charger des réfrigérateurs et des chauffe-eau dans la camionnette. Le chargement terminé, Arena s'est mis au volant et est parti pour les livraisons.

— Pourquoi tu ne l'as pas suivi ?

— Parce qu'on n'en avait plus besoin. Les photos, je les avais faites et j'avais aussi appris pour qui Arena travaillait de manière stable, c'était écrit sur l'enseigne au-dessus de l'entrepôt.

— Qu'est-ce qui était écrit ?

— Infantino Électroménager.

— Eh beh ?

— *Dottore*, vous avez oublié ? L'autre fois, je vous en ai parlé. Calogero Infantino est ce monsieur sans antécédents, commerçant en électroménager, marié avec Angelina Cuffaro, qui apparaît dans les nouveaux conseils d'administration des sociétés redressées par Balduccio junior.

Montalbano lui lança un regard étonné.

— Comment ça ? Arena se met à besogner avec la famille Cuffaro, celle qui lui a tué son père ?

— *Dottore*, mais vous ne l'avez pas dit vous-même que les temps ont changé ? Maintenant, on raisonne seulement en termes de biznesseu.

D'un coup, Montalbano sourit. Fazio aussi.

— *Dottore*, j'ai gagné mon pari ?

— Oui.

— Alors, payez-moi un café que j'en ai besoin.

— Moi aussi, dit le commissaire en bâillant.

En fin de matinée, Montalbano décida de réunir l'état-major du commissariat qui consistait, outre lui-même, en Augello et Fazio.

— D'après moi, commença-t-il, ça s'est passé comme ça. Balduccio junior revient d'Amérique pour recycler légalement de l'argent mafieux. Comme il appartient à la nouvelle génération, au lieu de déclarer la guerre aux Cuffaro, il s'allie avec eux en établissant une certaine division des bénéfices. Les affaires lui réussissent parce qu'il agit souterrainement, en s'emparant de sociétés au bord de la faillite. Mais quand il veut étendre son champ d'action au marché de gros du poisson, il se trouve confronté à deux difficultés. La première est que la société de Belli, la Vigamare, se porte très bien et donc les méthodes à employer doivent être différentes de celles qu'il a utilisées jusque-là, la seconde que Fernando Belli est un homme honnête difficile à plier. Mais Balduccio ne tarde pas à individualiser le maillon faible de la Vigamare, c'est-à-dire l'autre associé, le beau-frère de Belli, Gerlando Mongiardino. Il l'approche, ou le fait approcher et lui fait miroiter les avantages qu'il pourrait obtenir si, d'une manière ou d'une autre, lui, Balduccio, réussissait à se glisser dans la société. Évidemment, Gerlando Mongiardino en parle à son beau-frère, mais celui-ci l'envoie se faire foutre. De là les disputes que tout le monde sait. Tu parles de divergences d'opinion sur la gestion de l'entreprise !

— Excuse-moi si je t'interromps, mais quel intérêt a Gerlando Mongiardino à changer d'associé et à se mettre avec un type comme Balduccio junior ?

— Nous ne savons pas ce que Balduccio junior lui a promis. Ou peut-être qu'il pense qu'il aura une plus grande liberté de mouvement pour empocher l'argent de la société.

— On parie qu'à peine il déconne, Balduccio junior le fait manger vivant par les poissons ? dit Fazio.

— Je continue, reprit Montalbano. La partie est suspendue quand Balduccio a une idée sur la manière de forcer la main à Belli. L'enlèvement de la fille. Alors…

— Un moment, interrompt Mimì. Ça me convainc pas.

— Quoi ?

— Cette histoire d'enlèvement. C'est une vieille méthode, une méthode mafieuse à l'ancienne. Toi-même, Salvo, tu as soutenu que ces nouveaux mafieux sont des cols blancs qui utilisent d'autres moyens de pression et que c'est seulement quand ils ne peuvent pas faire autrement… L'enlèvement ne coïncide pas avec le modus operandi de Balduccio junior.

— Mimì, vu que tu donnes dans la docte citation, je veux moi aussi jouer les savants. Autrefois, j'ai lu un roman, il me semble qu'il s'appelait *Oublier Palerme*, mais peut-être qu'il a un autre titre, que je confonds. En tout cas, ce roman raconte l'histoire d'un descendant d'une famille de mafieux, comme notre Balduccio junior, né et élevé en Amérique, qui étudie, devient une personne cultivée aux manières raffinées, entre dans la bonne société et se marie avec une riche Américaine. Ils vont passer des vacances à Palerme. Là, un mouvement d'admiration d'un type envers sa femme est mal interprété.

Rapidement, les rapports entre le type et le mari tournent au duel. Et au fur et à mesure que ce duel devient toujours plus dangereux, carrément mortel, le mari perd progressivement culture, raffinement, élégance, pour acquérir astuce, violence, volonté homicide. En somme, il régresse. Palerme le ramène à ses origines, à ses racines. Bien, Balduccio junior s'est trouvé devant quelqu'un qui le défiait et rapidement, même si c'est pour peu de temps, il est revenu à ses origines. Mais ce bref voyage en arrière va le baiser. Il s'agit d'une séquestration de personne, et peu importe que ça ait été fait pour obtenir une rançon ou bien pour exercer une forte pression. Peu importe même la durée de la séquestration, que ce soit une heure ou une année, c'est toujours une séquestration. Et la séquestration de personne, d'après ce que je sais, n'a pas encore été dépénalisée[1].

— Bah ! fit Mimì, dubitatif.

— Tu verras. Continuons. Balduccio junior convainc Gerlando de lui signaler les mouvements de Belli et de sa famille quand ils vont arriver à Vigàta pour Pâques. Et il lui explique qu'il s'agira d'un faux enlèvement, il ne sera fait aucun mal à la minote. Du mal, il en arrivera à l'avenir, en revanche, à quelqu'un de la famille de Belli, s'il ne répond pas à ses demandes. Balduccio junior, pour effectuer matériellement l'enlèvement, s'adresse au complice Calogero Infantino et celui-ci repasse le boulot à Giacomo Arena que Balduccio junior a mis au travail dans son entrepôt. Depuis longtemps, les Mongiardino et les Belli ont décidé de passer le lundi de Pâques à Marina Sicula. Et de cela, Gerlando a dûment averti Balduccio junior. Sinon que Belli ne veut plus de cette partie de campagne, il se laisse convaincre seulement le dimanche soir tard, mais il souhaite changer de destination, ils iront

---

1. Claire allusion à la dépénalisation de délits financiers par le gouvernement Berlusconi. *(N.d.T.)*

à Piano Torretta. Cette décision, toujours tard dans la soirée, est communiquée à la sœur de Gerlando. Lequel est contraint d'avertir Balduccio junior, qui avait fait préparer l'enlèvement à Marina Sicula, du changement de destination. Gerlando, arrivé le premier à Piano Torretta, place les tables en un point stratégique, près des buissons et d'une ouverture. Il informe sur son mobile Balduccio de la position exacte. Celui-ci, à son tour, transmet l'information à Giacomo Arena. Lequel arrive sur les lieux, du reste, il habite dans le coin, et se met à attendre la bonne occasion. Qui finalement se présente quand la petite perd son ballon. Il l'oblige à monter en voiture et la garde prisonnière dans le garage de chez lui, à quelques dizaines de mètres. Deux heures plus tard, on retrouve Laura mais Belli est un homme trop intelligent, il a compris ce qu'il y a là-dessous. Je crois qu'il a aussi reçu une explication téléphonique de Balduccio junior. Bouleversé, indigné mais apeuré, il cède la moitié de ses parts à son beau-frère dont il sait désormais non seulement que c'est un voleur, mais aussi un délinquant qui ne recule même pas devant l'enlèvement d'une minote qui en plus est sa nièce, et donc Belli rentre à Rome. Décidé à ne plus remettre les pieds à Vigàta.

— Belle reconstruction, dit Mimì. Parfaitement plausible. Et plus convaincante que le roman que tu nous as raconté. Mais où sont les preuves ? Quels éléments avons-nous en main ? Bavardage et tabatière de bois.

Montalbano allait lui répondre quand on frappa à la porte.

— Entrez !

Entra l'agent Alfano. Il avait en main une enveloppe qu'il tendit à Fazio.

— Les photographies, dit-il.

Et il sortit. Fazio ouvrit l'enveloppe. Les photos qu'il avait prises d'Arena étaient une vingtaine, mais deux en particulier, où le visage se trouvait au premier plan, étaient nettes, parfaitement définies.

— Les voilà, les preuves, dit Montalbano en les scrutant.

D'après ce que lui avait dit Fazio, la maison de Giacomo Arena se trouvait à cinq cents mètres de celle des Carmona. Quand il passa devant, en direction de Gallotta, Montalbano ralentit. Plus qu'une maison, c'était une bâtisse campagnarde mal tenue, avec un crépi qui tombait par morceaux et des volets qui avaient besoin d'un coup de pinceau depuis des années. Le garage, construction rectangulaire avec un rideau de fer baissé, était collé au bâtiment. Manifestement, à l'origine, une étable.

Il accéléra, impatient d'arriver à Gallotta.

Le tabac des Bonsignore était sur la place. Il entra et, derrière le comptoir, vit un jeune d'une vingtaine d'années, maigre à faire peur, avec des yeux de merlan frit. Il resta un instant déconcerté, il s'attendait à trouver le pseudo-*Monsignore*.

— Vous désirez ? demanda le jeune.

— En fait, je voulais parler avec M. Bonsignore.

— Mon oncle m'a demandé de le remplacer, aujourd'hui, il n'a pas pu venir.

— Mais il est ici, à Gallotta ?

— Bien sûr. Il n'a pas pu venir parce qu'il doit s'occuper de ma tante qui a la grippe.

— Vous pouvez m'indiquer où il habite ?

— Pardon, mais vous êtes qui ?

— Le commissaire Montalbano, je suis.

Les yeux de merlan frit parurent prendre vie.

— Il y a du neuf sur l'enlèvement ?

Montalbano écarquilla les yeux.

— Quel enlèvement ?

— Celui de la minote le lundi de Pâques. Mon oncle et ma tante n'arrêtent pas d'en parler dans tout le pays.

327

— Il n'y a eu aucun enlèvement. Et c'est justement pour éclaircir les choses que je suis venu ici. Vous m'expliquez où habite votre oncle ?

— La porte à côté, dit le jeune, déçu.

M. Bonsignore portait une inattendue robe de chambre violette qui lui donnait carrément l'air d'un cardinal.

— Commissaire ! Quel plaisir ! Quelle belle surprise !

— Votre dame, comment va-t-elle ?

— Mieux, mieux. La fièvre est en train de descendre.

Il le fit entrer dans un salon austère. Aux murs, une crucifixion d'un auteur inconnu qui ferait mieux de le rester pour l'éternité, une Madone avec sept épées dans la poitrine, une Nativité avec un enfant Jésus disproportionné, beaucoup plus grand que le bœuf et l'âne réunis.

— Je peux vous offrir un peu de *rosolio*[1] ?

Du *rosolio* ?! Ça existait encore ? Il fut tenté d'accepter mais renonça, dans la crainte de devoir subir un mélange mortel.

— Non, merci, ne vous dérangez pas. Je ne vous retiendrai que quelques minutes.

Il tira de sa poche une des deux photographies de Giacomo Arena et la tendit à Bonsignore. Lequel la prit et la scruta. Attentivement. Mais il paraissait plutôt paumé.

— Et qui peut bien être ce monsieur ? se décida-t-il à demander à la fin.

Montalbano, à cette question qu'il n'attendait pas, se vit perdu.

— Mais comment, vous ne le reconnaissez pas ? C'est cet homme que vous avez vu, le lundi de Pâques, avec la petite ! Regardez mieux !

Bonsignore se leva, alla près de la fenêtre où il y avait plus de lumière. Il regarda et re-regarda la photo, l'approchant et l'éloignant.

---

1. Liqueur très sucrée, à l'origine aromatisée à la rose. On en trouve aujourd'hui à toutes sortes de parfums. *(N.d.T.)*

— Maintenant que vous m'y faites penser, il y a bien une certaine ressemblance. Mais je ne me sens pas, en conscience... Vous comprenez, commissaire, tout s'est passé si vite... Moi, je manœuvrais et donc... Bien sûr, j'ai vu toute la scène, mais quant à dire quel visage avait cet homme...

De dubitative, l'expression de Bonsignore se fit triomphale.

— Alors, c'était vrai, il s'agissait d'un enlèvement ! On avait raison !

— Qu'est-ce qui vous le fait croire ?

— Le fait même que vous êtes venu ici avec cette photo !

— Mais non, l'éventuelle reconnaissance m'est nécessaire pour confirmer un alibi de cet homme.

Et il lui raconta une histoire si tortueuse que lui-même s'y perdit. Étant donné que Bonsignore avait des doutes, lui dire qu'il s'agissait d'une reconnaissance à décharge aurait peut-être fait tomber ses scrupules. Mais l'autre ne bougea pas de sa position.

— Je suis désolé, commissaire, mais je ne...

— Pourquoi ne montrez-vous pas la photo à votre dame ? suggéra Montalbano, encore plein d'espoir.

— C'est inutile. Clotilde a tout vu, mais elle est très myope. Et à ce moment, elle ne portait pas ses lunettes.

Montalbano se sentit comme un type qui, venu à la banque pour encaisser un chèque d'un million d'euros, s'entend dire par le caissier que le chèque est en bois.

— C'est tout ? dit le procureur Carlentini.

— Pourquoi, ça ne suffit pas ? demanda Montalbano.

— Il faut que j'y réfléchisse.

Le procureur s'adossa au dossier du grand siège de bois sculpté et ferma les yeux. Ensuite, il les rouvrit et se mit à fixer, sans bouger d'un millimètre, le mur qu'il avait en face.

« Peut-être qu'il est tombé en catalepsie », pensa Montalbano.

Il n'était pas tombé en catalepsie. Parce qu'il souleva le bras gauche et se mit à observer la manche de sa veste en soufflant légèrement dessus. Puis, il fit de même avec le bras droit. Enfin, il fixa Montalbano. La réflexion devait être terminée.

— Non, dit-il.

— Non quoi ? demanda Montalbano qui sentait la fureur monter.

— Avec ce que nous avons en main, je ne me sens pas de signer un mandat de perquisition. Du reste, qu'est-ce que vous espérez trouver dans ce garage ?

— Je ne sais pas, admit le commissaire.

— Vous voyez ?

— Mais il s'agit d'un gros coup, *dottore* ! Ça nous permettrait d'étouffer dans l'œuf un trafic mafieux de vastes proportions qui…

— Je m'en rends très bien compte. Mais justement parce qu'il s'agit d'une affaire sérieuse, il faut agir avec une prudence extrême et seulement quand nous aurons en main des éléments concrets. Une action aventuriste de notre part pourrait envoyer tout par terre.

— D'accord. Mais en attendant, comment je fais, moi, pour…

— Montalbano ! Mais qu'est-ce que vous me racontez ? Mais puisque vous êtes célèbre pour vos méthodes, disons-le comme ça, peu orthodoxes !

— *Dutturi*, qu'est-ce qu'y a ? Ce soir, vous n'avez pas d'appétit ?

Enzo contemplait, étonné, le plat dans lequel n'avait été tripoté, de-ci, de-là, qu'un seul des trois magnifiques rougets. Les deux autres étaient intacts.

— Je me sens un goût amer dans la bouche.

C'était la vérité, la concrétisation d'une métaphore.

Partie perdue sur toute la ligne, les photos d'Arena, il pouvait les jeter aux chiottes; le procureur, à raison, bien sûr, n'avait pas voulu tenter le coup. Et lui, il se sentait impuissant. Peut-être la vieillesse qui approchait, non contente de ralentir son pas, lui ralentissait-elle aussi la coucourde. En d'autres temps, qui lui paraissaient très lointains, une solution lui serait sûrement venue en tête. Mais à présent, sa tête n'était plus qu'une tête venteuse au milieu d'espace venteux. De qui était ce vers? Il ne réussit pas à se le rappeler. Mais de qui qu'il fût, il peignait splendidement son état présent.

Le téléphone sonna même pas cinq minutes après qu'il fut rentré à Marinella.

— Allô? Qui est à l'appareil? demanda-t-il tout de suite pour éviter toute équivoque.

C'était Linda.

— Tu as dîné?

— Oui.

— Moi aussi. Je peux venir un peu chez toi?

— Écoute, Linda, demain matin, je dois me lever très tôt et...

— Je reste au maximum une heure, je le jure.

— Bon, bon, viens.

Dès qu'il eut raccroché, il pensa que le mieux était de téléphoner tout de suite à Livia.

— Qu'est-ce que tu veux?

Oh Seigneur, mais ça ne lui était pas encore passé? D'après ce qu'il lui semblait se rappeler, le dernier coup de fil de la nuit passée avait été pacificateur.

— T'es encore en colère contre moi?

— Oui.

— Mais cette nuit...

— J'ai changé d'avis.

— Non, écoute, Livia, ne fais pas ça, j'ai besoin de te parler, je voudrais un conseil de toi.

331

— Tu le veux de moi ? Pourquoi tu le demandes pas à cette Linda ?

En dedans de lui, un ressort se détendit, incontrôlable.

— Je vais le lui demander dès qu'elle arrive.

— Elle est en train de venir chez toi ?

— Oui, mais pas pour…

Il s'aperçut qu'il parlait dans le vide. Livia avait raccroché. Mais qu'est-ce qu'il faisait comme conneries ! Pour se passer les nerfs, il alla s'asseoir sur la véranda. Au bout d'un moment, Linda arriva. Il lui fit de la place sur le banc.

Elle attaqua aussitôt.

— Tu me racontes à quel point tu en es de l'enquête ?

— Au point mort.

— Pourquoi ?

Il lui raconta tout, comme pour se soulager. Tout, jusqu'à Bonsignore qui ne s'était pas senti de reconnaître Giacomo Arena sur photographie, jusqu'au procureur qui lui avait refusé la perquisition.

— Mais, excuse-moi, Salvo, qu'est-ce que tu espérais trouver dans le garage d'Arena ?

— Le procureur m'a posé la même question. Et je te réponds ce que je lui ai répondu : je ne sais pas.

— Alors, pourquoi tu t'obstines ?

— Je me sens comme un chien de chasse, son instinct et son flair l'avertissent que dans les environs, il doit y avoir quelque chose, mais il n'arrive pas à comprendre de quoi il s'agit.

Pendant un moment, Linda ne dit plus rien. Puis :

— Tout ce que la petite portait quand elle a été enlevée, elle l'avait encore quand elle est apparue devant le portail de la villa Riguccio. Ça, j'en suis certaine.

— Collier ? Bagues ?

— Elle n'en portait pas.

— Elle avait un nœud dans les cheveux ? Un bandeau ?

— Non.

Au bout de quelques instants de silence, Linda posa une question qui étonna Montalbano.

— Ça t'ennuie si j'allume un moment la télévision ?

— Non. Mais qu'est-ce que tu veux voir ?

— Comment va la Juve.

— Tu es supporter ?!

— Oui. Toi non ?

— Non. Mais vas-y.

Linda se leva et d'un coup s'immobilisa. Le commissaire la regarda. La jeune femme était immobile, bouche ouverte, œil écarquillé.

— Mon Dieu ! Le ballon ! réussit-elle enfin à dire.

— Quel ballon ? demanda Montalbano, ahuri.

— Le ballon de Laura. Elle l'avait jusqu'à ce qu'elle ait été enlevée. Elle l'avait en voiture et dans le garage. Elle l'a même dessiné. Mais elle ne l'avait plus quand elle est apparue au portail de Riguccio !

— Tu en es certaine ?

— Tout à fait certaine ! Son grand-père lui en fabriquait déjà un autre !

Sept

Avant de recourir aux méthodes peu orthodoxes, comme les avait appelées le procureur Carlentini, il y avait une autre voie à tenter, absolument orthodoxe, et même traditionnelle dans la flicaille du monde entier. En jargon, le raccourci. Mais pour rendre le raccourci plausible, il fallait une direction d'acteurs soignée, parce que, en tout cas, il s'agissait bien de mise en scène, de *tiatro*, de théâtre. Dans ce cas spécifique, il était fondamental de se procurer avant tout un indispensable objet de scène avec une excuse quelconque. Quelconque, d'accord, mais laquelle, en définitive ? La recherche de l'excuse occupa ses pensées tandis qu'il se rendait de Marinella au commissariat. Il avait bien dormi, sans arrêt, il s'était réveillé l'esprit frais et lucide, avec en clair dans la tête ce qu'il devrait faire. Quant à comment le faire, c'était une zone d'*ùmmira*, d'ombre.

La journée était d'une douceur de loukoum. Malgré sa hâte, il savoura le paysage en roulant à une allure de fourmi qui rendait dingues les conducteurs des voitures derrière lui.

À peine arrivé au bureau, il se mit d'accord avec Fazio.

— Prends-toi une voiture de service, appelle Alfano et emmène-le avec toi.

— Qu'est-ce qu'on doit faire ?

— Retrouver Giacomo Arena et le suivre.

Fazio le regarda d'un air dubitatif.

— *Dottore*, si vous me l'aviez dit tout de suite hier soir, ça aurait été plus facile. Mais là, maintenant, lui, il va être en train de tourner avec sa camionnette à faire les livraisons pour le compte de la société Infantino et moi, comment je fais pour savoir…

— Pas de problème. Tu te fais dire les livraisons que Arena doit faire par Infantino lui-même.

Fazio écarquilla les yeux.

— Avec une voiture de service ?! Mais, *dottore*, Infantino sait lire et écrire ! Il voit imprimé « Police » sur l'auto, il m'entend que je lui pose des questions et il s'alarme !

— C'est justement ce que je veux. Lui flanquer la trouille. Quand vous aurez eu l'indication, suivez Arena et, dès que vous êtes dans un endroit où il n'y a ni voiture ni personnes, vous l'arrêtez.

— Sous quel prétexte ?

— Initialement, un prétexte banal, je sais pas, le feu de position cassé, excès de vitesse, débrouillez-vous. Mais vous devrez mener ça avec tellement de lenteur et l'air de vous en foutre qu'Arena, exaspéré, perde patience. Et alors, vous le menottez pour résistance. C'est clair ?

— Très clair. Et après ?

— Après, tu l'amènes ici et tu le mets en cellule.

— Et la camionnette ?

— Pendant que tu emmènes Arena ici, Alfano reste là-bas de garde. Dès que t'as mis Arena en cellule, tu reviens sur les lieux. Quand tu es là-bas, tu appelles Infantino sur ton mobile et tu lui expliques où se trouve la camionnette. Attendez jusqu'à ce qu'arrive quelqu'un de l'entreprise, remettez la camionnette, et puis revenez ici.

— Certainement, Infantino viendra en personne. Et s'il me demande où est passé Arena ?

— Tu lui dis la vérité, qu'il a été arrêté.

— Et s'il me demande pour quelle raison ?

— À ce point, tu deviens une tombe. Plus tu es évasif et mieux ça vaut. Laisse-le mijoter à petit feu.

Maintenant, il devait jouer le rôle le plus difficile. Où il lui faudrait raconter des blagues à un gentilhomme qui n'avait pas d'autre tort que d'être le père d'un délinquant. Mais l'excuse pour se faire donner ce dont il avait besoin pour exécuter le raccourci, il ne l'avait pas encore trouvée. Il décida de se fier au hasard et le hasard fut amical.

Quand il eut frappé, vint lui ouvrir, exactement comme la fois précédente où il était venu, Me Mongiardino. Tous deux, en se voyant, écarquillèrent les yeux. Mongiardino surpris de la visite non annoncée, Montalbano parce que l'homme qu'il avait devant lui n'était plus le monsieur âgé bien vêtu de l'autre fois, mais un vieillard fatigué et négligé. Il avait la barbe longue, l'œil rouge et gonflé, comme il arrive à qui a pleuré longtemps. Sainte Mère ! Que lui était-il arrivé ?

Mongiardino le fit entrer dans le bureau et, tandis que le commissaire s'asseyait, lui, plutôt que s'asseoir à son tour, s'écroulait dans le fauteuil.

— Je vous écoute, commissaire.

Une voix épuisée, des mots décolorés comme si on avait essayé de les gommer. À cause des volets fermés, la chambre était obscure et pourtant, pour Mongiardino il devait y avoir trop de lumière, car il se tenait les mains devant les yeux.

— Comment va votre dame ? demanda Montalbano pour commencer.

— Elle a été hospitalisée hier après-midi dans une clinique de Montelusa. Le cœur.

Il devait s'agir de quelque chose de sérieux, si le mari était dans cet état. Les mains devant les yeux tremblaient. Montalbano se maudit lui-même et les mystères qu'il faisait, mais il devait insister. Et il le fit.

— Ce matin, elle allait comment ? Vous avez des nouvelles ?

— Je ne sais pas. Plus tard, si j'y arrive, j'irai à Montelusa.

— Excusez-moi, mais votre fils Gerlando ne…

Le vieux retira lentement ses mains de ses yeux qui apparurent pleins de larmes.

— Gerlando Mongiardino… commença le vieux d'une voix soudain forte et claire, mais il dut s'arrêter un instant, la respiration lui manquait. Gerlando Mongiardino n'appartient plus à notre famille. Hier soir, il est allé à la clinique, mais ma femme n'a pas voulu le voir. Et jamais plus, il ne mettra les pieds dans cette maison. Et si j'entends sa voix au téléphone, je raccroche.

Alors, ce n'était pas à cause de sa femme que le vieux avait pleuré ! Tu veux voir que le pus était sorti de la blessure infectée et tenue cachée jusque-là ? L'avocat se leva, mais perdit l'équilibre. D'un bond, Montalbano fut debout et le soutint.

— Je veux aller un instant à côté.

— Je vous accompagne ?

— Non.

Ils savaient tout ! Ils savaient le rôle qu'avait eu Gerlando dans l'enlèvement de la minote ! Il s'approcha du bureau sur lequel il y avait encore le ballon à présent entièrement peint, la fée Zurlina et le magicien Zurlone resplendissaient de couleurs. Et toujours sur le bureau, le commissaire vit une enveloppe volumineuse, qui avait été ouverte. Il la tourna pour voir s'il y avait le nom de l'expéditeur.

Il y était : Lina Belli. Maintenant, tout était clair. Lina avait évidemment appris la vérité de la bouche de son mari et l'avait à son tour fait savoir à ses parents. Et cette enveloppe avait explosé chez les Mongiardino comme ces enveloppes explosives que de dangereux imbéciles de temps en temps, dans notre pays, expédient à quelqu'un sans pourquoi ni comment, provoquant des dégâts terribles. Le cœur de Mme Mongiardino avait cédé, une avalanche d'années était tombée sur les épaules de l'avocat. Ce qui était arrivé en dedans d'eux, et qui ne se voyait pas, avait dû être encore plus dévastateur. Est-ce qu'un commissaire peut se permettre de sentir monter en lui une onde de haine pour le coupable ?

L'avocat revint, il semblait s'être un peu repris.

— Vous êtes venu ici et vous ne m'avez posé aucune question, dit-il. Mais je dois vous avertir. Si vous me demandez quoi que ce soit qui concerne Gerlando Mongiardino, je vous répondrai que les actes des étrangers ne m'intéressent pas.

— Après ce que vous avez dit, je n'ai plus besoin de poser de questions.

La voix de l'avocat à présent sembla venir d'un abîme de souffrance. À Montalbano, elle apparut presque insupportable.

— Vous avez tout compris ? demanda le vieil homme.

— Oui.

— Vous aviez raison depuis le début. Mais je ne pouvais penser qu'on pouvait arriver à tant de bassesse, à tant… d'iniquité.

Iniquité. Un mot désormais peu utilisé, mais précis, parfait.

— Vous, continua le vieux, vous pensez réussir à le lui faire payer ? Je vous le demande non pas pour moi, mais pour ces deux heures terribles qu'il a fait subir à une enfant innocente.

— Oui, je peux y arriver si vous m'aidez. Mais cela

338

signifie que votre femme et vous devrez affronter des moments pires encore, vous comprenez ? L'arrestation de votre... de Gerlando, le procès.

— Pour nous, il ne peut pas y avoir de moments pires que ceux que nous avons affrontés quand nous avons su. Qu'est-ce que je dois faire ?

— Il faudrait que vous me donniez le ballon que vous avez peint pour votre petite-fille.

Le vieux parut très étonné, mais ne posa pas de questions.

— Je peux seulement vous le prêter. Parce que je veux l'envoyer à Rome, à Laura.

Il se leva pour le prendre. Montalbano se leva et, pour la deuxième fois depuis le début de l'enquête, posa cette question :

— Vous me permettez de vous embrasser ?

— *Dutturi*, si vosseigneurie n'aime plus comment on cuisine ici, vous êtes libre de changer de trattoria ! dit Enzo, vexé.

Montalbano avait laissé dans l'assiette un plat de pâtes au noir de seiche auquel ne manquait plus que la parole.

— Excuse-moi, je suis nerveux.

Il l'était au point qu'il se sentait l'estomac tellement serré que même un spaghetti n'y serait pas entré. Et si le raccourci, ou plutôt le traquenard, le piège, ne fonctionnait pas à la perfection ? Si celui qui devait croire vrai ce qui n'était qu'une extrême vraisemblance s'apercevait en fait du truquage à cause d'un détail négligé, un élément sous-évalué, et battait en retraite à la dernière minute ?

— *Dutturi*, le deuxième plat, vous le mangez pas ? Vous savez que pour vosseigneurie, j'ai mis de côté un de ces bars que...

— Non, Enzo, je peux pas.

Il allait se lever et sortir de la trattoria, parce que la nervosité lui était arrivée à un niveau tel que les odeurs, pourtant merveilleuses, qui venaient de la cuisine, commençaient à lui donner de la nausée, quand il vit entrer Fazio. Il bondit sur ses pieds.

— Alors ?

Avant les mots, il fut rassuré par le *surriseddru*, le petit sourire de Fazio.

— C'est fait, *dottore*. Je venais vous en avertir.

— T'as mangé ?

— Un sandwich. Mais ne vous inquiétez pas.

Le restaurant était rempli de clients, dont la plus grande partie les observait, dévorés de curiosité.

— Allons parler dehors.

Ils sortirent. La nervosité de Montalbano était un peu, mais seulement un peu, retombée. Le plus difficile était encore à venir.

— Comment ça s'est passé ?

— *Dottore*, on a dû lui coller au train et attendre qu'il commence à suivre une route peu fréquentée, vers le terrain de foot. Il avait le feu de position arrière droit cassé, on n'a eu besoin de rien s'inventer. Et y a même pas eu besoin de faire traîner les choses pour le mettre en colère, il s'est tout de suite mis en colère tout seul.

— Et pourquoi ?

— Il a reconnu Alfano. Il lui a demandé : « Mais toi, t'es pas celui qui voulait faire un déménagement ? Alors vous me collez au cul, flics de merde ! » Et en un vire-tourne, il a tenté de lui balancer un coup de poing. Sauf qu'Alfano a été plus rapide et il lui a mis un pain dans le nez. Madone, qu'est-ce qui sortait comme sang ! Il s'est sali tout, chemise, pantalon… On l'a menotté et je l'ai conduit au commissariat. Après, je suis revenu en arrière, là où il y avait la camionnette avec Alfano et j'ai téléphoné à l'entrepôt. C'est Infantino en personne qui m'a répondu. Je lui ai seulement dit : « Police. Venez prendre la camionnette d'Arena via Moro. Il y a encore votre marchandise. » Et j'ai coupé.

— Il est venu, Infantino ?

— Oh que non, *dottore*. Peut-être qu'il s'est pas fié à ce coup de fil, peut-être qu'il a pensé que ce n'était pas la police qui l'avait appelé. Au bout d'une demi-heure, est arrivée une voiture avec deux types à bord. Quand je lui ai donné les clés de la camionnette, un d'eux me demande : « Mais Arena, où il est ? » et moi je lui ai seulement répondu : « On l'a arrêté. » Et c'est tout.

— Bien. Maintenant, dès qu'on arrive au commissariat, tu téléphones à cet ami que tu as à la Vigamare et tu te fais dire si Gerlando est là. Si oui, quand je te le dirai, accompagné d'Alfano et toujours avec la voiture de service, tu vas à la Vigamare et tu me ramènes Mongiardino au bureau.

— Je dois l'arrêter ?

— Non. Mais tu dois faire du bordel, du bruit. Traite-le mal. Et s'il te jure que, pour l'instant, il ne peut pas te suivre et qu'il viendra plus tard, réponds-lui que le commissaire veut le voir immédiatement et que donc, il ne fasse pas d'histoires et qu'il monte dans l'auto.

— Et après ?

— Après vient la partie la plus délicate. Tout doit se passer au bon moment, à la minute près, en parfait synchronisme.

— Mais quoi, *dottore* ?

— Je vais t'expliquer.

Accompagné par Fazio, Gerlando Mongiardino se présenta au bureau qu'il était à peine quatre heures de l'après-midi. Très élégant, tout pimpant, il était enveloppé d'un nuage d'eau de toilette, on aurait dit qu'il était carrément précédé d'un encensoir invisible qui répandait des senteurs. Mais il était hors de lui.

— Commissaire ! Je ne comprends pas ! dit-il, furibond.

— Quoi ?

— Si vous aviez besoin de me voir, il suffisait d'un coup de fil et j'arrivais ! Au lieu de quoi, vous m'avez fait traiter par vos hommes comme un délinquant ! Et devant mes employés !

Montalbano se tourna vers Fazio d'un air étonné :

— Mais t'es devenu fou ? Qui t'a ordonné de traiter M. Mongiardino comme un délinquant ? Moi ?

— Non, dit Fazio. Et puis, les délinquants, je les traite autrement.

Et il ricana. On aurait vraiment dit le flic méchant des films américains, celui qui flanque des raclées et des coups de pied dans les burnes. Montalbano eut un geste de résignation en regardant Gerlando, comme pour lui dire : « Vous voyez avec quels abrutis je dois besogner ? »

— Je vous prie de bien vouloir accepter mes excuses, monsieur Mongiardino.

Puis, à l'adresse de Fazio :

— Toi, va-t'en. Et ferme la porte.

Fazio sortit en lançant un dernier regard torve à Mongiardino.

— Asseyez-vous, je vous prie.

— Commissaire, dit l'autre en jetant un coup d'œil à sa Rolex, je n'ai pas le temps. Ce n'est pas une excuse, croyez-moi. J'ai un rendez-vous d'ici une demi-heure à Montelusa. C'est un rendez-vous que je… vous comprenez… je ne voudrais vraiment pas manquer.

— D'affaires ?

— Non. D'un tout autre genre, dit Mongiardino.

Et il fut misérable *surriseddru* allusif. Mais il était très nerveux, il s'était assis tout au bord de la chaise, son pied battait continuellement le sol. Probablement, et c'est ce qu'espérait Montalbano, on l'avait averti de l'arrestation inexplicable d'Arena. Et il ne savait pas d'où allait partir le coup.

— Une femme ? demanda Montalbano, complice.

— Eh ! fit Gerlando. Une petite distraction de temps en temps, vous êtes un homme et vous me comprenez, je ne…

— Bien entendu ! Je vous comprends très bien. Mais je ne vais pas vous prendre dix minutes, je vous assure !

L'autre se carra mieux dans son siège, mais de mauvais gré.

— Pourquoi avez-vous voulu me voir ?

— Parce qu'il y a du neuf sur le supposé enlèvement de votre nièce.

— Encore cette histoire ? Mais je vous ai bien dit que je ne crois pas que ça ait été un enlèvement !

— Et de fait, j'ai dit « supposé ».

— Et alors ?

— Vous connaissez un certain Giacomo Arena ?

L'estocade fut si soudaine que Gerlando ne put s'en prémunir à temps. Instinctivement, son buste sursauta, comme pour éviter un coup.

— Qui… qui… balbutia-t-il.

— Giacomo Arena. Un transporteur routier.

— Arena ?

Il faisait semblant de se rappeler, mais c'était un très mauvais acteur. Maintenant, sa lèvre supérieure était couverte de sueur.

— Ah oui, Arena. Il a travaillé il y a quelque temps chez nous, comme chauffeur. Et puis il a donné sa démission et il s'est mis à son compte.

C'était une nouveauté pour Montalbano. Mais qui lui facilitait beaucoup les choses.

— Donc, vous vous connaissez ?

— Oui, mais…

Et tout resta suspendu. Mongiardino n'expliqua pas ce que pouvait signifier son « mais », le commissaire ne demanda rien d'autre pendant quelques instants.

Ensuite, très lentement, le commissaire se baissa sur le côté, tendit une main vers la corbeille à papiers, déplaça une feuille de journal qui le cachait, extirpa le ballon que l'avocat lui avait prêté, le posa sur la table. Mais il ne dit encore rien.

Mongiardino, le souffle suspendu, fixait le ballon, maintenant son front aussi suait. À la fin, c'est lui qui se décida à demander, en jouant, mal, la surprise :

— Mais, ça, c'est… ?

— Oui, c'est le ballon avec lequel votre nièce jouait quand elle a été enlevée. Nous l'avons trouvé.

— Où ?

Ça n'avait pas été une question, mais un véritable cri. Montalbano prit son temps. Putain, mais qu'est-ce qu'il foutait, Fazio ? Il s'était endormi ? Enfin, on frappa.

— Entrez !

La porte s'ouvrit complètement. Dans le couloir, parfaitement encadrés dans l'embrasure de la porte, Alfano et Fazio tenaient entre eux Giacomo Arena, menotté. La chemise et la veste tachées de sang, le nez gonflé et bleuâtre, il paraissait tout juste sorti d'une chambre de tortures. Il faisait vraiment impression. Mongiardino le vit et blêmit au point que le commissaire eut peur qu'il lui vienne une attaque.

— Je peux continuer, *dottore* ? demanda Fazio.

— Continue.

Parfaite coordination. Fazio referma la porte. Maintenant, Mongiardino avait les mains qui lui tremblaient.

— Vous étiez en train de me demander où nous avions trouvé le ballon de votre nièce, reprit le commissaire. Nous l'avons trouvé dans le garage de la maison qu'Arena a louée près de Piano Torretta. Si vous me permettez, je n'utiliserai plus l'adjectif « supposé » avec le mot « enlèvement ». Car la découverte du ballon démontre sans équivoque qu'il y a eu un enlèvement. En outre, les deux témoins, il me semble vous en avoir déjà parlé l'autre fois, ont reconnu Arena sur des photos que j'ai fait prendre.

Il eut un sourire mauvais qui effraya Gerlando.

— Naturellement, il s'agit de photos prises avant que Fazio mette Arena dans l'état que vous venez de voir.

— Mais quel… quel rapport entre… Arena et moi ?

Ce n'était plus qu'une estrasse. Sa sueur puait l'aigre, une puanteur qui avait percé le nuage de parfum.

— Voilà le problème, dit Montalbano, Arena, interrogé, disons, de près, par Fazio, a prononcé quelques noms.

— Les… lesquels ?

— Je vous les énumère tout de suite. Balduccio Sinagra junior, Calogero Infantino et…

— Et… ?

— Et le tien, salopard.

Le passage soudain du « vous » au « tu » fut pour Mongiardino comme un premier coup d'escopette qui le blessa à mort, le « salopard » représentait en fait le coup de grâce. Mais ce qui dut vraiment l'atterrer, ce fut l'éclair de haine qu'il entrevit dans les yeux du commissaire. Une haine véritable, authentique, qui ne faisait pas partie de la comédie. Tout de suite, il comprit qu'il était perdu, de cette pièce il n'aurait plus la possibilité de sortir en homme libre. Les larmes commencèrent à couler d'elles-mêmes, au point que, sur le moment, il ne s'en aperçut pas, puis il se mit à sangloter sans vergogne, sans dignité.

— Je… je… ne voulais pas… C'est Balduccio qui… C'est lui qui…

— Le reste, vous me le raconterez devant le procureur, dit Montalbano.

Le raccourci avait réussi mieux que ce qu'il avait espéré. Mais il aurait préféré faire mijoter encore un peu cette authentique merde qu'il avait devant les yeux. Il souleva le combiné.

— Envoie-moi Fazio.

— Non, je vous en prie, Fazio, non ! hurla Mongiardino en se relevant d'un bond pour se plaquer dos au mur. Non ! Pas les coups, non !

La frousse le faisait trembler. Et il commença à se pisser dessus.

— Ne me touchez pas ! lança-t-il, désespéré, les bras tendus en avant, quand il vit entrer Fazio.

— Même pas avec des gants, dit Fazio.

Et juste après vinrent des journées de grandes satisfactions et d'un grand tracassin.

La première satisfaction fut quand Fernando Belli, appelé à Rome, confirma au procureur tout ce que Montalbano avait pensé, ajoutant que Balduccio junior s'était découvert lui-même avec un coup de fil du genre : « Tu as vu ce qui pouvait arriver à ta fille ? »

La deuxième satisfaction fut quand ils coincèrent, dans l'ordre, Giacomo Arena et Calogero Infantino. Ils avouèrent et le commissaire les arrêta.

La troisième satisfaction fut quand il passa les menottes à Balduccio Sinagra junior qui, pour l'occasion, se mit à jurer en américain.

La quatrième satisfaction fut quand la financière décida de regarder de plus près les comptes des sociétés de Balduccio junior.

La cinquième satisfaction fut quand, durant la perquisition dans le garage de Giacomo Arena, de derrière une pile de pneus surgit le ballon de Laura, celui avec lequel elle jouait au moment de l'enlèvement. Et Montalbano fit rapporter l'autre ballon, celui qui lui avait servi pour le raccourci, à Me Mongiardino. Il le fit porter parce qu'il lui manqua le courage d'y aller lui-même et donc de se trouver face à face avec la douleur infinie de ce pauvre vieux.

De tracassin, en revanche, il n'y en eut qu'un, mais très grand : l'énorme quantité de rapports qu'il dut compiler et la centaine de signatures qu'il dut mettre, en bas, de côté, de travers, dessus, dessous.

À un certain point, désespéré, il se demanda s'il aurait

jamais plus l'envie de faire d'autres arrestations à l'avenir, s'il fallait supporter tant de bureaucratie.

C'était un vendredi soir quand il prit l'avion pour Gênes. Par téléphone, il ne réussirait jamais à s'expliquer avec Livia. La seule chose à faire était d'aller lui parler en personne. Ou mieux, personnellement en personne.

Note

Ces trois enquêtes du commissaire Montalbano, écrites à des moments différents, et cela se voit à l'écriture, ont un élément en commun : elles ne sont pas centrées sur des crimes de sang. Il n'y a pas de mort, dans ces pages. C'est un choix délibéré (et aussi un risque délibéré), mais dont je ne puis moi-même m'expliquer tout à fait la raison. Peut-être une espèce de rejet. Du reste, les meurtres, dans mes histoires, ont toujours été des prétextes.

Les trois récits sont inédits. Pour l'un d'entre eux seulement, j'ai partiellement utilisé un de mes écrits parus sur *Micromegas*, n° 2, de 2002.

Les citations concernant la Kabbale sont tirées de *La Qabbalah* de Giulio Busi (Laterza Editori, Bari, 1998).

Il convient d'ajouter que les personnages de ces trois histoires, leurs noms (de famille, surtout !) et les situations dans lesquelles ils se trouvent et agissent sont le fruit de mon imagination.

Le livre est dédié à Pepè Fiorentino et à Pino Passalacqua qui n'auront pas la possibilité de le lire.

A. C.

POCKET N° 16544

Andrea Camilleri

LA **DANSE**
de la
MOUETTE

Une enquête du
commissaire Montalbano

« La Danse de la
mouette *est un petit
bijou d'écriture et de
tension dramatique.* »

La Presse

Andrea CAMILLERI
LA DANSE DE LA
MOUETTE

Le brigadier Fazio, pilier du commissariat de
Vigàta a disparu. Montalbano découvre que
son homme enquêtait sur des trafics dans le
port de pêche avant d'avoir été enlevé.
Fusillades dans un tunnel, tentative d'assassinat
dans un hôpital, affrontement avec la mafia,
rencontre d'une très jolie et très ambiguë
infirmière : pas étonnant que Montalbano en
vienne à oublier la présence de Livia, son éternelle
fiancée génoise venue lui rendre visite...

Retrouvez toute l'actualité de Pocket :
www.pocket.fr

POCKET N° 15845

> « *Un scénario bien ficelé,
> et une langue fleurie,
> truculent cocktail
> d'italien officiel et de
> dialecte sicilien.* »

L'Express

Andrea CAMILLERI
L'ÂGE DU DOUTE

Sous le soleil de la Sicile, les apparences sont trompeuses. Les jeunes ingénues peuvent se révéler manipulatrices et les meurtres sordides cacher de plus vastes trafics...

Confronté à son principal ennemi, l'âge qui avance, et à de redoutables tentations – comme la bien-nommée Laura Belladonna –, Montalbano, le *dottore* qui aimait trop les femmes, va devoir garder le cap s'il ne veut pas avoir le sang d'innocents sur les mains.

Retrouvez toute l'actualité de Pocket :
www.pocket.fr

Faites de nouvelles rencontres sur pocket.fr

- Toute l'actualité des auteurs : rencontres, dédicaces, conférences...
- Les dernières parutions
- Des 1ers chapitres à télécharger
- Des jeux-concours sur les différentes collections du catalogue pour gagner des livres et des places de cinéma

POCKET - 12, avenue d'Italie - 75627 Paris Cedex 13

Dépôt légal : février 2007